希望的春天在路上

網絡版選集

香港作家

《香港作家》網絡版編委會主編
香港作家出版社

希望的春天在路上

潘耀明

《香港作家》網絡版社長、香港作家聯會會長

春天，「我到處看見綠的顏色，希望的顏色。」（海涅）

去年七月初，柏楊夫人、台灣知名詩人張香華大姐給我傳了一個信息，內容如下：

耀明先生：

平安！

向先生報告一件可喜的事，拙文《張雪門的名字在我心裏放光》登在《香港作家》網絡版之後，引起海內外許多讀者的回應（包括歐洲讀者），新加坡《聯合早報》也將在下星期一重複刊登，可見電子媒體有無遠弗屆的功能，我是第一次嘗到這個可喜的經驗，向先生報告。

這場疫情暴露了台灣政壇的混亂，暫不多談。

敬祝

安好

香華

《香港作家》兩年前由平面印刷改為網絡版後，讀者的覆蓋面更廣泛，從張香華大姐上面的信息也可見一斑。

我們更選編了《香港作家》網絡版的文章，並以合集形式出紙質本。

根據不少會員、文友的反映，《香港作家》過去一直被視為同人雜誌，印數很有限，閱讀量更少，作者群很狹窄。自從編輯部改組後和《香港作家》改為網絡版後，作者隊伍為之開闊，除了撥出更多篇幅刊登作聯會員的作品外，還兼容不少海內外華人作家的優質作品，不論從內容、題材或文章的質素，都大有提升和改善，成為華人社會一塊矚目開放的文化園地。

每一期的「名家名作」吸引不少海內外殿堂級的作家到來投稿，更使雜誌的品味有了進一步提升。

不管怎樣，過去兩年以迄，我們經歷了疫情的嚴重打擊，和時代風雲的震盪下，香港在商業大石擠壓下明明滅滅文學薪火，仍然顛撲不滅，這是值得告慰大家的。

　　想起張香華大姐眼睛在幾乎完全失明下，仍然孜孜地創作不輟，使我們這些視力正常的文學園丁，更不敢躲懶。

　　古人曾說道：「音為知者珍，書為識者傳，瞽曠之調鐘，未必求解於同世；格言高文，豈患莫賞而減之哉！」（《抱朴子‧外篇》），意喻好的音樂、好的文章都會為知音者、識者所傳播，如春秋時期的樂師瞽曠，天生失明，仍然可以辨別聲樂。讀者的眼睛是雪亮的。

　　讓我們共同來開墾這塊在商業社會背後勃然生色的文學國度。

目錄

文林

詩路

世說

談文說藝

《香港作家》網絡版編後語

《香港作家》網絡版 編委會

《香港作家》網絡版第一期至六期（二〇二〇年二月號至十二月號）

《香港作家》
網絡版卷首語

希望的春天在路上

潘耀明

《香港作家》網絡版社長、香港作家聯會會長

詩人萍兒說：「希望春天在春天的路上」。

這個春天是陰冷、晦濕的。伴隨而來是覆蓋大地巨大的陰霾天，人們生活其下翳閉得直透不過氣來。

正如泰戈爾說：「春天一直為我們秘密地貯藏了許多眼淚」，也許是那理還亂的綿綿春雨，滋潤了大自然，卻也再警戒了人類——長年累月環境生態的破壞帶來災難性的後遺症。

這就是二〇〇三年沙士後的新疫症——新型冠狀病毒。

這次疫症比沙士更嚴重、更可怖。

這是一個不尋常的春天！

早春的淚雨一直掉不下來——春雨不再，倒是輪到我們掉下不少眼淚，除了新型冠狀病毒的先知李文亮醫生飲恨而終，在這個疫症的斷魂路上，還淌下幾許妻離子別的淚雨！

但是，人類社會孕育着一股不倔的氣慨，正如貝多芬《命運交響曲》所揭示的壯闊波瀾生命之歌——

不可勝數的主題在這漫無邊際的原野上匯成一支大軍，無限廣闊地擴展開來，洪水的激流洶湧澎湃，一波未平，一波又起；在這浪花中到處湧現出悲歌的島嶼，就好像一叢叢的樹尖，不管這偉大的鐵匠如何努力熔接那對立的動機，意志還是未能獲得完全的勝利……被打倒的戰士想要爬起，但他再也沒有氣力；生命的韻律已經中斷，似乎已瀕隕滅……我們再也聽不到什麼（弦線在靜寂中低沉地顫動），只有靜脈的跳動……突然，命運的呼喊微弱地透出那晃動的紫色霧幔，英雄在號角（法國號）聲中從死亡的深淵站起，整個樂隊躍起歡迎他，因為這是生命的復活……

——羅曼·羅蘭《英雄交響曲》

李文亮因冠狀病毒倒下來，在唏噓淚眼中，我們只要相信「希望的春天在路上」，我們的耳鼓當漲滿英雄的號角，相信人類在戰勝這場瘟疫將是可期的——這將是人類另一闋命運交響樂！

春天始終要到來的，生命煥然生機。

我們的平面版《香港作家》停刊後，網絡版卻在陰霾滿佈的春天誕生了。

希望大家共同來鞠迎這個在不平凡春天出世的新孩子，一起來耕耘這個屬於大家的文藝園地。

二〇二〇年二月十日

原諒這個春天吧 先於一個路口假裝錯過

羅光萍
《香港作家》網絡版總編輯

這個春天,這個不一樣的春天,已經被人們訴說了千百次;這個疫情,席捲全球的災難恐慌,挑戰著全人類的智慧、知識與心理品格。而香港這座動人的城市又是怎樣?等待走過漫漫長夜,詠嘆歸去來兮,一直有不肯停止的喧囂,妄圖定義一些純潔的夢想;有不願辭別的深情,丈量你艱辛努力的不朽名句。

誠如早前香港新冠肺炎疫情深重時,潘耀明會長接受記者訪問提到香港要重拾正在失落的自強不息、守望相助的獅子山精神。大家不會忘記,過去香港人靠獅子山精神克服多少逆境,包括十七年前的「沙士」襲港。如今,香港乃至全國抗疫成功的曙光已然在望,你正懷耀眼的青春奮起再飛翔。

幸好有文學,和在文學中的你們。閱讀我們編輯本期精心組稿的「疫境下的城市風景」,一定有些什麼撞擊到你的心靈,一定能讀到你的徬徨、你的堅毅和你對未來的渴望。

原諒但請記住這個春天吧,先於一個路口假裝錯過。

告別暮春,五月的來臨是一件重要的事。生命中許多苦痛、艱辛與豐美,值得我們堅持、微笑和珍惜。赴一場維港的盟約詩韻三千,火熱的夏已在路上。

二〇二〇年四月

相約今夏

羅光萍

《香港作家》網絡版總編輯

夏在彌漫；哀戚褪去，笑聲從遠處傳來。心裏隱藏著告別。記住你，記住了今夏。

山花雜陳、慕愛陽光的夏天將沒有止盡。

讀她。你渴望擁有的夏之熱烈冰涼在各種體裁、篇幅、書寫上愉快悠長。同期點將錄致敬劉以鬯先生。

二〇二〇年六月

我們依然有奔跑的勇氣

羅光萍

《香港作家》網絡版總編輯

一場突如其來的新冠疫情，「竟如海嘯般呼嘯而來，把地球村每一個角落的人類席捲其中。」[1]與病毒無硝煙的抗爭從惶恐、無奈、壓抑，到面對、從容、共存；人們的內心江河，生活起居到底都經歷了什麼？

為此，我們特別策劃了「逆境下的日子」文學專題，其中有海外作家作者真實的心聲，有內地名家獨特的感悟，有香港文學人切身之痛之悟，把疫情的困擾提煉成一行行動人的詩句，一朵朵芬芳的文字之花。箇中精彩，請尊敬的讀者一一細味。

縱使一時走在禁錮的黑夜中，因為有文學，蒼生的呢喃與苦痛都終究化為光與愛，讓我們負重，但堅毅前行。

本期「作聯點將錄」致敬那年春天遠遊的陶然先生。

月光追趕厚重的雲朵，灑在誰的身上都碎成日子，那暗啞的部分也曾一地斑斕，我們依然有奔跑的勇氣。

二〇二〇年八月

註：（1）黃芷淵：〈香江‧圍城〉，《香港作家》網絡版第四期。

今秋，膜拜一陣漩渦捲起的相信

羅光萍
《香港作家》網絡版總編輯

今秋，在你寫字的城市讀到深刻，在你的心影中刻下情義萬鈞。

一路前行向著一座山的蜿蜒攀登，不要討論哪朵浪花的姿勢更加優美，經過以後今秋的故事泛著童年的光，泛著各位作家詩人精神家園的華貴。

今秋，膜拜一陣漩渦捲起的相信，可以寫詩的枯葉已所剩無幾，而你一直都在。

請各位讀者細品「今秋心影」。

本期，我們一起懷念深具大情懷的著名詩人犁青先生。

二〇二〇年十月

藉著文學，我們輕輕飛過時間的皺褶

羅光萍
《香港作家》網絡版總編輯

《香港作家》網絡版陪伴大家走過了不平凡的二〇二〇年。

奔跑，向著高山之巔，向著歲月之殤。一場浩大漫長的疫情給世界帶來多少沉痛與反思。有時，生命必須以劇烈的方式對抗疼痛。

人間尚好，不缺燈盞。你在，我在，我們都在，已經足夠。

本期兩位大家王鼎鈞、張承志十分精彩。

此地雖然終年無雪，但對未來如雪般晶瑩的盼望溢在每一位作者的筆墨深處。在不一樣的冬天裏，以彥火先生引領的雪的遐想如詩似夢。周蜜蜜女士妙寫汪曾祺十分可讀；李遠榮先生回憶與臧克家的交往彌足珍貴。還有在詩路上，文林中一起漫步留下動人文字倩影的詩人作家們。未能一一盡錄，請大家靜靜欣賞這輯冬的作品。

今天，今年，都將成為歷史，而歷史太重。藉著文學，我們輕輕飛過時間的皺褶，互道珍重，共祝平安。

二〇二〇年十二月三十日

名家名作

過關

張香華

「關防」聽起來是一個簡單的名詞，每個國家都有，通關手續幾乎都是一樣，檢驗文件、簡單的詢問如此而已，難道有什麼蹊蹺嗎？是的，確實給我許多「啟示」。因為關口是這個國家的第一道門檻，一旦跨進去，才算進入這個國家的大門。在門外，是沒有辦法探知這個國家方方面面的真相的，而這個「大門」，全世界每個國家的規格與形式都差不多，問題是關防人員的態度、語言，會馬上透露這個國家人民的某種特質來，甚至，他們的政治、社會、經濟狀態。

早期旅行時我通常選擇較接近台灣的國家，比如有千島之國之稱的菲律賓。既然稱為千島，我要去哪個島呢？一般人指菲律賓多半是指最大的島，也就是首都馬尼拉所在的島──呂宋島。

上個世紀九十年代，菲律賓已迥然不同於我少女時代所聽到的菲律賓。那時，有長輩是菲律賓的華僑，就被人當作羨慕的對象；而女兒長大到擇偶年齡，如果有人牽線作媒，嫁到菲律賓的華人家作媳婦，就被街坊鄰居嘖嘖稱羨，彷彿對方一定是豪門，當時，菲律賓在國人心中是一個富裕的國家。所以，當我結束了旅遊，準備離境時，在機場，一個查驗員走向我，幫我把行李推向輸送帶準備驗關。查驗員頭髮捲曲，膚色有點棕黃，他笑著問我：「你有美金嗎？」我頓時愣在那裏，心想：糟了，我的錢差不多全花光了──因為每次買東西就苦惱於貨幣的換算，我老搞不清楚菲幣和台幣的換算應該用乘法還是除法，所以帶去的錢本來就有限，一兩天內就花完了。我這時愣愣地問他：「還要交錢嗎？交多少？」結果，他回我一個有點尷尬的笑容，說：「隨妳便啦。」我頓時恍然大悟，告訴他：「我的錢都用完了。」然後向他慧黠的一笑，說：「我下次再給你吧。」他幫我把行李提下來，我就順利過關了。噢，這個國家公務員是可以公開索賄的。

事實上，菲律賓的確曾經是一個富裕的國家，人民也大致安居樂業，但不健全的資本主義貪腐盛行，尤其馬可仕執政二十一年，政治風氣墮落敗壞。馬可仕與夫人伊美黛，私人生活奢靡，政壇上大搞裙帶關係，社會風氣每況愈下，貪污盛行。他們夫婦的奢靡生活，已經成了世界笑柄。伊

美黛年輕時十分貌美，在菲律賓小姐選舉中曾摘得后冠；但她揮霍成性、思想腐化，中年之後，相貌驟變，變成一個發泡海綿的娃娃，她的三千雙鞋子，成為一場笑話。原來，馬可仕是以振興經濟、社會改革起家，不到幾年功夫，這個國家的社會秩序卻快速地崩潰。最後因為總統選舉舞弊，馬可仕雖然勝選，卻被人民唾棄，加上他的政敵阿奎諾被暗殺，全國人民把矛頭指向馬可仕，他和夫人伊美黛便在美國的庇護下，雙雙流亡到夏威夷。兩年之後，馬可仕心臟病發，客死異鄉。現在，從這個小小的關防人員開口向我要美金這件小事上，可以看出菲國貪汙舞弊已經從上層領導向下深入到社會的細胞了。

不過，這個小小的查驗員始終面帶微笑，在我靈機一動，有一點調皮地對他說「我下次再給你吧。」他的臉上沒有一絲慍色，仍然是笑笑的，讓我覺得菲律賓的人民還是挺可愛的。

中年之後，我旅行的足跡離台灣越來越遠，舉一個在東南歐的國家——塞爾維亞為例。

這次輪到我被困在塞爾維亞首都貝爾格萊德的機場，我指著護照上旅行社跑到泰國的塞爾維亞使館幫我辦出來的簽證，告訴他們：「這是你們批准，蓋了關防圖章，怎麼現在不算數了呢？」查驗員很無奈地說：「對不起，我們的政府在三天前聲明只有一個中國，而不能接受你們中華民國人的申請。」他又強調地說：「就是三天前才發布的，而妳的申請卻是一個月前的事。」我搶著說：「可見你們批准的呀，早就批准了呀！」查驗員這時走出來，滿臉寬慰我的表情，說：「等一會兒、等一會兒，我們來想個辦法。」一想到在美國機場，我親眼看過一個人被原機遣返的場面，想到假如這次輪到我要被原機遣返，那將會有多可怕。因為從台北出發到貝爾格萊德，輾轉要飛二十幾個小時，原機遣返還沒有直達的航線，中間要什麼地方落腳？難道，要在一個一個機場上打地鋪，就像我轉機時在一些機場看到有年輕旅客，索性就和衣睡在機場的地上，等次日的班機狀況一樣嗎？查驗員要我搜查一下皮包，看看還有沒有可以補充的證件。台灣的身分證嗎？健保卡嗎？當然都不是。最後，我靈機一動，拿出了香港永久居民證，上面寫著英文「HONG KONG PERMANENT IDENTITY CARD」他豎

起了一個食指，連聲說：「Moment，moment.」又走到屋裏去。透過玻璃窗，我看到他不斷地撥電話，拿起我的卡片，跟對方說個沒完，然後掛了電話，又播另外一個電話……。終於，他走出屋子：「OK了！」他向我張手，表示一切沒問題了。我喜出望外，正要拖著行李走，這時，他又走出來攔我，說：「Moment，moment！」他伸手到他襯衫的內層，拿出一張條子，我正在狐疑他葫蘆裏賣什麼藥，他把條子遞給我看。哇！竟然是中文，上面寫著一個女人的名字和地址：台北市復興南路……，我詫異地望著他，他說：「妳回台灣之後，能幫我寄一封信給她嗎？她是我認識的一個中國hair designer，我現在就去寫，妳等我一下。」他又到屋子裏去了，三五分鐘之後，他拿著他裝在信封裏的信向我走來，要求我幫他寫中文地址。這時，我臉上綻開了笑容，我相信，我臉上的笑容是粉紅色的，因為我發現整個閘口都是粉紅色的。

有一天黃昏，我走在貝爾格萊德市上，一位戴著呢帽的老先生向我脫帽敬禮，然後問我：「妳就是那個中國的女詩人嗎？我想請妳幫我做一件事。」我問他：「什麼事？」他指著街旁有一家花店，說：「請妳幫我選一朵花，我要送給我的太太，因為今天是她生日。我會告訴她：這是一位中國女詩人幫妳選的。」我走進花店，替他選了一朵粉紅色的玫瑰，店員幫他包紮好，他向我一鞠躬致謝，快樂地回家去了。

二〇二〇年八月號

張香華小傳

著名詩人、作家。福建龍岩人，一九三九年七月三十日生於香港，國立台灣師範大學國文系畢業，曾任教於建國中學、世界新聞專校，十九歲第一次發表詩作〈門〉於《文星》雜誌，曾任《草根》詩刊執行編輯、《文星詩頁》主編。一九八四年應邀到美國愛荷華大學「國際作家工作坊」訪問，在一九九二年時獲得國際詩人桂冠獎。著有詩集《不眠的青青草》、《愛荷華詩抄》、《千般是情》，散文集《星湖散記》、《咖啡時間》和《秋水無塵》等。另編有《玫瑰與坦克》、《菲華現代詩選》等。

關於新型愛情的可能性的故事——殘雪談自己的長篇《新世紀愛情故事》

殘雪

　　我寫於二〇一三年的《新世紀愛情故事》，看書名也許可以猜到，這本書是要描寫一種新型的愛情觀。這種愛情不是已有的，但也不是根本不存在；有些朦朧的輪廓，但又還未正式成形。它是一種渴望，也是人的自由意志的初現，當然也可以說它是新世紀靈魂的覺醒吧。

　　我們大家都生活在動物性的物欲的夢中，我們的夢境被這種物欲塞得滿滿的，我們以為這就是人的本能，很少有人願意從夢裏醒過來。可是已經有了恐懼。嚴冬的夜晚，在空曠的水泥廣場上，在城市郊區的國道旁，一些歪歪斜斜的人影在踽踽獨行，他們都用手捂住胸膛裏跳動的那顆心，叩問著同一個古老的問題：靈魂到底有沒有？當靈魂的真正死亡降臨時，沒有人會不害怕，或許這種恐懼的積累就是希望所在。人，終究會從長夢中醒來，這才是人作為人的本能。

　　這部小說描寫的，就是這樣一些不願讓靈魂死亡的人們的案例。它是來自黑暗地獄的靈魂報告書，但它報告的內容卻是一些關於愛情永生，關於靈魂永生的事跡。在新世紀裏，人的情欲與愛情都面臨著深淵，舊的拯救手段早已失效，一切得救的可能都只在個人自身。然而個人的本能正在日益衰弱、萎縮。藝術家深深地感到了危機，這是整個人類的危機。書中的人物：韋伯、翠蘭、龍思鄉、阿絲、尤先生、劉醫生、小袁老師等等，就是從我們身處的這個歷史背景中產生的一些異類。是他們的存在，他們的熱血，使得人類在這場靈魂戰爭中沒有全軍覆滅。他們抗爭的激烈程度，和那些異想天開的創新方法，都是歷史上少見的。

　　能否保持愛的能力也就是人性能否發展的試金石。不論是什麼樣的社會狀況，不論生產力是先進還是落後，衡量人類文明的最重要的標誌應當是愛的水平。愛情不是野蠻任性，它的內部是有自我約束的機制的。可以說，既要達到自由，又要達到雙贏的愛情是一種高超的技藝，這種技藝同藝術創造，同哲學探索是屬於同等高度的，因為它是人與人之間的最高的溝通，也是人與自然的終極交流。大概很多人都體驗過愛情的狂熱和絕望，情欲的亢奮和失戀的頹

唐，但極少有人懂得文明人的愛是有機制制約的，那個機制就是自由的機制。

本書描寫了一種新型的、重視物欲昇華的、東西方文化相結合的愛情觀。書中的環境描寫具有濃郁的中國色彩。大地與天空，動物與植物，時間與空間，各色人等的心理與交流，思維與身體感覺的協調等等，在小說中令讀者產生一種非中非西的，既熟悉又陌生的體驗。也許我的方法是從西方借來的，但我又不滿於西方那種輕視物質力量的傳統，所以我現在應該可以說是通過理性強力控制下的潛意識寫作，展示了我們古老文化的深層魅力吧。我的寫作同我的世界觀是一致的。三十多年來，我一直不妥協地批判我們傳統文化的腐朽方面，倡導向西方學習。至今我仍然堅持這個立場，我深信，沒有西方文學和哲學對我的個性的塑造，就沒有今天的殘雪。正是這種批判立場促進了我的中國式的創新，而這是外國同行們很難做到的，也是我的文學所吸引他們的地方。這一點在國際上已有了共識。

新世紀的愛情是勇敢的、開拓型的愛情；是蓬勃向上的、有希望的愛情。它在高超的騎手的駕馭下以罕見的原始之力駛向自由的王國。我對我的主人公深懷信心，因為他們中的每一位都處在將自己塑造成形的美妙過程中。

二〇二〇年十月號

殘雪小傳

一九五三年五月生，本名鄧小華，原名鄧則梅，湖南耒陽人，生於長沙，中國當代作家，被譽為先鋒派文學的代表人物，也是作品在國外被翻譯出版最多的中國女作家。兄長為哲學教授鄧曉芒。殘雪在二〇一九年獲得諾貝爾文學獎提名，二〇二〇年再度獲得提名。

殘雪部分作品在香港和台灣地區出版後被譯介到日本、法國、意大利、德國和加拿大等國家。她的部分小說成為美國哈佛、康奈爾、哥倫比亞等大學及日本東京中央大學、國學院大學的文學教材，作品在美國和日本等國多次被入選世界優秀小說選集。瑞典學院士馬悅然稱她為「中國的卡夫卡」，美國作家蘇珊・桑塔格說：「殘雪是中國最好的作家」。

著作多種，包括：文集《殘雪文集》（四卷）、《殘雪自選集》，長篇小說《單身女人瑣事記實》、《最後的情人》、《呂芳詩小姐》、《新世紀愛情故事》、《赤腳醫生》，中短篇小說《天堂裏的對話》、《蚊子與山歌》、《黃泥街》、《末世愛情》、《茶園》，散文及評論《靈魂的城堡——理解卡夫卡》、《解讀博爾赫斯》、《地獄的獨行者》、《置身絕境的操練》、《建構新型宇宙》，另有《世界當代華文文學精讀文庫——暗夜》（二〇〇九年明報月刊出版社與新加坡青年書局聯合出版），等等。

你有五種感官

外界的事物，觸動了我們的感官，使我們的心裏面產生思想感情，我們用語言文字把它表現出來，讓別人分享，用文言文的說法，這叫「感於物而動」。我們能夠「感於物」的器官不止是眼睛，其中以視覺最重要，做了代表。除了視覺以外，還有聽覺、嗅覺、味覺、觸覺，都使我們「感於物而動」，談「觀察」，應該把它們都包含在內。

先說聽覺。我們接觸外面的世界，聽覺和視覺同樣重要。寫文章的人，不幸喪失味覺，喪失觸覺，喪失嗅覺，仍然可以有成就，倘若視而不能見，聽而不能聞，那就難了。美國作家海侖凱爾生來盲聾，雖然在文學史上創造了奇蹟，也終究只能寫簡單的散文小品。所以你，我，一切寫文章的人，都要好好保護眼睛耳朵，好好使用視覺聽覺。

聽覺能夠接觸到的世界也很廣大豐富，歐陽修說，秋天是可以聽見的，不必驚訝，韓愈說，春夏秋冬都可以聽見，廣播節目製作人說，生老病死都可以聽見，儒釋道耶都可以聽見。他們能聽見的，你也應該能聽見，即使過去聽不見，經過學習，以後應該都聽見。休說不要緊，反正我可以看，那麼何不未見之前先聽聽，或者聽了以後再看看呢？

你也讀古人的詩詞嗎？那是我們重要的營養，有些作品，從聽覺的角度落筆，別有滋味。「閒花落地聽無聲」，難得他在這個時候記得聽覺，經他鄭重提起，好像落花無聲是一件不尋常的事情，馬上想起另外有些詩人轟轟烈烈詠歎落花，頓時覺得落花馬上不是落花了。「海雨天風不忍聽」，一個「聽」字，可以想像兩個人站在碼頭上，或者甲板上，或者沙灘上，或者山頂上，總之人很少，人的力量很小，「自然」的力量很大。「留得殘荷聽雨聲」，你看，詩人在經營他的聽覺呢，殘枝敗葉，成了垃圾，一個「聽」字使它像個樂器，有了價值。留得梧桐也聽雨聲，留得芭蕉也聽雨聲，這個雨聲和那個雨聲有什麼不同？你現在分不清楚，將來有一天可以分清楚，慢慢寫啊，別心急。除夕，大年夜，農曆年最後一天晚上，你們還守歲嗎？守歲，全家不睡覺，等新年降臨。現在，電視機告訴你新年到了，從前沒有電視，爆竹告訴你新年到了，那時候有人這麼寫：爆竹

是時間的聲音，新年前呼後擁而來。十歲的時候，他覺得那聲音像戲水，二十歲的時候，那聲音像山洪暴發，三十歲，那聲音像籃球比賽，四十歲，那聲音像急行軍，五十歲，他說，那聲音像殺人！他為什麼這樣說，你現在不懂，將來有一天會懂。

聲音裏面有些玩藝兒是看不見的，只有聽得出來，對寫作的人來說，那一部分內容不能丟，丟了可惜！「夜半鐘聲到客船」，如果丟棄了鐘聲，就丟棄了整首詩。如果寫詩的人對那鐘聲沒有感覺，如果他寫詩的時候忘了鐘聲，有人不客氣地說，他這一輩子不必再寫詩作文了！為什麼這樣說呢？你以後會懂，我們都在等你成長，等你懂。

再說味覺。別認定味覺只是幫我們選擇食物而已，它也替詩人捕捉靈感。「客去茶甘留舌本」，客人來了，泡好茶招待，好茶的滋味，喝進嘴裏有點澀，有點苦，喝下去以後是甜的，甜味留在喉嚨和舌根，叫做「回甘」。別認為「甜」和「甘」只是白話和文言的分別，在中國，這是不同的滋味，或者是一種滋味的兩個等級，茶甘比甜點高一個檔次。

如果味覺也能講究檔次，我們要推舉汪曾祺先生出來示範，這位小說家，散文家，到了晚年，他那些從視覺聽覺得來的眾生秘密全部封存，凡是他寫的東西都可以吃，凡是吃的東西他都可以寫，把尋常野菜蘿蔔寫成美食，也寫成美文。味覺成就了他，他也成就了味覺。

《三國演義》記述，曹操行軍，天熱缺水，官兵口渴難忍，曹操舉起馬鞭向前一指，他說前面有一片梅林，可以歇馬。楊梅的滋味很酸，官兵一聽梅林，口腔裏分泌出很多吐沫，就把這一造缺水的路程挺過來了。《三國演義》記事粗枝大葉，沒有描寫梅子的滋味，現在宣樹錚先生有一篇〈楊梅〉，讀了以後，望梅果然可以止渴，這才充分印證。由此想到《三國演義》寫「曲有誤，周郎顧」，沒有寫聽覺，寫臥龍弔孝，沒有寫視覺，寫「三日一小宴，五日一大宴」，沒有寫味覺，寫呂布貂嬋，沒有寫觸覺嗅覺。真希望現代有人把它潤色一遍，把視覺聽覺味覺補起來，將來這個補寫的人也許就是你。

還有觸覺。有人說觸覺是低級感官，不能入詩，可是「天寒翠袖薄，日暮倚修竹」、「天階夜色涼如水」，又怎麼說？《論語》記載孔門弟子言志，曾點說出一段小品，其中三件事，一件指聽覺（唱歌），兩件指觸

覺（游泳和迎風起舞）。觸覺是我們生活的一部分，也是我們認知環境的一種能力，自然成了文學素材的一個來源。成語有「席不暇暖」、「炙手可熱」，還有「寒夜飲冰水，點滴在心頭」，格言有「若非一番寒徹骨，怎得梅花撲鼻香？」吃東西除了味覺，還有「口感」，老豆腐，嫩豆腐，還有結過冰的凍豆腐，都是豆腐，觸覺不同。「冬日飲湯，夏日飲冰」，都是飲料，觸覺也不同。

再看新文學，李金髮：「我以冒昧的指尖，感到你肌膚的暖氣。」楊牧：「當我年輕奔跑時，你是我迎面而來的風。」屠格涅夫：「晚霞早已消失，它的最後的餘光在天邊微微發白，但是在不久以前炙熱的空氣中，通過涼爽的夜氣，還感覺到熱烘烘的。」還有「用手撥開濡濕的樹枝，夜裏蘊蓄著的一股暖氣立刻向你襲來」。夏天，海灘上，有人掘沙成坑，教同伴把自己埋在裏面，只露出頭部，幹什麼？享受觸覺。小說家筆下，那個看守倉庫的人，脫光衣服，全身埋在米裏，幹什麼？也是享受觸覺。

最後，就是嗅覺了。「好竹連山覺筍香」，漫山竹林，應該是筍已成竹，新筍還沒生出來，蘇東坡是美食家，鼻子比一般人敏感，就用嗅覺來表現了。「酒未到，先成淚」，正常的情形是「酒入愁腸化作相思淚」，范仲淹憑嗅覺搶先一步，端起酒杯，聞到酒精的氣味，酒還沒喝，眼淚先掉下來。「歸來坐拈梅花嗅，春到枝頭已十分。」這麼說，春天也是一種氣味，姹紫嫣紅，你看到春天，鶯啼燕語，你聽見春天，吹面不寒楊柳風，你觸及春天，除此之外，你還有一個官能發現春天。

每個人都有他的氣味，叫做體臭，你我都看見過，警犬嗅了一件衣服，跟蹤找到那個穿衣服的人。據說，洗衣服的時候，你穿的衣服，我穿的衣服，都會把氣味傳出來，專家能夠分辨，能夠收集。每一種嗜好都會留下氣味，例如抽菸和不抽菸，打球和不打球，養貓和不養貓。每種職業都有他的氣味，例如賣魚的和賣菜的，寫毛筆字的和畫油畫的，理髮店和醫生診所。每個家庭有每個家庭的氣味，我們去拜訪一個陌生人，沒進門，先聞到他家的垃圾桶，氣味就是資料，我們對這個家庭已有初步的認識。每個社區都有自己的氣味，我在外面坐地鐵，由南到北，經過華人區、白人區、黑人區、南美洲移民區，每到一區換一批乘客，換一種氣味。「凡走過的，

必留下痕跡」，這痕跡是他的氣味，你的文章。

我想起曾經過手的兩次徵文。一篇寫他幾十年來讀過的雜誌，他還記得，當年新出刊的雜誌到手，打開來看，先聞到一股油墨的香氣，這一段文字為全篇生色，馬上入選了。還有一次徵文寫母親留下的舊物，有一篇文章說，多年前，母親在世的時候，親手用毛線給他打了一頂帽子，這個題材本來平淡無奇，可是這位作者說，現在他雙手捧起帽子，掩住口鼻，深深的呼吸，聞到母親的溫馨，聞到母親手指分泌出來的油脂，甚至聞到上面密密麻麻佈滿了母親的指紋。有了這麼一段，這篇文章名列前茅。

二〇二〇年十二月號

王鼎鈞小傳

散文大家，一九七七年即獲選為「當代十大散文家」。創作以散文為主，其他還有詩、小說、劇本及評論等。歷經抗戰、內戰、台灣的「權威統治」、移民的文化衝擊。他出入報紙，雜誌，廣播，電視各媒體。現旅居美國紐約。

一九九〇年作品入選文建會委託台北聯合報舉辦之「台灣文學經典三十」，二〇一五年入選紐約世界日報推出之「四十世界華人光輝」，二〇一六年獲美東華人學術聯誼會頒發傑出文化成就獎，二〇一七獲北美中文作家協會頒發終身成就獎，二〇一八年獲聖約翰大學亞洲研究所頒發終身成就獎等等。

重要作品有散文：《桃花流水杳然去》、《隨緣破密》、《情人眼》、《山裏山外》；回憶錄：《昨天的雲》、《怒目少年》、《文學江湖》；文學理論：《靈感》、《古文觀止化讀》；中學生作文講話：《作文七巧》、《作文十九問》、《講理》等著作。二〇〇九年八月並由明報月刊出版社與新加坡青年書局聯合出版《世界當代華文文學精讀文庫——美麗的謎面》。

詩的最後音色（上）

（一）

很早就聽說了他的名字，但聽他的歌卻在很晚以後。

沒必要追問為什麼了。那個時代的我只是坐在學院課桌旁的一個不想再放羊的牧民，隨著社會的潮流嚮往世界，能聽說岡林信康已經很不容易，何況介紹人全然不提及他。歌迷當介紹人，當然只推薦自己喜歡的。加上「頭腦警察」這樂隊名嚇人一跳——就這樣我和 PANTA 失之交臂。

我更在意的是自己的書。因為在那本書（《敬重與惜別：致日本》）裏，我借岡林信康，依據他的歌和與他人交往的私人體驗，簡單概括了日本的藝術界。這樣的方法是經過考慮的，因為那種發達國家的音樂生產鋪天蓋地，想全面評價他們的現代派是一個愚蠢的舉動。我的方法是解剖麻雀，我想通過岡林信康一人，把日本的六、七十年代左翼學生運動和他們支撐的現代藝術一筆勾勒。

待到《敬重與惜別》一書殺青，我意識到這一章與其他章節相比，有一種文體和銳度的不一致。如它與糾葛彌深的第四章《赤軍的女兒》之間，就藏著故意的斷層。讀者也許發現了：我細細描繪的是日本藝術的一個異例，但不是全書追求的方向。

但這是刻意而為。因為我最初想寫的是一本自由揮灑個人感受的隨筆，只憑感悟，不在意資料的全面。有些章節為了保衛思想，確實不惜深入牛角尖進行了考據，但我的本意和習慣，是隨意抒發。

回到七十年代初的抗議歌手，或者說那個時代的先鋒詩人。為了理解岡林信康，我聽了不少他的「紅外圍」，從樂隊組合到一匹狼：五個紅氣球、唱「我們結婚吧」的吉田拓郎、臉相猙獰的泉谷しげる（茂？）、至今熱賣的井上陽水、啟發了岡林的高石友也，甚至見過幾位歌手和評論家：北山修，加藤登紀子……我掂量著，覺得對他們「一代」的了解，差不多了。

——所以當突兀兀讀了《從歷史跳出：PANTA 自傳》以後，我不由陷入了沉吟。不是岡林信康而恰恰是他，這個原名含混的 PANTA，才是把日本的

六七十年代左翼學生運動、以及與他們共生的現代藝術風潮統合總結的，最合適的一個。

當然我從來都只根據自己即時的感受發言和寫作。昨天沒有選擇他，是因為我和岡林信康一樣警惕著非藝術化的過分政治寫作。而今天目光對準了他，也是因為今天自己也走到了最低限的政治邊緣。此刻的每一篇，甚至每一筆都迎受著殘酷的現實拷問，生命也接近著最後總結的時刻。

日語中有個多少怪的詞：落とし前。黑社會兩派打架，到了該結束時有人來調停，擊掌了事，就是它。意思是了斷。

舉個例子：大概是為了表明自己大俠獨行，對昔日戰友狠揭傷疤的電影導演若松孝二，在他的《淺間山莊之路》（浅間山荘への道程）的最後一幕也用了這個詞：哥哥在殘酷的整風中被自己的夥伴們殺害了，弟弟卻固執跟著他們一直走到頭。當他們籠城淺間山莊，擋上窗戶堵塞樓梯，決心用獵槍和警察死磕的時候，一個名叫阪本宏的人自嘲地說了句「來個了斷吧」，不料這句話惹怒了一直沉默的弟弟。他突然爆發，大喊道：「什麼了斷？現在才說什麼了斷？」

少年在尖銳地質問。是的，人人都像乾淨人，而那時候你們在作什麼？他大喊著：「都完全沒有勇氣呀！阪本哥，你也沒有勇氣！……」

他呼喊的勇氣，是挺身反對極左，不，是反對任何壓迫人的話語霸道的勇氣。

我讀過阪本宏的回憶錄。那是個特殊的人，由於對夥伴犯下的罪行，他拒絕企圖救他的舉動，拒絕出獄，甘願作為死刑犯在監獄度日。他自我定位於絕對的罪犯，只靜候死刑的執行。他的回憶錄裏沒有一句辯白，寫得像個臨終的武士。那本書在一九九三年的名古屋伴隨過我，那種謙卑而平靜的字句，給我留下了無法磨滅的印象。

這個詞，帶著幾個古怪而逼人的音響，「おとしまえ（了斷、清算）」，把一代人如推向懸崖一般，推向一次「最後一步、剖心吐脯」。我不能不浮想聯翩。

該清算了，做個了結……原來，這是我們的私事。是我們一代人中，一些注定負起責任的人私有的、最後的一件事。

其實在日本時，我不止一次問過岡林信康類似的問題：老了以後怎麼打算？唱的話想怎麼唱？今後的詩該是怎樣的類型？打算一直唱到多少歲？

岡林從不正面回答。他說的總是半真半假。「我除了唱歌，沒有任何其他能力。唱，一直唱下去。」我也閉嘴不再問下去。

唱下去，我暗想，即便是唱下去，也有最後一天唱什麼的問題。岡林無疑有更深沉的想法，這是一種人不便透露的，佯作不存在的東西。它甚至伴著不癒的傷痛。我隱約懂，不再追問。

回國以後我一直注視著。岡林信康完全像他說過的一樣，在我回國後三十年光陰中一直在唱。新歌辭句講究，舊歌屢屢翻唱，他一次接一次地舉辦音樂會，雖然頻度不太密集，而且是在不大的場地。

但我明白，他沒有回答青春的問題。把「えんやとっと（相當於呼儿嘿呀）」充當日本搖滾雖然没什麼不可以，但是这样的形式和内容，没有回答青春的問題，也没有正視當今世界瘋魔失義的現實。

—— 由於這些原因，我在久久沉吟之後，寫成了《敬重與惜別》第六章《解說·信康》的結尾。

（二）

其實一直還藏著一個將心比心、理解詩人的問題。

前衛派在台上蹦跳，像老虎一樣嘶吼喊叫。於是台下的人都誤認他是超級鐵人，強中強者。理解「絕望的前衛」[註一]，並非一句假意的軟話。它需要人有類似的體驗。

雖然沒向本人確認，但我想，這是我理解岡林信康的詩的基本途徑，也是我在與他私人交往中默守的規矩，可能這就是我贏得了他信任與重視的原因。當然這重視或者還沒達到「敬重」？他們的全部詩人及知識分子，大概還沒有進入 —— 與中國人「對席傾聽」的歷史階段。

由於對木秀於林風必摧之的感覺共有，所以對岡林信康壓制不住時有傾吐的軟弱，我一直堅決表示理解。我支持他不唱政治歌。我甚至從他那裏總結了一種藝術理論：「藝術即規避」。

我多少懷著憾意確認了一個現象：不同的作品是給不同的人讀的。甚至一冊之內有些章節中國人感興趣，而對日本人來說緊要的一些章節，中國讀者反應麻木。這都是沒法子的事，自己無法左右。至於《敬重與惜別》中日兩方讀者都不太在意的藝術這一章，我其實寫的明白：即便不能達到更大的目標，我也表達了一種我自以為古典的交友之道：

不管怎樣，我喜歡他，如許多日本朋友無私地做到的，他給了我藝術的開眼、參考和愉悅。他是一個親切的大哥，一如許多真誠的日本人。我會一直聽到最後。直到或是他或是我先一步離開。

但是時光在我們雙方的耳側嗖嗖流逝，人在迅速地老著，哪怕心中野望仍多。雖然去日苦多，然而前途有數，又是一個有意思的詞浮了上來：「行止まり（路盡頭）」。已經有人對它發掘，出版了受歡迎的作品^{（註二）}，我也寫過書評《盡頭之前》。

朋友間交往，苛刻或寬容，因人而異。但是在人的相處之外還有更大的事，那就是藝術家的立場。或許有些時候不必強求這一點，但我們一代不能。自從我們闖入跌進了二十世紀的六十年代末，蹉跎跟蹌，迷濛摸索，直至這二十一世紀也渡過了二十年：嚴酷的現實，要求詩人坦白。

藝術即規避——但被良心的鞭子抽打得鮮血淋漓。

當一些人津津樂道「第一桶金」的時候，第一批被推上屠宰台當做犧牲的是哪一個人群？在一個長久的戰略設置之下，世界急劇地向右轉。社會主義陣營，穆斯林世界，先是被污名化然後被強加戰爭，一變二，再及三，居然十幾個國家已被拖入不休的戰火。而那太像種族滅絕的孽火一旦點燃，就再也沒有熄滅之期。不，哪怕火焰疲憊了，自有人給它添上燃料。人成群地倒下了。被海浪吞噬的孩子，被炸斷腿的孩子，被埋在瓦礫底下刨出來的孩子，他們驚恐地睜大眼睛，滿身血污地望著我們。

人群像潮水一樣退去了，昔日的夥伴一個也看不見。在這樣的時代苛求「前衛」，不僅不公平甚至缺乏同情心。出於這樣的將心比心，我寫過一系列關於岡林信康的長短文字。也由於他規避的取道，我把他當作解剖日本藝術的典型，寫成了《致日本》的那一章。我知道他在避開，他唱過「逃避」的主題。或許正因此他「代表」了日本……

27

但人類不能無視天下弱者的眼神，避開大義，步步曖昧，美化自私。

藝術家包括詩人、知識分子，面臨著現實的嚴峻質疑。有趣的是，這一質疑對所謂六十年代人或人們常說的左翼，關係著他們每一個人自青春時代以來的人生價值，這是一個原初的質問。

越來越醒目的是，別的人群苦惱於無法忍受生命中的輕，而這一批人，卻不堪其重地感受著這一質問的壓迫。

應該向更年輕的一代也提出這種問題嗎？記得一次接受採訪(註三)，雖然話不投機，但我堅持說：「當正義與不義激烈衝突時，要敢憤怒和表達。」

記者反駁：最普通的上班下班的一個人，如果在心裏沒有闢出這樣一塊地方，他的人生沒有價值嗎？

我答道：他不是一個完全意義上的人。

既然這樣說了，我就把這尖銳的箭也瞄準了自己。在獨自尋覓的路上，我渴望榜樣，我判定存在著這樣的人，勇敢的和活出了意義的人。

如水沒頂的輿論，使世界暗啞了，在巨大的質問面前沉默著。漸漸地我也不再讀詩，遠離了對日本歌曲的傾聽。我沒想到：在當年轟鳴震耳的日本搖滾音樂的另一隅，一位也許不如岡林信康知名的歌手PANTA——他是樂隊「頭腦警察」的主唱——用刺耳的嘶吼，大聲作出了回答。

我所說的「回答」是相當狹義的。因為在他們那樣的自由國度，掄開了嗓子胡說，大喊大叫革命口號，在音響伴奏的噪音中重複昔日七十年代的抗議歌曲，並不能引起我的共鳴。

我說PANTA回答了，只是因為兩首詩。

（三）

下面的一些具體故事，我不願過多拘泥於細節。

簡單地說，在二〇一〇年《敬重》一書的第四章《赤軍的女兒》寫成後，這篇散文如一個有力的介紹人，使我結識了一些不變初衷的六十年代人。

那個「年代」延續了大約二十多年，重頭戲多上演一九七二年前後。那個一九七二年，我在明治學院大學的講演《四十年之初衷未敢忘》裏把它稱為「世界現代史上光輝的頂點」。

他們若一根隱約的紅線，使我在斷續數十年的日本接觸中結識的人連成了一串。有的暢談後只覺相見恨晚，有的只通了電話不久卻人隔兩世。更有沒能見面的，他們都知道了我的這一篇，知道了在偉大的革命策源地並非個個背叛，有人在動情地支持他們青春的正義。

只記得我那天講得如同拼命。本來特意寫了書面發言稿，結果還是扔了稿子傾吐一空。結束後靜了一瞬，接著響起了一陣激烈但短暫的掌聲。然後又回到寂靜。明治學院大學講演會的主持人四方田拿著話筒等人提問，但是沒有，他只好點名讓在場的電影導演足立正生發言。

會後，一個晚上聚會時我問足立為什麼大家都不說話，他說，大夥兒聽了你講的都高興不得了（嬉しくてたまらない）。我暗想日本人可真有意思，高興得不得了所以就一句不說了。我沒有表露自己的一點遺憾，因為沒能確認對自己的講演、以及對自己那部日本隨筆的正式反饋。

但是又發生了些以前滯留日本沒經歷過的事。《每日新聞》提出採訪，我讓女兒一個人去上野公園，我在路口的咖啡館裏接受採訪。談到一些令人激動的話題我漸漸說得像喊叫，那位記者哭了。回國後就採訪稿的改定，我們往返了大約十次 E-mail，我警惕詞語的不當會招致麻煩，所以對每句話都要求得嚴格苛刻，而他（後來我才知道他是個新銳作家，所著的《失去的新左翼》一書很出名）陪著我，一句句地確認直到我接受。最後印在報紙上的篇幅差不多半版，我才恍然醒來般意識到：這是一次重要發言。

被六十年代學生稱為「啓發了一代人」的日本新聞記者本多勝一讀了這篇《每日新聞》記事後，主動給我寄來了他的新著。而二〇〇六年我由朋友領著登門拜訪時，他對我並沒有完全敞開心扉。他是「被屠戮一側的倫理」的提出者。六十年代在現場揭露美國的侵略越南戰爭，七十年代從上海到南京沿著日軍進軍路線調查揭露日軍的南京大屠殺（因此被日本右翼罵為「賣國賊」），年過古稀又親赴伊拉克揭露貧鈾彈使用而遭受輻射——他在我家是最受崇拜的人。

既然連本多勝一都不再矜持，我在意的關於《敬重與惜別》的確認，就算過去了。

那次在明治學院大學的講演結束後，我覺察出，自己從心底的最深處長長地鬆了一口氣。不是為自己的那部書，而是與自己深埋四十年的一個情結告別。深呼吸一般放鬆了之後，我一度感覺遲鈍，只想隨心遊玩。曾經那麼久地滯留日本，沒有餘裕欣賞他們的文化山水。

所以，當四方田送給我一大堆光碟資料，包括他自己的論文時我心中恍惚。今天回憶，那幾天的我簡直是魂不守舍。所以，當再一次聽說一個當年的搖滾歌手，聽說他匪夷所思的藝名 PANTA —— 我正疲憊，接過光碟，但沒有聽。

一直到這幾天之前，我甚至沒留意以下的一段文字。

日本評論家四方田犬彥早在我去他供職的明治學院大學講演之前，二〇〇九年已經在日本《新潮》雜誌發表了《赤軍的女兒是誰？兒子又是誰》^{（註四）}。這篇長文有這樣一個結尾：

赤軍的女兒是誰？張承志大膽地問道。

她是重信命，PANTA 回答說。因為接著講母親的故事，是女兒的事。

那麼誰是赤軍的兒子呢？

我說，張承志和 PANTA，他們互相不認識但是分享著這一兒子。……分散在世界上各個地方，像卡夫卡短篇小說裏登場的野鼠一樣，繼續著他們小小的、但決不潰敗的戰鬥。

所以，不管我願意與否，不管這是攀附還是強扯，我其實已經與這個叫 PANTA 的歌手有了關係。

改定於二〇二〇年七月，疫情漸緩時

註一：指我在一九九〇年發表在《早稻田文學》上、由伊藤一彥譯成日文的岡林信康論文《絕望的前衛》。
註二：黑井千次：高く手を振る日，（《高高揮手之日》）「新潮」二〇〇九年十二月號，書評《盡頭之前》，收入《越過死海》，上海文藝出版社，二〇一五年。
註三：見散文集《你的微笑》中收入的《發言與應答》，青海人民出版社，二〇一〇年。
註四：「赤軍のむすめは誰か、そして息子は」、《新潮》二〇〇九年十一月號（十月七日發行）

張承志小傳

回族，中國當代極具影響力的穆斯林作家、學者。曾用筆名阿爾丁夫（蒙古文「人民之子」之意）。一九四八年生於北京，一九六七年從清華附中畢業，到內蒙古插隊，在草原上生活了四年，一九七五年畢業於北京大學歷史系考古專業，一九七八年考入中國社會科學院研究生院民族系，一九八一年畢業獲得歷史學碩士學位。曾在中國歷史博物館、中國社會科學院民族研究所、海軍政治部創作室、日本愛知大學等處任職。一九八二年加入中國作家協會，一九八四年當選為中國作家協會理事。

張承志精通英語、日語、西班牙語、阿拉伯語、俄語，並熟練掌握蒙語、滿語、哈薩克語。他一九七八年開始發表作品，早年的作品帶有浪漫主義色彩，語言充滿詩意，洋溢著青春熱情的理想主義氣息。後來的作品轉向宗教題材。

張承志的小說深沉雄渾，具有一種濃郁而獨特的歷史感和樂觀向上的理想力量，在嚴峻的生活畫面中透出剛健強悍的男子漢氣質。其創作多以草原生活及當代青年生活為題材，描寫草原牧民生活，表現當代青年的困惑與追求；氣勢宏闊，筆墨粗獷，抒情濃郁，哲理深微，具有燕趙慷慨悲歌與浪漫主義氣息，具有對歷史和人生進行頑強探索的追求者氣度，具有散文詩式的濃烈抒情色彩。他善於把民族特有的生活方式和心理素質、民族的民歌和音樂以及特有的語言表達方式、廣袤的草原和壯闊的大河等自然氣息融成一體，構成作品獨有的情調和抒情的魅力；他的小說不追求精確的個性描繪，而重視作品的總體象徵性。

八十年代以小說創作為主，九十年代至今以散文為主。代表作有《騎手為什麼歌唱母親》、《北方的河》、《黑駿馬》、《心靈史》、《金牧場》等小說，他的處女作《騎手為什麼歌唱母親》於一九七八年榮獲全國優秀短篇小說獎、全國少數民族文學創作榮譽獎。《黑駿馬》、《北方的河》分別獲一九八一至一九八二年、一九八三至一九八四年全國優秀中篇小說獎。中篇小說《阿勒克足球》獲第一屆全國少數民族文學創作獎和《十月》雜誌文學獎等。已出版各類著作三十餘種。

二〇二〇年十二月號

特稿

速寫於梨華

彥火

開創「留學生文學」先驅的於梨華女士於四月三十日晚上患新冠狀病毒逝世。

所有的新聞報道，都說於梨華女士享年八十九歲，其實是誤傳。根據於梨華的弟弟於忠華透露，於梨華是於農曆一九二九年十一月二十八日出生的，享年九十一歲。

我於一九八三年曾與她一道參加第一屆新加坡「國際文藝營」，她與聶華苓、鄭愁予同樣是被邀請的美國華人作家。我是香港受邀作家。

於梨華予人的印象是熱情、勤奮、充滿活力的作家。她與聶華苓一樣，很開朗，每個場合都聽到她們的笑聲。

我後來負笈美國期間，為香港三聯書店策劃的《海外文叢》，其中也收入於梨華的短篇小說集。

一九八五年我於紐約大學留學期間，她曾邀請我到她執教、位於紐約州首府奧爾巴尼市的紐約州立大學，並介紹她的第二任丈夫歐立文先生（Vincent O'Leary）給我認識。歐立文先生是這所大學的校長。

此後於梨華與歐立文伉儷由香港赴大陸途次香港，我曾出面接待他們。

於梨華，一九二九年在上海出生。父親是勤工儉學留法學生。回國後在上海光華大學執教，後告失業，全家遷到福建。於梨華在福建南平讀小學，不久又輾轉到衡陽，最後在成都毗鄰的廣漢念中學。高中二年級的時候，她讀了沈從文的《邊城》，在作文課時便寫了一篇《〈邊城〉讀後記》，老師看了之後，大加稱讚，還拿了到報上發表。這就是她真正的處女作。

一九四七年，於梨華到台灣，高中畢業後進台灣大學，先攻讀英國文學系，教師是傅斯年的夫人俞大綵。俞大綵對於梨華存有偏見，缺乏善意的引導，於梨華和其他學生如果被提問不懂回答，即受盡奚落。於梨華第一年英文大考只得五十三分，遂被迫轉系，最後轉入歷史系。

一九五三年，於梨華大學畢業後赴美，先進一間兩年制大學，住在洋人家，兼當傭人，半年後進加州大學洛杉磯分校新聞系。

一九五六年，於梨華獲美國加州大學洛杉磯分校新聞碩士學位，隨後

同一位華人物理學博士結婚，並隨丈夫到普林斯頓大學去工作。

上世紀八十年代初，她與原丈夫孫至銳（物理博士，陳立人侄兒）仳離後，與紐約州立大學校長歐立文結婚，並在紐約州立大學東亞系執教直到退休。

我在一篇文章裏寫過於梨華：

於梨華是一樹繁花，豐盛、鬱茂，搖曳多姿。這不僅僅是指她本人，還包括她的作品。

與於梨華交往過的人，很少不為她的爽朗、豁達和熱誠、真率所感染。

她精力旺盛，喜歡講話，講話如小溪，潺潺溪溪；她喜歡笑，笑得很響很亮，如風盪起的響鈴，叮噹不絕，又如花的搖曳，別饒風致。

除了在大學執教鞭外，於梨華著述甚豐，是一個勤奮的作家。

附：於忠華的信

敬悼於梨華女士

謝謝你們的來信。我大姐，於梨華在四月三十日晚上十一點左右在睡覺中過世了。她生於陰曆一九二九年十一月二十八日，享年九十有多（她報小了二年，所以官方的資料她是生於一九三一年）。平日照顧她的三個 caregivers 中，有一位在二星期前確診染上了 COVID-19，所以我大姐大約在一星期前就開始不舒服了。她的兒子是專長感染病的醫生，大女兒又是 Washington Post 的資深醫療記者，他們決定不送他們的媽媽去醫院受罪，也諮詢了我的意見，最後由醫生開了止痛的藥物，所以她也沒有受到太大的痛苦。

我大姐一輩子，除了在抗戰期間，隨著政府從福建的南平一直到四川的成都，逃難的路上吃了些苦之外，她的日子都過的很隨心所欲。結過二次婚，第一任跟第二任的先生都把她捧在手心上。她喜愛寫作，也很用功，她的作品充分描繪出五十、六十年代，台灣來美國的留學生，在美國的生活、成長和掙扎。她的一兒二女從小就被她管教的很好，也都各有所成。他們的小孩們都跟奶奶或外婆很親。所以我跟她

的兒女們説，他們應該慶幸他們媽媽能有這麼的多姿多采的一生。我覺得唯一的遺憾是我大姐過世的時候，除了照顧她的 caregiver 之外，親人都沒辦法跟她説聲再見並祝福她一路好走！

我跟大姐差了十三年。我一九六五到美國後就在紐約的 Queens，而大姐也正好住在 Queens，所以常常見面。後來他們搬到 Albany，我們也常去。她的兒女們，我從小看他們長大。

雖説人總是遲早要走的，但是親近的人走了，傷感自所難免。在此與諸位親愛的同學們來共勉，我們要多珍惜我們現有的一切。還有，多當心，多保重，出門記得戴口罩。

忠華 上

二〇二〇年五月

彥火簡介

原名潘耀明。現職《明報月刊》總編輯兼總經理，文學雜誌《香港作家》網絡版社長、《文綜》社長兼總編輯。現為香港作家聯會會長、世界華文旅遊文學聯會會長、香港世界華文文藝研究學會會長、世界華文文學聯會執行會長、美國愛荷華「國際寫作計劃」成員、馬來西亞「花蹤世界文學獎」評審委員會顧問、香港新聞工作者聯會常務理事、香港期刊傳媒公會創會副主席等。已出版評論、散文二十六種，分別在內地、港台及海外出版。近著有《這情感仍會在你心中流動》（二〇二一年，作家出版社）、《山水挹趣》（香港中華書局，二〇一八年）等等，其中《當代中國作家風貌》被韓國聖心大學翻譯成韓文，並成為大學參考書。部分作品被收入香港中、小學教科書內。

千淘萬漉雖辛苦　吹盡狂沙始到金——我和傳記文學

李遠榮

　　我愛上傳記文學，可以說是從中學開始，那時我常常跑圖書館，最喜歡看兩本書：寫奴隸起義的《斯巴達克斯》和描寫著名畫家的《梵高傳》，這兩部外國巨著，使我看得如癡如醉。

　　起初，我寫傳記文學的文章大多在香港發表，直至一九八九年初，台灣傳記文學作家劉心皇先生，把我的作品介紹到台灣寶島。那年三月二十日我在台灣《中外雜誌》發表〈離情萬里心〉一文，讀者反應不錯，《中外雜誌》發行人王成聖教授覺得我寫的人物傳記頗有特色，建議我多寫，自此之後，每一年我都為他們寫了十多萬字的稿子。

　　台灣有兩本專門發表人物傳記的刊物，一本是上述所說的王成聖教授所編的《中外雜誌》；另一本是劉紹唐先生主編的《傳記文學》，後者也發表我的文章，但不如前者數量多且影響大。

　　這些年來，在我的寫作生涯中，還是以寫人物傳記為主，大約有四百多萬字，出版傳記文學專著有《名人往事漫憶》、《文海過帆》、《博采珍聞》、《翰墨情緣》（一、二集）、《李光前傳》、《雪泥鴻爪》、《名士婚姻》、《學海軼聞趣事》、《探微集》、《清宮秘聞錄》、《名流雅士逸聞》、《奇人異事錄》等十二本。

　　毋庸置疑，因這種文學體裁寫多了，定然有一些感受、心得體會或經驗之談。

　　我認為，寫一篇人物傳記，其寫作目的要明確。可以寫名人、普通人，也可以寫壞人。寫名人的目的在於表彰其對社會的貢獻，見賢思齊，以提高人們的思想素質；寫壞人，在於揭發其醜惡的面目，作為反面教材，以引起人們的覺悟。因為歷史的因由，有些人被歷史顛倒了，傳記作家可利用這枝筆，把顛倒的歷史再顛倒過來。

　　我於一九九○年在香港《明報月刊》發表《張恨水和「啼笑因緣」》一文，是基於人們對張恨水及其作品諸多誤解。說起他和他的作品，總是禁不住與頹廢、不健康之類的字眼掛起鈎來。國內大學中文系所使用的課

本中，相當長一段時間對張用語偏少，甚至隻字不提。使不少年輕的文學愛好者無法全面、客觀地了解和評價張恨水及其作品，拙作在內地評論界引起極大的反響。上海作家邵德懷在一篇題為〈名人往事，歷歷在眼前〉的評論文中道：「李遠榮的文章，不但澄清了所謂頹廢，不健康的誤識，而極有說服力地揭示了張恨水作為現代文學史上一位重要作家的嚴肅態度、強烈的責任感和可貴的愛國精神」。

眾所周知，胡適是中國「五四運動」的倡導者之一，是白話文的先鋒，只因去了台灣發展，而成了反動文人。為此我寫了〈「情不自由」的自由主義者——胡適的封建婚姻與情場艷遇〉，在一九九〇年二月號的香港《明報月刊》發表，對胡適的雙重性格作了披露。廣州暨南大學台港暨海外華文文學研究中心主任潘亞暾教授看了此文，寫了一篇〈現代史料的珍貴結集〉的文章道：「胡適評者自多，但半個世紀的政治干擾學術，弄得史學無所適從。李遠榮此文，把胡氏的婚姻與艷遇置於胡氏社會思想的框架上加以處理，題為「情不自由的自由主義者」，基調十分高明，文章敘事翔實，連蔣介石輓聯也都緊扣胡適的生平業績，可見李君選材之精。我讀過不少胡適生平的史料，但未見寫得風趣多彩如李君之文者。」

為傳主平冤昭雪，也是傳記文學的一種責任。

在文章選材方面，著作者各有各的需要，有的為形勢所需，有的為研究所需，有的是應出版社或報刊雜誌之要求而寫，而我寫的人物傳記，大多是機遇，機遇是可遇不可求的。為什麼這麼說呢？因為我有一份工作，搞文學純粹是業餘興趣。有靈感、有時間就寫，沒有時間、沒有靈感就不寫。也許是我的性格使然，我把《禮記·學記》所云：「獨學而無友，則孤陋而寡聞。」當成我治學的座右銘。因而使我朋友遍天下。因為朋友多，機遇也就多。

曹禺是世界知名的戲劇大師，他的名著《日出》、《雷雨》蜚聲海內外歷久不衰。而我只是香港的一個普通市民，天南地北，照理是拉不上關係，卻因為共同愛好文學，使我們有一段奇緣。

話說一九八八年二月，中新社報道，曹禺和夫人李玉茹應「福建京劇之友聯誼會」邀請，去廈門參加閩台探親晚會。

在廈門時，曹禺參觀胡里山炮台，遙望台灣的方向，感慨地說：「我有不少好友在台灣，一別三十八年，時在懷念中。教我最難忘的是梁實秋先生。抗日期間，我客居重慶時，常常遇到他。他的英文根底非常之深，學問很淵博。有空時，我常常登門求教，他沒有什麼架子，隨便得很，誰都願意和他談天，因為他的談吐幽默。他能講各種各樣的貓，有趣極了，我認不住放聲大笑。只要跟他在一起，你就會感染到快樂。凡是有學問的人都如此，沒架勢，很幽默。我與他分手後，聽朋友告訴我，梁先生編了一部英漢辭典，編得很完善、很翔實。我很想買，就是買不到。後來又聽說梁先生把莎士比亞的全部著作都譯成中文，這是多麼不容易的事，真了不起！很可惜，梁先生已離開我們了。如果天假人壽，梁先生能來大陸，我們見見面，該有多好。梁先生的去逝，我們這一輩上了年紀的人，頗有日見故人稀之感！」曹禺的這番話，以及他懷念故友的哀思，深深打動了我的心，剛好我手頭上有一部台灣出版的梁實秋編的英漢辭典。我想，曹禺大師正需要這部書，如果這部書放在他那裏，肯定比放在我這裏發揮的作用要大得多。因此，我毫不猶豫地把這部書寄去北京贈送曹禺。這件小事辦好後，也就淡忘了。曹禺是譽滿天下的戲劇家，況且我們又素昧平生，所以我並不期望他會覆函。

但世事往往出於預料之外，曹禺收到我的書後，親筆覆了一封熱情洋溢的感謝信：「遠榮先生：來書教悉，鄙字劣，囑書條幅，實感慚愧，爰寫李白詩一首以報盛意。梁實秋編的辭典，只在寓廈門時，順口提及，未料先生見到，且以手中寶愛寄下，不勝感嘆，天下有心人多，生命實可貴也。專此敬謝，並問闔府安好。」同時，曹禺應我的要求，贈送我墨寶一幀，寫的是李白〈黃鶴樓送孟浩然之廣陵〉詩：「故人西辭黃鶴樓，煙花三月下揚州。孤帆遠影碧空盡，唯見長江天際流。 書奉 遠榮先生粲正 曹禺 龍年元月」。

曹禺大師那年七十九歲，任中國文聯主席。一九七八年，法國總統授予他法國榮譽勳章。梁實秋先生去世後，由曹、梁兩位大師的隔海情誼，引起我和曹禺大師這段新的情誼，使我彌足珍惜。

過後，我寫了《曹禺大師和我的一段奇緣》，曹禺逝世時，《人民日報》

編了紀念專輯，此文收入專輯發表。

一九八七年，冰心女士八十七歲，是中國文學家中年紀最大的作家，因此內地文藝界尊稱她「年在萬人之上」。

她一向以母愛、童心、崇仰大自然的作品主題和清麗、典雅、純潔的文風飲譽海內海外。

她的作品《寄小讀者》，風行東南亞幾代讀者，歷久不衰，深受人們的敬重。

香港人愛看冰心的書，香港出版社因而大量翻印冰心的名著，以滿足讀者的要求。如果本著尊重作者的版權，抱認真治學的態度去做，應該說這是好事。但有個別出版社，只求金錢利益，張冠李戴，胡亂編撰作者自

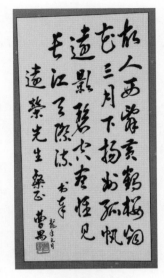

▲ 曹禺贈送李遠榮的墨寶。

撰，草率行事，不尊重作者版權，造成極惡劣的影響，這是香港人所不齒的。

那年我把一本香港某出版社翻印的冰心名著《寄小讀者》寄去北京請冰心女士簽名，她收到後在書上題了幾句風趣、幽默的贈言：「這是一本香港野雞書店出的書，不值得一買，李遠榮先生，你上當了！」

看語氣，冰心女士是極為生氣的。接著她還在該書首篇〈謝冰心小傳〉中，用紅筆打了三個「X」，以示文不符實。指出三處錯誤：「一、謝冰心沒有星朗這個筆名，是編者自己杜撰上去的。二、一九三七年七月，冰心沒有在雲南出任西南聯合大學教授；三、一九四五年八月，抗戰勝利後，冰心並不在北京燕京大學教書」。

香港有句俚語：「東西可以亂吃，話不可以亂說。」某出版社這種不負責任的態度，激怒了冰心女士，因而斥之為「香港野雞書店出的書，不值得一買。」

為此，我寫了〈冰心怒斥香港野雞書店〉一文。

有「中國居里夫人」之稱的吳健雄女士遠居美國，我和她素昧平生她怎麼會在千里迢迢的異國他鄉為我修改文章呢？這裏原來有個故事。

一九九〇年春，台灣《中外雜誌》社長兼總編輯王成聖先生向我約稿。希望我寫一篇有關世界著名女科學家吳健雄女士生平事蹟的文章，把這位中華民族的優秀兒女介紹給台灣讀者，其盛情款款，使我感動，於是我利用業餘時間日以繼夜地寫了一篇題為〈吳健雄二三事〉的長文（約一萬多字），寄給他，王成聖收到拙作後很高興，原來他和吳健雄女士是知交。繼而，把拙作寄到美國給吳女士審正，吳女士雖然很忙，仍然撥冗認真地看了拙作，並作了兩處重要修改：

一是在文章前頭加了一大段，小標題是「瀏河世家造福鄉邦」，共有一千六百三十四字，主要是敘述其父親吳仲裔參加革命，提倡教育、除暴安良、造福鄉梓的事蹟。這個故事如果不是吳健雄親筆寫出來也沒人知道。所以吳健雄提供的這段文字十分珍貴，它成了當今世上研究吳健雄家族的重要史料，這也出乎我意料之外。

二是吳健雄與袁世凱的孫子袁家騮戀愛結婚的故事，作了修改和更正，使這段流傳許久的愛情故事更具真實性。

吳健雄女士對拙作的修改使拙作更為完善，且被史學家廣為引用，我十分感謝她。

香港中文大學教授、著名修辭學家鄭子瑜先生是我所敬仰的人，但苦於沒機會認識。大約是一九九二年吧，我在福州的《港台信息報》發表了一篇題為〈于右任二三事〉的文章，鄭子瑜教授看到了，感到十分有趣，於是也給該報寄去一首詩，此詩寫於一九三九年綠莎時節，也是促成他和于右任交友的媒介。自此之後，我和鄭子瑜教授有了聯繫，並去香港中文大學採訪他，寫了〈為「阿Q正傳」作箋註的鄭子瑜〉，發表於一九九二年十月號的《香港文學》，此文被北京人民文學出版社的編委胡德培先生看到了，表示該社願為鄭子瑜先生出版此書，使塵封幾達半世紀的《「阿Q正傳」鄭箋》得以面世。

前幾年，拙作《民初群像》在台灣《中外雜誌》刊登，其中有一段是寫孫中山先生仍然健在的後裔王纕蕙和王弘之兩姐弟，當時王弘之正在台灣探親，讀了拙作，即寫信給《中外雜誌》編輯部指出我把他姐弟的名字寫錯了，為免謬誤傳世，《中外雜誌》登了王弘之的更正信。對於此事，

我感到內疚，特去函向王弘之先生道歉，王弘之先生接到我的信後不但不責怪我，還和我交友，他應我的要求，提供有關他生平事蹟的大量材料。據此，我寫了〈孫中山在大陸的外孫——王弘之傳奇〉給香港《傳記和文學》雜誌發表。例子多不枚舉，就不一一列出了。

我認為機遇可增加傳記文學的可讀性。

因為當你下筆寫一篇人物傳記時，不是以第三者身份去旁觀，而是參與了傳主的活動空間，給讀者有親切感，對作者所記述的人物和事件有更大的信心。

傳記文學家經常碰到的一個難題就是寫生人易，寫死人難。因為寫現仍健在的人，可以面對面與他們反覆落實；但如果寫已逝世的人，時常是死無對證。

有一次我在寫一篇有關郁達夫和王映霞的文章時，寫到郁達夫和王映霞在新加坡協議離婚後，一九四〇年王映霞離開新加坡經香港回國。郁達夫於五月二十三日寫下題為〈南天酒樓餞別映霞〉之律詩：「自剔銀燈照酒巵，旗亭風月惹相思。忍拋白首盟山約，來譜黃衫小玉詞。南國固多紅豆子，沈園差似習家池。山公大醉高陽夜，可是傷春為柳枝。」郁達夫在這首詩中將依依不捨之情，寫得真切動人。後來這首詩被認為是臨別贈送給王映霞女士的。

但據王映霞女士說，她離開新加坡時，郁達夫並沒有在南天酒樓為她送別。如果王女士的話還不足信，那麼當年和郁達夫同事的黃葆芳先生在〈回憶郁達夫先生二三事〉一文中說：「〈南天酒樓餞別映霞〉的律詩二首，如果我的記憶沒有錯，達夫並沒有在映霞離新前夕餞別過她。那晚達夫約了胡浪漫、馮列山兩兄和我到白燕社作方城戲，他擬通宵達旦繼續下去，不肯回家，避免與映霞分別的痛苦，可是我們翌日各有工作，不能陪他，他在無奈之下買瓶白蘭地酒，午夜時分到南天酒樓開房，喝得酩酊大醉到第二天後才起床，映霞登船時，他可能還在夢中。」可見有離別詩而無離別事。為了藝術的完美，郁達夫虛構這首詩，來營造生離死別的氣氛，並無可非議。而且這首古體詩也是上乘之作，為千古絕唱。但作為傳記文學，我們就不能睜開眼睛說瞎話，硬說這首詩是郁達夫為王映霞餞別時寫的。

搞傳記文學，就應該有這種能耐，在浩如煙海的資料中，辨別真假，沙裏淘金，才能寫出翔實的好作品來。

最後，我以唐朝著名詩人劉禹錫兩句富有哲理的詩來結束這篇文章：「千淘萬漉雖辛苦，吹盡狂沙始到金。」

二〇一九年五月十二日寫於香江

李遠榮簡介

祖籍福建南安，一九四一年出生於馬來西亞怡保市。一九五一年回到祖國，一九五九年考入暨南大學中文系，一九六四年畢業分配回家鄉當中學語文教師，一九七三年到香港定居。出版專著《名人往事漫憶》、《文海過帆》、《博采珍聞》、《李光前傳》、《翰墨情緣》、《郁達夫研究》、《李遠榮評論集》等二十多部。散文《海峽兩岸一家親》榮獲一九九一年《人民日報（海外版）》舉辦的「共愛中華」徵文比賽優秀獎；散文詩《承諾》榮獲一九九八年中國散文詩徵文比賽優秀獎；散文《名人與我》入選《香港當代文學精品》（長江文藝出版社出版）；《李光前傳》名列一九九八年新加坡和馬來西亞十大暢銷書。為中國作家協會會員。兼任香港文聯常務副主席、香港文學促進協會常務副會長、香港作家聯會秘書長等職，被聘為暨南大學台港暨海外華文文學研究中心特約研究員、北京師範大學國際華文文學發展研究所特約研究員等。

特輯

春思

綠騎士

一、葉

你的心
是空襲後的小城
冰霜蓋著喘息聲

春天永不失約
瓦礫下
闖出怯綠的新芽
葉絡中
解凍的陽光流湧

伴著第一塊
重建的基石

▲葉。（綠騎士提供）

二、劍舞

溫柔又鋒利
劍蘭踏歌一揮
便割裂
冬厚長
陰沉的帷帳

婉轉又固執
百花爭相盛放
誰都可
抱滿懷
含苞的希望

▲劍舞。（綠騎士提供）

三、賭徒

春天是個失眠的賭徒
一夜之間
把全年的希望
都投注在滿城花樹上

趁愛的漏滴仍歡暢
共飲千瓣譜成之佳釀
時間痴呆的輪盆
輸贏誰主管？

▲賭徒。（綠騎士提供）

綠騎士簡介

原名陳重馨。廣東省台山人，香港出生，畢業於香港大學。後赴巴黎國立美術學院，及於羅浮學院修讀美術史。一九七七年起居於法國。曾於歐亞美加舉行個展或群展。著有散文、小說集：《綠騎士之歌》、《棉衣》、《壺底咖啡店》、《深山薄雪草》、《石夢》、《啞箏之醒》、《花都調色板》、《神秘旅程》。詩畫集：《悠揚四季》、《掌上河源》。兒童故事三本。法文詩畫集四冊。近年致力於詩與畫的配合。歐洲華文筆會會員。另有香港電台電視製作部有節目：華人作家Ⅱ「法國的旅人──夏婕，綠騎士」。

春節無情雞

黃秀蓮

　　小時候，每逢臨近過年，電台節目或者朋友互相戲謔，都喜歡用「無情雞」為題。雞，因何無情呢？卻原來老闆有意要解僱某員工，著他春節後不用再來上班了，如何表示呢？民間習俗居然是趁著吃團年飯時，老闆故意把雞頭向著某人——請他吃無情雞，於是一桌人都明白是什麼一回事了。那人會識趣，惘悵吃過最後一頓飯，便自動捲鋪蓋，在鞭炮聲中拖著沉重的腳步離開，生計艱難，前景難測，唯有一步步向茫然走去。唉，春節，多彷徨的春節。

　　我父親工作勤懇，天性沉默，不生事端。誰料到竟然在一個春節吃了無情雞，唉，而且是全廠員工一起吃。年初一夜半新蒲崗一家製衣廠大火，整間廠焚毀了，幸而無人死傷。年初二早上電台廣播新聞，父親一聽，叫了一聲，面色大變。板間房最易傳聲，姑婆從鄰房跑出來，問個究竟，留神傾聽，沒說什麼，臉上流露憂色。父親匆忙下樓，跑到石硤尾街茶樓的報攤，春節多份報章休假，終於買了一份回家。那時他約四十歲吧，非常肥胖，家在六樓，上落樓梯，加上焦急，寒天竟也額角冒汗。把報紙翻呀翻，港聞版報道圖文並茂報道了，祝融把工廠大廈其中幾層燒得通黑，觸目驚心。

　　父親失業，更在春節，更覺倒霉。從年初二到另覓新職，不到一個月，然而，那段日子的種種，看在一個孩子眼裏卻是深刻的。

　　發生火災，既成事實，事已至此，唯有積極找工作。那時勞工福利少，西洋節日如聖誕、復活，照常開工，唯獨年假，工人可以少休數天。怎料晴天霹靂，又談什麼休息呢？父親哪敢怠慢，連忙掏出電話簿，用鉛筆圈起同事的電話號碼，我家尚未安裝電話，樓下全是布匹行，門外仍貼著「恭賀新禧初八開市」，只好走遠些，到南昌街的冰室借電話。他說要拜託舊同事留心，也要約一起失業的謀職，共赴患難。之後大清早就外出，先上茶樓跟同事飲茶，吃最能充飢的盅頭飯，然後分頭去新蒲崗、牛頭角、觀塘等工廠密集區，看街招，找新工。到了下午，大家又相約在大排檔飲下午茶，交換情報，哪區哪間可試，哪街哪家無望。大約未到黃昏便回家，

躺在床，吁氣，鞋底恐怕磨穿了。

失業乃天災所致，又犯了什麼錯呢？平日他把薪水幾乎悉數養家，只餘下一點零用，作坐小巴、吃午飯之用。失業後唯有打開五桶抽屜櫃，從放錢的朱古力鐵盒裏取零用。自從父親失業，母親一直面色難看，一見父親掏錢就罵。有一天父親未到中午就回家，可能那天沒頭緒吧，母親又生氣了，似乎不打算煮飯。

在低氣壓下，我躲到一角，怎料到，姑婆卻把一碗熱騰騰的飯，送到父親跟前，面上堆著笑容。飯面有一大塊肉餅、幾條菜，她雙手捧住，右手拇指食指間挾著筷子。父親一時錯愕，然後無言接過了。

六十年代香港經濟逐漸起飛，製衣業非常蓬勃，未至於人浮於事，只要肯捱，總可謀生。父親以熨恤衫為生，雖然張惶，不過新年後是求職旺季，不會長期失業的。一家人生活，難免有不愉快的回憶，像飯面的熱氣，很快消散了。

可是而姑婆在最適當的一刻，給父親送上熱飯，那份美善卻凝固在我心底，給我最完美的示範。

那是春節最春暖的一刻。

黃秀蓮簡介

廣東開平人，中文大學崇基學院中文系畢業，從事散文寫作，獲中文文學獎及雙年獎散文組獎項，並任中文大學圖書館「九十風華帝女花──任白珍藏展」策展人。著有散文集《灑淚暗牽袍》、《歲月如煙》、《此生或不虛度》、《風雨蕭瑟上學路》、《翠篷紅衫人力車》、《生時不負樹中盟》、《玉墜》七本，數篇散文獲選入中學教科書教材。

橋

張詩劍

山水之間
因為你架起彩虹
山活了
水也活了
你把人背過
你把車駛過
默默奉獻
毫不埋怨

山水有情
因為你當了紅娘
山愛水綠
水愛山青
山牽你的手
水繞你的腰
你樂山樂水
比山高比水高

張詩劍簡介

中國作家協會會員,詩人,廈門大學中文系畢業。香港文學促進協會會長,香港作家聯會副會長,國際詩人筆會副主席,《香港文學報》總編輯。獲意大利國際學院藝術與文化國際獎,美國世界文化藝術學院頒授榮譽文學博士。

一株嫩綠也是巨大的安慰
—— 寫於病毒猖狂的冬日

萍兒

從四面八方出發
如奔騰的河流
恨筆下詞語過重
逆著時光行走於病毒猖狂的冬天
真正的英雄個個沉默
浮世可揮霍的悲壯又有幾多
漫過的萬水千山任誰一一展銷
一些人妄想苟活而一次又一次地倒下
一些人勇敢向死而一次又一次地站立
一些人來不及負疚
一些人來不及講述
病毒叫病毒不叫武漢
遙祝江城擁抱世界
星夜兼程
到處都是勇敢的風雪
乘著光的白衣天使
一株病毒足以淹沒一個春天
一樹嫩綠也是巨大的安慰
我們將足踏繁花
在春風拂面的橋頭相見
——於庚子開年正月初三

萍兒簡介

原名羅光萍，香港詩人、作家。從事新聞工作多年，現職香港中通社副總編輯。
歷任香港作家聯會副會長、《香港作家》網絡版總編輯、中國作家協會會員。
工餘喜歡寫詩，曾發起創辦香港《當代文學》並出任創刊總編輯。多年來作品
屢見於海內外文學刊物，曾出版過詩集。

49

新春桃花頌

李藏璧

你是我前生繾綣的戀人
我等了許多許多個日子
從小雪　大雪　霜降到立春
等春風春雨的滋潤和祝福

恍若朝日或晚霞塗染
大半落葉的樹椏
朵朵熱烘烘鬧鬧的開得濃濃艷艷
你暖紅紅燒遍了
猶如烙下胭脂胎記

帶嗔帶癡帶嬌
款款深情
誰也會怦然心動
我鬢髯受到美麗的催眠
枝頭的蓓蕾已是千百個浪漫的夢

猶記得安樂村的童年故居
七十年前兒時的往事趣意
村頭埔里　棵棵燦爛開遍
嫣然綻笑　然後繁花飄落
拂滿一身飛雨
送過己亥又迎來一個新的庚子

應該是株株融和的吉祥喜慶
香港的泥土
中國經典的味道
桃符耀眼　氣象萬千
明日　將是個陽光明媚的春天

註：安樂村位於香港新界粉嶺。

李藏璧簡介

香港作家聯聯會會員，出版有詩集《水澹雲濃》、《今晚 且乾杯》、《鎖禁的美麗》、《霜白鴉啼》。

年味與黏味

王燕婷

母親念叨著秀華真厲害，聽說她今年春節還蒸了九斤的甜粿給她的孩子們。言語之外的艷羨很明顯。母親說的是福建話，福建話裏的甜粿是年糕中的一種。閩南年糕多種多樣，其中數甜粿最常見，最不可或缺。母親五十歲上來的香港。也嘗試在香港蒸過一次甜粿，可惜廚房的竈台太小，爐具太小，沒有蒸成，從此也就放棄了。

我明白母親的心思，她在香港三十年的時間裏，每逢春節內心湧動的依然是閩南鄉下老家的情懷。自從她結婚，每年春節必定要蒸糕蒸粿。大都市裏，環境改變了，空間窘迫了，多年的習慣不得不放棄。有些缺憾是春天萌發的細芽，一到時節便會冒出來，壓也壓不下去。

「二十斤甜粿，二十斤鹹粿，十斤芋圓，十斤碗糕，十斤地瓜粉粿……」

母親沒講完，我的頭已經暈了。母親說著說著自己也感覺不可思議，當年怎麼有那麼大的精力去做完成這些。蒸煮這些年節的食物還只是過年的一部分內容，農曆的十二月開始就要在家進行大規模的閩南稱爲「除塵的清潔工作」。老家在閩南鄉下的房子，典型的閩南古大厝的樣式，連著院子有近一畝地的面積，大小房間十來個，有八個房間住著人，裏面的被褥蚊帳年底前也需再次換洗。

不得不佩服母親這輩子生活在農村的女人們，她們似乎無所不能，養育子女、下地種田、操持家務。閩南地方向來「信巫鬼，重淫祀」，祭拜先祖神明，爲家人禳災祈福，又是她們生活中的另一項繁重的內容。在物質貧乏的年代，她們從田地裏刨得糧食，再用巧手變出各種美味的食物。在閩南一年四季花樣繁多的年節裏，這些食物先呈予神明面前作爲祭品，然後端上家人的餐桌。正月十五的元宵圓、清明節的潤餅菜、端午節的粽子、七月半的炸棗，哪一樣不體現著她們的聰明才智。她們就有這樣的本領，在廚房裏蒸騰出每個年節相應的食物，在我們的記憶裏種植下家鄉每個年節固有的味道。

包括甜粿在內的各式年糕在除夕來臨之前就已經擠滿了廚房木架上的簸箕。做好吃的甜粿離不開好的糯米，糯米自家地裏長出來，顆粒格外飽滿。母親會先提早一天挑上上好的糯米，浸泡一夜。待到每一粒糯米吸

足水分，用手指頭一搓，立即變成粉末。提到村裏的碾坊，碾成粉末。磨好的粉倒進大大的鋁盆裏，按照比例加糖加水，糖以紅糖爲佳，用力攪拌。黏稠的糯米粉與紅糖與水，充分地融合，黏稠的米漿每攪拌一下，蔗糖與糯米裏所有的甘飴釋放著，一陣陣甜香不斷湧出。備好幾個口徑大約十五六寸的圓形鐵質盤子，在盤底抹上一層花生油，在竹製的蒸籠上鋪一層白色棉布，將盤子排列整齊，用一個大鐵勺子，把米漿舀入鐵盤裏。

手腳麻利的母親一邊裝著米漿，另一邊竈膛大鐵鍋的水已經被煮開了。把蒸籠架到大鐵鍋上。一把把的粗糠往竈口推進去。粗糠是大米的外殼，曬乾來就是絕好的燃料，火苗舔著稻殼，跳躍著，發出噼里啪啦的聲響。煙囱連接竈台處貼著竈王爺的神像，神位前點上一炷香，大概連續點個三四根以後，甜粿就蒸熟了，黏稠狀的米漿結成了塊狀，圓圓的，在白色煙霧籠罩下的蒸籠裏憨憨地靜默著。趁著熱，母親會用刀切一小塊試一下甜度和黏度，再反思總結一下這年做粿的所有程序，有些不合家人口味的瑕疵待到來年得修正一下。

一切完成得如行雲流水般。最後將甜粿從鐵盤中剝離出來，放在簸箕上，置於通風處。甜粿的熱度迅速退去，冷靜下來的甜粿逐漸變硬變乾，可儲藏很久的時間。整個春節的大小祭祀裏，甜粿成了供桌上的主角。它們是神明的摯愛，也是我們年夜飯的一道佳餚。

我的三個哥哥較之父母更早來香港，一年難得回鄉一兩次，年底必定會回鄉下過年的。回家之前的書信或電話裏，母親憐惜在外打拼的孩子會有一些關切的嘮叨，大凡還會提及年底回家他們想吃什麼。得到的回覆基本就是母親養的雞鴨和親手做的糕粿。一年復一年，母親過年做糕粿的技藝水平越來越高。大哥喜歡碗糕，二哥對芋粿情有獨鍾，三哥每回都要囑咐著母親蒸幾個鹹粿。甜粿就不必另外吩咐了。

除夕夜晚，甜粿切片，沾上打散的雞蛋，下油鍋炸。本來堅硬的甜粿，給它們點溫暖，它們便漸漸變軟，變黏連，回到它剛出爐的狀態。出鍋的甜粿片四周冒著密密細細的小氣泡，發散著甜絲絲的味道。冒著熱氣的甜粿黏性極強，片與片間稍微一接觸立馬黏在一起。甜粿端上桌，難得團圓的一家大小，筷子一伸，你扯一下我拉一下，大夥嬉鬧著，輝映在屋內通紅的火燭下，伴著屋外地動山搖的鞭炮聲裏。

甜粿是年糕中的一種，民間有言吃了年糕年年高。在中國古老的傳說中

兩個關於年糕的故事。據說以前一種名叫「年」的怪獸，常在隆冬時節侵犯人們，聰明的高氏一族，將糧食磨成粉做成條塊狀，餵飽了下山覓食的「年」，為感念聰明的高氏發明這種米食製作方法，人們稱這些米食為「年糕」。

春秋末期越王勾踐舉兵伐吳，吳軍被困守城中，炊斷糧絕，所幸伍子胥在他自刎前早早命令部下將糧食做成「城磚」的樣子埋在城下底下。最後吳軍反敗為勝。從此以後，每逢過年，江浙這帶家家戶戶都做年糕，年夜飯就吃年糕湯來紀念伍子胥。

中國南北飲食習慣差異大，但在過年吃年糕這事上卻極一致。遙遠的傳說裏，香甜可口又易於儲藏的年糕，在人們行進的路途上阻擋猛獸入侵、敵人進犯等等災難，使人們艱難生存中得到倚仗，萌發新的希望。後世的人們在重要的年節裏，好吃意頭又好的年糕當然就備受青睞了。

香港的年糕品種可謂花樣百出，除了傳統的用糯米製作成的年糕外，還有用蘿蔔、馬蹄、芋頭等等原料製作而成的各式年糕。在早茶中，香煎蘿蔔糕、馬蹄糕、黃金糕等等深得茶客們的喜歡。過年在香港，母親不做甜粿等年糕，但甜粿之類的年糕必然會有的，有時是親朋好友送，有時自己去買。標著個大酒樓的牌子，用精美的紙盒包裝著。母親會虔誠地把它們擺在大年初一祭拜天公的桌上。這些年糕更像身著華麗服飾的尊貴客人，感覺與它們之間始終有一道禮節上的距離。

兒子在外地念大學，難得假期回來，問他過年想吃什麼，他低頭不語，有點為難，給不出答案。即便是過年，似乎也沒什麼令他特別想吃的東西。他到另一個都市裏學習，很快就喜歡上了那個都市，愛它的包容與大氣，甚至喜歡上了那個都市的女孩。母親廚房裏頭那套本領，我一點也沒學會。現在的食品太多，購買也極方便。年夜飯訂上一盆盆菜，簡單又省事。甜粿也是要炸的，只可惜，要麼過硬要麼過軟。或者其實也不硬不軟，只是不符合我內心二十幾年重複沉澱下來的一個黏度的標準。我當然也不知道這年糕是出自誰的手。它們大概都是流水線出來的，大多都極工整，邊緣絕不旁逸斜出，圓得異常合乎標準。

王燕婷簡介

祖籍福建晉江，從事教育工作，出版散文集《擁抱，在風起時》、《三月花語》。

詩意盎然

沙浪

我悉心種植的一盆小花
風暴驟至時受盡了糟蹋
可憐她 傷痕累累氣似絕
我無奈 欲葬其身於松樹下

臨別前 我忽發現新希望
其莖幹下部仍有星星綠芽
也許吧 她不至於紅顏薄命
我旋即轉念 小心捧花回家

一路上 似聞柔聲呼不斷
我倍感心疼 倍加關愛於她
歷經了歲月的冷峻考驗
她自強不息 精神日益煥發

辭別嚴寒 她含苞欲放
憧憬未來 她閃現迷人風華
此生詩意盎然的小花朵
賦予我蘊含哲理的大啓發

沙浪簡介

本名李景斌。詩人，作家。國際當代華文詩歌研究會主席、《五洲華人詩刊》
社長、《國際漢詩研究》總編輯、《國際漢詩評論學會》會長、香港青年文學
促進會顧問。著有詩集、小說集。作品主要發表於香港及海內外報刊、網路。
有詩作被選入香港中學生教材及海內外華人經典詩選。曾應邀出席《國際華文
詩人筆會》、《兩岸四地詩歌高峰會議》等重大詩歌活動，在港台等地的有關
評比活動中，曾獲詩歌創作金獎、評論獎及國際文藝界特殊貢獻獎等榮譽。

春天到了，我等著平安的妳（外一題）

東瑞

靜靜的屋裏，兩公婆在對話。

男：都已五六十了，我們的人生都過了一半，萬一被傳染到，被確診也不怕了。

女：香港人的壽命平均都超過八十啊！

男：嗯，當然，生命被突然畫上休止號，誰會甘心？

女：你我都不會甘心，我們剛退休，還沒踏出香港一步。

男：是啊，我們保護好自己，就是勝利。想想那些最高危甚至犧牲的醫護人員，我們宅在家不出門、少吃點算什麼！

女：對！醫生要你減肥，這是最好時機，我們還是忍一忍不出門。

男：可是連米也剩下一天的了，公仔麵也吃光光。怎麼辦？

女：我下午下樓一次，買二十天的米和菜。

男：別吧！我來！

女：你長期服藥，屬於高危一族。還是我來，我先去美髮屋洗頭吹髮，然後到藥店看有沒有口罩、酒精一類東西賣，然後去超市……

男：哇。還是我去吧。

女：你不要和我爭了！容易感染的條件有三個，你三個都符合。

中午吃過一點飯，老婆戴好口罩，準備出門，老公還是不放心：

超市人多，口罩最好戴兩層，還有，頭部也包一條圍巾吧？你用一支廢筆按電梯。美髮屋妳就不要去了，那些圍布不知多少人用？椅子多少人坐？最近沒應酬，不需要扮靚。妳頭髮再邋遢有臭味我都接受，最重要的是平安！

老婆口上笑老公草木皆兵太緊張，內心還是很感激和滿意老公那麼在乎她。三十幾年夫妻，首次聽到丈夫那樣體貼她的話語。

老婆沒有全聽，只是說，我自己多注意就是了。

第三天清晨，老婆感覺不適，咳嗽幾聲，都很乾，老公拿體溫表給她量，三十七點七度！公婆倆對視，呆住，臉都刷百了！老婆即刻致電醫院的熱線電話。

一次出門就中招？！老公手腳發冷，欲哭無淚。老婆望望他，不知怎

55

樣安慰他？她嘴巴說，我一向心態樂觀，沒事的，也許只是普通感冒。內心感覺猶如被判了死刑，還沒準備好就被押上刑場，又突然一陣槍響……她無法再支撐，一時間天昏地暗……

她首次看到沒有流過淚的老公眼睛噙滿了淚水，別過頭去。

叫妳別去，別去，妳哪裏都去了！老公哽咽著聲音。

還沒核酸測試，你就這樣，我怎麼放心讓你一個人在家 ——

半小時而已，醫護人員就來了，六個全身著白色保護衣的醫護將老婆全身用藍色隔離衣裹了好幾層，抬上病床 ——

不要來看我 —— 不可以來看 —— 不必來看我——保重自己 —— 老婆沙啞地嘶喊，隨著被抬走，聲音還在走廊迴響。

以後不要再洗什麼頭，美什麼髮了！ —— 老公憤怒，爆發了！他追上去，聲音淒厲，電梯猛然一關。嘭！像是大鎚捶打在他胸膛！

回到屋裏，他如一座分崩離析的舊樓猛然倒塌在長沙發上，發出可怕的呼喊，為什麼是她，不是我？為什麼是能幹有用的她，不是沒用軟弱的我？

他們怕這種不是生離就是死別的傳染病，還有什麼比這更殘酷？不准探病，不准握手、擁抱，不准進入病房探望……

他也被通知在家不准外出，隔離十四天。

後來，追蹤得悉，他們屋村裏就有一個從疫源地被傳染的確診者，他有個親戚接觸過他，這個親戚（所謂B的帶菌者）到過美髮屋，老婆就在哪裏被傳染。

雖然生活還能自理，但老公一個人在家的日子，度日如年。老婆一直到第五天，只報道確診，其他消息都沒有，他偶爾照照鏡子嚇了一跳，半灰白的頭髮竟然全白了。第七天，手機上才看到老婆發來的一行字：

不要擔心，我雖核酸測試呈陽性，但屬於輕症，經過治療會好轉的。

他覆她：

以後不需要再到美髮屋扮美了，安全第一！

老公欣喜若狂，每天都在等著可以探望的日子。他被允許探望那一天已是距老婆入院十六天了，護士借出醫院最安全的保護衣給他穿，他只能距離十五米遠，遠遠地在門口看躺在床上向他揮手的老婆……

第二次是在一個月後，樓下的杜鵑花開始含苞待放了，天氣開始回暖，他們被允許隔著玻璃彼此相望，老婆看到老公的淚光，他的雙手還抓著一張 A4 紙，上面寫著：

春天到了，我等著平安的妳

老婆在一刹那間淚如雨下，別過臉，她看到，真的，窗外，三角梅和杜鵑花已經開得很艷了。

私家美髮屋

夫婦美髮屋選擇在這時候開檔，不知是喜還是悲？

在新冠病毒肺炎肆虐和蹂躪全球人類的時候，小島人響應「少出門」的號召，以配合抗疫戰爭，為抗疫做出一己貢獻。當不少市面上的美髮屋都以「門前冷落車馬稀」作出犧牲時，他們夫婦檔美髮屋就「被迫」開檔了。

當也屬於另類貢獻。

不需要租金。

就選址在居屋裏。

小小洋台上，天氣回春，午後有點陽光，暖暖地照。杜太太在給丈夫老杜理髮，他上半身赤膊，圍著一條大毛巾，毛巾兩端會合在前脖處，用一個塑膠夾子夾住。

我們要掛牌嗎？丈夫老杜開玩笑問。

老婆說，我們先自己練吧，手藝合格了才服務左鄰右舍。

既然沒掛牌，就不好為別人的頭服務。

我們做義工，不收費就不怕的。

杜先生說，也許只開一個月，疫情被消滅，我們也就要執笠了。

左鄰洋台突然傳來一個聲音——真好啊，幫襯！我可給紅包，優惠半價 OK？

杜太太回頭一看，是右鄰廖太太。

不好意思！我們只是在說笑娛樂自己，哪敢為妳服務？搞不好妳好端端的一頭秀髮被我們剪壞了。

廖太太說，不剪，幫忙洗而已。

杜太太說，看看再說吧！等一會看看我們的樣板頭，滿意才說。

　　廖太太點點頭，道，好吧！

　　話說杜太太只是剪到一半，就發現丈夫頭部「原形畢露」了，原來他上半截頭髮減去上半端後，下半截「根部」長出的全是白色的了，正如一個女子去整容，如果原底子醜，生出的孩子也會是一個醜模子一樣。

　　看來你要染了。

　　是，要染。

　　杜先生走到浴室，將上次用到一半的「美源髮采」內兩支染髮膏取出，各擠出一些，塗抹在盒內配好的特製膠質粗梳子上，開始對著大鏡子自己操作了。怕染不勻，又讓太太梳理補勻一次。

　　塗了染髮膏的男女，頭髮猶如倒了黏漆，黏成一團，要講多醜就有多醜。

　　乘這個機會，我也來洗頭？老公可以幫上我的忙，杜太太心想，何必搭車去美髮屋洗？一早，當她提出門時，丈夫就激烈反對說，搭車，座位幾百人坐過，要消毒；在美髮屋，座位也不少人坐過，要消毒；最髒的是那條鋪在身上的布，疫情還沒爆發前已經夠髒了，用力嗅都可以嗅出臭味，那上面不知有多少細菌？

　　好吧！不去。

　　此刻，看到丈夫正在等候沖水，時間足夠給她也染一遍開始變花白的頭髮，就要丈夫幫她，老杜沒想到老婆那樣信任他，敢於委以重任，就說，好吧！

　　輪到杜太太坐著，老杜一梳一梳地為她塗抹，先從右邊耳朵鬢邊最花白的頭髮染起，然後慢慢往頭頂分界中線塗抹。

　　染髮膏擺在洗手間大鏡子前的小雲石上，老杜如是者來回三四次。

　　杜太太右邊頭染得差不多了，欲開始塗抹左邊耳鬢邊的頭髮時，丈夫驚呼一聲：

　　糟了！染髮膏擠完了！

　　老婆吃了一驚，沒有了嗎？

　　沒有了！

　　快！你把我頭髮右邊的染膏用梳子梳過來，這樣左邊的也可以儘量變棕黑色……

　　好！

　　可是好像沒用，染髮膏乾得快，「分發」到左邊頭髮的，畢竟很有限，大勢已去，老杜說，我已經盡量「分」過來了，可能效果不太好，等沖洗和吹乾後才知道效果怎麼樣了。

　　現在輪到我沖洗頭，我連澡一起洗了！我洗好輪到妳。

　　老杜頗花了些時間，先用溫水淋濕全身，才開始對準頭部沖洗。烏黑的水隨著蓮蓬式的噴水流下來，他火速擦乾，就喊夫人過來沖洗。

　　沒有正式的美髮屋，杜太太用一條大毛巾圍住頸脖，熱水調到溫溫的，老杜又將花灑調轉到中速出水，開始為太太沖洗掉頭部的染料，最後再由太太自己左左右右對準感覺不潔的部位沖洗了一遍。最後她站起來，開始用大毛巾包住頭慢慢揉擦起來。

　　對鏡子左照、右照，有點哭笑不得。

　　在主人房，老杜也對著一面落地長鏡，仰頭看、低頭看，表情僵硬。

　　他和她欲到陽台收拾東西，在走廊狹路相逢，都愣住了。

　　在露台，他們聽到有人在叫他們，那是右鄰的廖太太，當他們先後抬頭，廖太太猛地看到了杜先生灰銀摻雜而不勻色的頭髮，嚇了一跳；杜太太呢，半頭棕黑色，半頭銀白色，又幾乎笑出淚來。

　　哇哈！你們回到少年身，頭髮好時尚啊！一個是少年叉色頭！一個是師奶陰陽頭！真難為你們了！再增加了一條不好出門的理由！我比你們年輕，出門時會代你們再買一盒「美源髮采」補染……

　　夫婦倆大笑道，謝謝了！在這大時代，個人的小委屈，算得了什麼呀？我們再堅持一下，抗疫就要勝利了！

　　給我們用手機拍一張照片做紀念吧。

東瑞簡介

原名黃東濤，香港作家。一九九一年與蔡瑞芬一起創辦獲益出版事業有限公司迄今，任董事總編輯。代表作有《雪夜翻牆說愛你》、《暗角》、《迷城》、《小站》、《轉角照相館》、《風雨甲政第》、《落番長歌》等一百四十五種，獲得過第六屆小小說金麻雀獎、小小說創作終身成就獎、世界華文微型小說傑出貢獻獎、全球華文散文徵文大賽優秀獎、連續兩屆台灣金門「浯島文學獎」長篇小說優等獎等三十餘個獎項。曾任海內外文學獎評審近百次。目前任香港華文微型小說學會會長、世界華文微型小說研究會副會長、國立華僑大學香港校友會名譽會長、香港兒童文藝協會名譽會長等。

蔬果系列三首

喻大翔

紅菜苔 —— 蔬果系列之一

這座城市
依兩江而矗三鎮
挑南北而帶東西

疏忽長江的不是漢江
疏忽古琴台的不是琴斷口
疏忽龜蛇二山的不是木蘭山
疏忽黃鶴樓的不是晴川閣
疏忽漢陽樹的不是鸚鵡洲
疏忽江漢路的不是珞喻路
疏忽長江大橋的不是東湖隧道
疏忽百步亭的不是光谷

疏忽陽剛的不是陰柔
疏忽男人的不是女人
疏忽戰國的不是唐宋
疏忽花木蘭的不是韓英
疏忽屈原的不是孟浩然
疏忽武昌魚的不是白雲邊
疏忽漢劇的不是黃陂大鼓
疏忽竹床縫裏的酷夏不是熱乾麵
疏忽武昌站的不是天河機場

天降一地紅菜苔
把武漢味栽種得大紅大紫

紅菜苔啊紫菜苔
洪山出產的紅菜苔
寶通塔下的紅菜苔
滿身熱血的紅菜苔
含陽生陰的紅菜苔
化剛為柔的紅菜苔
漾著千湖水光的紅菜苔

在霜花中開花的紅菜苔
在雪景中傲雪的紅菜苔
救助孤寡的紅菜苔
孫權孝母的紅菜苔
李白崔顥夢吟的紅菜苔
蘇軾在東坡種過的紅菜苔
黃庭堅於松風閣寫過的紅菜苔
皇宮應季之金殿玉菜
黎元洪用鐵軌思念的家鄉

菜市場醒著的紅菜苔
公交車睡著的紅菜苔
自行車坐著的紅菜苔
灶台上站著的紅菜苔
臘肉裏脆著的紅菜苔
酒杯裏漾著的紅菜苔
異鄉人說夢話的紅菜苔
隱著微苦甚至大苦的紅菜苔
會敘事會抒情會訴說的紅菜苔

在這座城市
離寶通禪寺不遠的水果湖
庚子年正月十五
有一個女子
詩人的大學同學
被苦威（COVID-19）
攻擊的最後一天
兒子追問道：
媽媽，您想吃點麼事嗎？

媽媽很弱很弱的聲音：
只想吃口紅菜苔

二〇二〇年二月一日上海

包菜——蔬果系列之二

把日光　月光
霧霾與陰霾
汗水和藥水
都包裹進去

一層層
用手剝開
或用刀切開時
沒有一片
是沒有受傷的

問題是
那個又白又硬的
菟子
當菜餡
還是垃圾呢

當苦威（COVID-19）
發威時
很多很多蔬菜
在雪上加霜之晨
——等待蘇醒

恍惚中
主婦舉菟的手
竟　停　在
空　中　了

二〇二〇年二月四日上海

金桔——蔬果系列之三

友人步樓下
遺我宅院桔
桔泛金紅色
亮如天上星
　　　　——引詩

這座大城無山
沒有火神山
沒有雷神山
自然，
也沒有終南山

但有一座村莊
同濟新村
超過七十年的籬笆
圍成的小院
有一棵
超過七十年的桔樹
後皇嘉樹？

院中的皇后
帶著一家人
拔下樹枝上最尖利的一顆刺
注入神樹之神髓
於七十年前的秋天
船行
黃鶴一去不復返的
江城了

同濟醫院麻醉科
從此有一管
定海神針
不，定江神針

友人說
金桔養肺
我的前任的前任的前任的
美麗的主人
種下的金桔
於今夜下凡了

蘇世獨立
橫而不流兮
閉心自慎
終不失過兮
秉德無私
參天地兮
願歲並謝
與長友兮

詩人趁遙夜
用小刀
將桔子切成花
放入冰塘
還有水
用從更遙遠的神山
火焰山下的藍色火焰
燉成了

屈原所吟的橘頌
李時珍開的藥方
讓宅了一個多月的
老宅男宅女的胸腔
在夢中
閃耀著金紅色
神祕的星空了

二○二○年二月十一日上海

附記：同濟大學醫學院連同附屬同濟醫院，於一九五一年秋冬奉命遷
往漢口，一大批從抗戰中成長起來的頂尖醫家也船行江城，一去不返。

喻大翔簡介

詩人、散文家、文學評論家。天律天獅學院中國文化研究中心主任。同濟大學
校務委員會委員、文化建設委員會副主任。

口罩風景

「預留兩盒！什麼時候有貨？」我擔憂地問。

「不晚於年初十，留下電話號碼吧！」店員機械化地回應，「一盒五十片，六十元，兩盒嘛！一百二十元！」他瞅了我一眼，「沒貨，退你錢，放心！」

匆匆取回收據，托起兩盆賀年花，我擦過長長人龍的肩膀。年三十啊！走遍藥房，逛遊便利店，踫踫運氣。購買口罩，成了今年新增的節目，每區都出現一道不見龍尾的抗疫風景。

「叮叮！」電話群組傳來熱烈的討論。「年初二，取消團年飯嗎？」「你家有多少個口罩存貨？」「什麼網購站，靠譜嗎？」「好像比沙士嚴重！」……

好像比沙士嚴重！十七年前的野生動物復活了嗎？蝙蝠、蛇、穿山甲等，重訪人間？說不準！大家關心的是自己小區有沒有疑似個案，什麼是緊密接觸者？什麼是檢疫措施？什是麼快速測試？啊！家裏二人，只有二十片口罩，一人十片！嚴冬真正來了！

「叮叮！」弟婦傳來訊息，「我已買了，轉發了連結給你，你自己買吧！」哦！

刷新社交平台網購站，日本製的，「兩盒！謝謝！」那邊說是韓國醫療專用，「五盒！謝謝！」還有……

「你瘋了嗎？年初一，整個上午，都在張羅口罩，不吉利啊！」丈夫吐出怒氣。

「我們只有二十片呢！」我振振有詞。

「那些網站都是騙人的！」他向我還擊，「給了錢嗎？被騙了，別哭！」

「人按兩盒，我又按，試試吧！」我無助的。

「叮叮！」大姐傳來訊息，「明天吃飯，給你二十片口罩。」嘩！

年初二，返回娘家的小區，剛到埗，美容藥妝連鎖店，居然有口罩，「三十五元五片！」買！便利店，「小童！二十元五片！」買！

「小童？你合用嗎？」二姐滿臉疑問。

「她前兩天不是說了沒有嗎？」大姐插嘴。

「不早說，我家裏有四盒，給你一點。」二姐白了我一眼。

我什麼也不想聽，細數著，二十五片，對丈夫說：「今趟有收穫了，加起來有五十片。」我放下半塊石頭，「你省點用啊！兩天用一片。」

「你聰明！那個給了錢的網購站，覆了你沒有？」他沒好氣地道，一手搶了我的手機，瀏覽口罩的規格，通過 VFE 測試，可過濾百分之九十九病毒……又在這個、那個網購平台註冊……

「凌晨一時起，已經有市民在這裏排隊，放了膠椅子……」「人龍來到天橋末端，可以圍繞五個籃球場……」「年滿六十五歲長者，可以免費獲贈五片口罩……」「什麼店限購一盒……」「什麼團體免費派發十片口罩……」「醫護人員優先購買……」「本店改為網上派發號碼籌……」

疫情不斷，購買口罩訊息也持續發酵。「叮叮！」媽傳來訊息，「終於買到口罩，二十片四十元，藥房老闆是數十年街坊，他准我買兩包！」不久，又補上了一句：「你二姐給我的五片口罩，剛才還了給她！」很神氣！

「醫護人員結束罷工，返回工作崗位……」

「市民開始到超級市搶購糧食……」「白米貨架空空如也……」「今晨三名持刀賊人搶劫廁紙……」

搶累了？兩天一次外出購買生活物資，大包小包，壓彎了手臂。剛巧踫見清潔婆婆彎腰撿起那個被棄的口罩，怎麼了？沒有佩戴口罩？我喝止。「家裏沒有口罩，又不懂得在哪裏排隊。」我掏出年初二大姐給我的那包口罩，遞給了她。

「叮叮！」大姐傳來訊息，「傭人的印尼口罩已到了，給你一盒……」

「叮叮！」遠方友人傳來訊息，「替你買了四盒口罩，加上運費，七百八十元，……」

藥房出售的口罩漲價至二百八十元一盒，店員來電，叫我取回一百二十元。

「政府資助中小企業生產本地口罩……」

「專門生產小童口罩廠，已經投產……」

張燕珠簡介

曾獲城大文學創作獎、中文文學創作獎等。新近作品見於《香港作家》、《聲韻詩刊》、《香港文學》、《城市文藝》、《文學評論》（香港）等刊物。

同一片天空，我們都被籠罩著

劉利祥

　　美的東西不一定真實，馬尼拉，卻真實而美著。沒有什麼時候，比現在讓我更想念更需要菲律賓的陽光、沙灘、雲天和海浪，還有她那如芒果乾一樣甜甜的笑。當懂得嚮往和平，珍惜人生，最大的幸福，或許只是看到日出，看到日落

　　疫情讓醫院變得危險而出入困難。爸爸腦幹卒中復發癱瘓住院已近一年，我回家給他做菜，意外因容器迸裂燙傷了半面臉手，菜裏還加有川菜必添的郫縣豆瓣，辣得真是火燒火燎更上一層樓，簡直像被菲律賓當午那毒日頭直曬的灼覺。為給皮膚降溫，大冬天咬牙拿淋浴噴嘴的涼水澆個透，好似懷裏抱著冰，卻還熱得不行。那受傷的半個我，塗滿京萬紅油膏，縈繞周身伴隨竄鼻子直衝天靈蓋的獨特中藥氣味，剩下的另外半個我，睜著僅存還好的一隻眼睛在寫稿，但我也仍然保持著微笑。

　　笑，離溫暖更近點，寒意、窘境和危難或許就會遠點。

　　突如其來，中國遭遇著巨大的困難，我也遭遇著巨大的困難，菲律賓和各國家及地區也開始遭遇巨大的困難，始料未及，前所未有，難上加難。

　　武漢「封城」尚未解除，馬尼拉大都會整個首都區也「封城」了，環球各地陸續開始「封城」。

　　因新型冠狀病毒感染的肺炎，霎時間席捲全球，全世界都在壓抑和心驚膽戰著，每天籠罩在接近窒息的恐怖陰霾下，打開各種媒介充斥著難辨虛實的疫情消息，我卻要將一些快樂的過往梳整成文。

　　華僑將菲律賓官方的他加祿語就叫「大家樂」嘛！俯仰天地間，最好就莫過於「大家樂」啦，而我不知，看清你的笑臉到底會有多麼遠，多麼難。

　　前些日子，網路上還在說，菲律賓的病例完全沒有統計學意義，因為確診一例，已去世一例，歸零，不費吹灰之力就消滅了狡猾多變的病毒疫情。

　　我從馬尼拉回來，我掉進了蘇比克灣，我在夜深人靜時走失，我還獨闖賭場和紅燈區，我早已淡泊輸贏與享樂，我又看慣了生死，我很淡定。東曉兄和小玉姐發來照片，大雅台的火山爆發了！那個九九重陽，到大雅台登高望遠，看看小火山冒煙兒。能把人曬成標本的天氣，坐吉普尼噗噗嚕嚕開上山。我曾經冷靜地站在那跟前，與活火山口對視，想像那噴薄而

出的樣子，我們總會無處可逃。

大家期待火山的感覺，就好像小姑娘約了沒見過的帥哥，想他來，又怕他亂來。願青壯年常能自如噴發，懷才不遇者韜光養晦厚積薄發。我們街坊告訴我，他家從明朝就有個祖傳偏方治痔瘡，要下南洋坐到火山口上，以溫度和熱灰除菌炙愈。我問祖先病好了嗎？他說沒有！死了！怎麼呢？火山爆發了！

這實在來得太快來得太壯觀了，就在病毒來襲的前不久，馬尼拉上空，火山灰蔓延無垠，停工休課，口罩搶購一空，人們都躲了起來，好像不是百年不遇，也並非習以為常。菲律賓的朋友們和我，都彼此牽掛問候著。或許這是天意安排的一次演練。

我們都被籠罩著，無論馬尼拉的火山灰，還是京津冀的霧霾，或是那看不見摸不著猜不透的新型冠狀病毒。每個不知陰晴的新的清早，我們裝備好頭頂的緊箍，胸前的枷鎖，腰身的皮帶，手腳的鐐銬，還要戴上一夜之間天下難尋的口罩。豈曰無衣？與子同袍。世界共此涼熱。

看到菲律賓描戈律市資助組織集體婚禮的照片，新人膚色各異，一對一對在教堂裏站好，都戴著口罩接吻，眼神中流露出欣喜又無奈，我納悶，萬一擋著鼻子和嘴，認差了，領錯了，好像在機場行李被無意調包，到家揭開鍋這可怎麼辦？可這大概是最近最後一場集體婚禮了。病毒搖身一變，捲土重來。

旅行，一下子離我遠去，在夢裏也只是依稀，更許久未能安靜沉穩下來寫作了。沒有比旅行讓我更喜悅的了，沒有比寫作讓我更舒心的了，我現在卻閒到禁足不能旅行，忙得噤聲無暇寫作。

病房是最危險的，也是最安全的，醫護人員把生的希望送給患者，把兇險和委屈留給自己，我每個白天黑夜進出往返，看閃燈的救護車和掛花的仙柩車交叉穿梭，早也跨越了生死。

人生真正屬於自己的時間，存得住還總想拿出來回味的記憶其實並不多。那份愛與眷戀，也籠罩著縈繞著繾綣著我，撥得雲開才見月明。縱然身不能至，心要常往之。馬尼拉，教我如何不想她？

沒有辦法不站在地球的角度看菲律賓，沒有辦法不站在菲律賓的角度看地球。馬尼拉的城市地標就是一個地球，每天各種精彩刺激力與美的瞬間次第上演，搭隨車水馬龍自此環繞，川流不息，奔向各地。惟留國花白

茉莉那清清淡淡的香。時光匆匆，情誼愈調愈濃。

　　我特別想，當你翻開這些鬆散而凌亂的文字時，撲面而來的，就是馬尼拉街頭巷尾的顏色和味道。莫說氤氳的宿霧，迤邐的長灘，古樸的維甘，夢幻的老沃，菲律賓的首都馬尼拉大都會，總在阡陌繁花中透出晴窗細乳的紅塵況味。

　　馬尼拉是我喜歡的妳的城市，我更欣賞菲律賓女作家謝馨女士那柔美的筆觸：

　　終於我能欣然及坦承地與你／認同——包括哪些貧窮、污染、犯罪／雜亂、腐敗……你是赤道邊緣／高溫燃燒著的煉獄／即使當我穿著昂貴的名牌服飾／坐在豪華的五星酒店抑或／行走於你陽光椰林的美麗海岸／我亦終能醒覺在眾多看似／迥異與隔閡的表像之外／我們內在相似的困惑與掙扎。

　　當有人在馬尼拉穿城的渾水龍鬚溝掩鼻而過時，不知貧民窟還有多少兒童在垃圾山旁仍與荒圮成堆的白骨同眠，遠處教堂裏的風琴響了，唱詩委婉動聽繞樑三日。你認為的骯髒之上，駐著他們心中自有的聖潔。當我在發達的大城市裏親眼見到孱弱的病人怕大夫把自己當成搖錢樹而可憐地討價還價時，一塵不染的白被單下，又不知掩蓋著多少難以治癒的腐化和利欲。眼前的黑不是黑，你說的白是什麼白？

　　無論窮國、富國、第幾世界的國。

　　哪裏都有窮人，卻並非都能真實而快樂地窮著。可怕的貧窮並不可怕。人立之於世，沒有人情味，活不出自己，尸位素餐，不自由才可怕。貧窮不是原罪，血液裏的溫良，基因中的友善，讓生活即使再困苦，也難以成為罪惡的溫床。不信？你可以看看油泥黢黑的膚色和嘈雜邋遢的周遭下，被反襯得更加明亮的那些清澈和純真的眼神。他們也想改善進步，他們更在乎自得其樂，他們有溫度，他們最愛自由。樂觀，好客，開朗，還有太多陽光的辭彙都閃現在他們的臉龐。火車道旁搭屋占地的貧民們，每天都離死神很近，每天又很和諧地與危險相處著，在氣喘吁吁的大家夥面前，泰然自若，豁達而滿足著。口頭禪還說著，不是每一樣都要爭取，還有明天嘛！萬事都要看得比較開。

　　居住在馬尼拉中國城的華人們，都懂得先苦後甘的道理。祖先曾經下

南洋的華人後裔們，他們往往有著國內中國人沒有的特質。菲律賓人說，華人比我們苦多了，也許他們認為的苦，是辛苦，是不懂得享受生活。

如果俯瞰整個城市，有一條醒目的天際線，馬卡蒂、BGC鱗次櫛比的高樓大廈下，緊鄰低矮擁擠，陰暗卻艷色各異的鐵皮屋。富賈一人可環擁整條街市指點江山，傭人繞膝前呼後擁捶胸捏腿唯命是從，三層三進中西豪宅戒備森嚴不一而足。從鄉下每天湧入首都數以千計的無業人口，棲身城市的邊緣角落，開拓和壯大著貧民窟，腳踏一望無垠的垃圾，越來越多的活人為了省去房費竟然群居睡進了公共墳墓。有人說，在馬尼拉，天堂與地獄，只一步之遙。我想，人的兩隻腳，又怎能踏進同一條河流？

老街舊巷中，菲律賓國旗插在弄口的大樹杈上，這棵尚未參天的大樹，已經為孩子們遮天蔽日，撐蔭的，還有居家婦女們曬得漫天花花綠綠的褲褂。一群好動的孩子們，踢著已看不出紋路的足球，另一群聚精會神，坐在十九吋左右的顯像管電視機前，用二三十年前日本興起插卡帶的家庭遊戲機，激戰正酣。看孩子們的老人，各自開著食雜店，所謂的購物窗口，大多只是鐵皮屋的牆上挖出的方洞。走得口乾舌燥，我買了一瓶汽水，很多小零食都是以一比索為單位來計價的，我回過頭來，看了看小朋友，想起了我幸福而不又不太想回首的兒時，和店主說，再來一瓶，哦，五瓶，不，再來十瓶吧……

那一晚，菲中電視台清麗聰穎的華人女主播夢嵐，駕車帶我穿越半個馬尼拉，從海邊去了馬卡蒂中心高聳入雲的網紅I'M Hotel，可以音譯稱之為「艾姆酒店」，或直譯叫「我是酒店」。樓下是熱絡喧鬧的酒吧一條街，而樓上玻璃圍欄的游泳池，整夜藍光閃亮，寧靜得凝固了時光。坐快速電梯上到幾百米高的樓頂天台，一隻隻透明得能看清每寸肌理的水母在幕牆缸中亦步亦趨傭懶而無目的地遊蕩，背景燈是什麼顏色，它就顯出什麼顏色。各國的友人在此碰杯閒談，而我好想伸手夠到那如水母般明澈的雲朵，或附身如欣賞水母般透過闌珊燈火看清腳下城池的每一個細節。酒店的頂樓外延，水母頭頂之上，閃爍著粉色的字母「We All Look At The Same Sky」，嗯，我們都看著同一片天空。

同一個地方的人，無論高低貧富，抬頭只能看到同一片天空，可能是唯一公平的，當然，還有面對莫名疫情或災害時的恐懼和無助。

再來馬尼拉，頭腦風暴後，輕輕做個夜行俠，從馬卡蒂跑到落日大道，在忽明忽暗中走走停停，海的聲音近了，耳旁是呼呼地風，雲以看得見的方式說話，你的光照亮我的影。難提故地重遊的懷舊，也少了探新的興致。感覺還有兩個我，繞身左右，用美式英語叨咕得不停，都在講，聽說馬卡蒂沒有愛情。

　　時近中秋，黎剎廣場格外寧靜，月餅我是在馬尼拉「永美珍」老字號吃到的，思鄉情，淤更濃。那只有在八閩之地中秋夜，才能耍到的博餅，從清初鄭成功屯兵鼓浪嶼，到古今海上絲綢之路，相同的吉日，更大的獎項，三紅、四進、二舉、一秀，馬尼拉的海鮮酒樓裏竟然也虛骰以待。

　　在同一片天空下，看到同一個圓月亮。

　　上天堂，下地獄，其實誰也不能選擇，不如像我，到馬尼拉，一次就都去過了。貧窮，罪惡，貪婪；真實，樂觀，熱情。很難想像雲泥之別的一切可以在圓月下共冶一爐，相安無事甚至相映成趣。

　　每次出國，都是對自己的一次愛國主義教育。

　　世界上總有一些奧妙我們不知道，世界上總有一些地方我們到不了。馬尼拉，可以同時滿足冒險家的刺激，夢想者的浮誇，和享受生活人的安逸。菲律賓的其他省份，周邊的好多地區，可能更光鮮，更富足，更完美，但我獨愛馬尼拉。因為這裏可愛的人們，在真實地活著，笑迎萬物，盡情展示和擁抱著情世冷暖。到了馬尼拉，學會多一些敬畏，多一些憐憫，多一些感恩。到過馬尼拉，就會少一些抱怨，少一些冷眼，少一些機巧。你對周遭總不抱有惡意，保持善良的謙恭，歲月就經常是靜好的。

　　倚坐醫院過道，昏暗的燈光下，面對我的影子。與我當下而言，曾經自由走過的，看到過的，愛過的，都是天堂，是我想念的。眼下這些困苦的，昏天黑地的，不得不來面對的，或許來自地獄，卻也必將過去。

　　聽說，東曉兄與菲華各界大佬前一陣忙著服務在菲律賓的華人們為中國捐口罩，如今又在聯繫，想方設法讓中國的醫療專家也能幫上菲律賓。

　　在無數個夜晚等待天明。

劉利祥簡介

律師、仲裁員、廣播電視編輯主播、新聞評論員、世界華文旅遊文學聯會理事、天津市歷史學會藝術史專業委員會委員，曾任政協委員，受聘政府智庫。著有《天津地名故事》等。

水盡鵝飛的圍困空間

木子

「水盡鵝飛」典出元代關漢卿的《望江亭》，其中有句：「直等的恩斷意絕，眉南面北，憑時節水盡鵝飛。」「水盡鵝飛」是個畫面感很強的詞語，冬天河水枯竭，鵝飛離去。似乎可以感受到寒風在臉上如刀割過的那種疼痛。這是個淒美悲涼的詞語，用來比喻恩情斷絕，有著一拍兩散的意味。在粵語地區，「水盡鵝飛」是一個形容生意環境慘淡的常用語，表示市道冷清。這樣的詞語用在一年之始，用在熱熱鬧鬧全家團聚，親朋好友舉杯共慶的春節就更顯得苦不堪言。

在「新冠肺炎」突如其來的兩個多月內，香港發生了很多讓人啼笑皆非、就是小說家也寫不出的荒謬新聞。打開電視：特首說口罩供應短缺，政府暫時未能保證市民正常的使用量。阿婆買好的口罩在路上被搶，運送廁紙的工人在半路被打劫，人們瘋狂地搶購著大米、漂白水、各種消毒用品，包括可樂、衛生巾和尿片（傳說可樂可以殺菌，衛生巾和尿片的原材料和口罩是相同的）。口罩就更不用說，市民安營紮寨，在馬路上通宵達旦地排隊，為了買幾隻口罩又哭又罵又踢門。街道商場，大小餐廳，門庭冷落。去年的社會運動已經使這些中小企業步履艱難，此次「新冠肺炎」在香港的爆發，毫無疑問極可能成為壓死大象的最後一根頭髮。一連串的倒閉名單在各大小群組中傳播，猶如病毒肆意擴散著，這個摩登之都變得人心惶恐，水盡鵝飛。

二〇二〇的這個春節異常詭異，哨聲在很遠的地方響了一下又很快飄開了。城市安靜連空氣中病毒移動的腳步都能聽得清清楚楚，大家都嚇得躲在家裏。不敢聚會、不敢出門、不敢和人接觸，但是病毒是無孔不入的，他們迅速佔領和擴散，將地球上最偉大的生靈蠶食。在這段水盡鵝飛的宅家時光，我再一次細讀了法國作家卡繆（Albert Camus）書寫《瘟疫》，我把小說簡單概括成「水盡鵝飛的圍困空間」。一個真實存在的或小或大的空間，在這個圍困空間中，人類如何立命安生，尋求生命的意義和生存的價值？

以存在主義書寫生命意義的卡繆認為，世界荒謬至極，很多事情我們無法解釋因由。我們不能解釋為什麼一些無辜的生命會無端地死亡，呼吸突然毫無聲息地終止？小說中有的人刻意隱瞞，有的人藉機發財，人性的背後到底跟隨著什麼？組織和參加義務醫療工作隊的人，是出於自願還是被逼無奈？小說裏沒有我們傳統概念上的善惡有報，在死神面前，沒有偏袒，全憑運氣。這是一個眾生平等的圍困空間，鼠疫在市內蔓延直至封城。人類面對災難，面對生存的惡境和死別，無法正視無辜者的死亡，難以接受的痛苦。這些共同存在的——集體的痛苦，在荒謬的圍困空間中如何自處？如何重啟生機？如果把《瘟疫》這部小說中的「鼠疫」改成「肺炎」，小說就如現實一般存在。

此刻，只要從小說閱讀中抬頭轉向電視新聞，此時新冠肺炎已經從一個城市蔓延到中國乃至世界各地，集體的痛苦猶如病毒般散播。看著不斷爆發的數字，看著病毒像鬼魂般接近，無聲無息、毫無蹤影地隨時出現在任何人的身上，一個個熟悉或不熟悉的城市被這個狡猾的不明病毒所侵佔。電視上的數字變回一個個活生生的血肉之軀，哀痛在蔓延，由集體恐慌而產生的歇斯底里症包圍著整個城市，讓每個人都變得驚恐萬分。越來越多的不利新聞傳遞過來：公主號郵輪的集體感染，韓國、伊朗、意大利的全國爆發，日本和美國出現了搶購潮等等。如果說大多數人還是隔著電視提心吊膽地過著日常。對前線醫護和家屬病人而言，死亡成了面對面，有血有肉的切膚之痛。那是每天面對死亡的絕望，是刀子割肉，血肉模糊的痛。要知道死亡不僅僅是用花來祭奠的統計圖表上數字，那是個體生命無法通過表述和傳達的苦難而形成的集體痛苦。

請允許我借用《瘟疫》最後，卡繆對生命的意義與人之自由和尊嚴的看法，來說出我想說的話。這是一位醫療隊員臨死前的告白：「如果你要在死神面前，體現你此生可自我掌握，那麼你即使明知最後會失敗，但你要繼續抗爭。因為唯有如此，你才可以顯示你的一生有意義；而且，若你能為你的一生賦予意義的話，你就能顯現你的自由。」在荒謬中賦予生命的意義，這是此書的精彩落筆。人們面對不止是對摯親好友的愛，而是對陌路人的愛。在圍困空間中面對的集體命運，因為我們不忍看到他人受苦，

因為人性本身存在的悲憫之心，面對集體的痛苦。伸出援手，靠實際行動創造意義。這就是人的終極價值，平凡人的愛。

二〇二〇的這個春天，我有很長的一些時間坐在沙發上，面對電視中不斷跳動的新聞，看著《瘟疫》，腦子裏構思著一本書名為《COVID-19》的小說。小說落筆在 H 城，一個水盡鵝飛的圍困空間。張燈結彩的春節，一場瘟疫突然降臨，城市面對前所未有的困境。和所有的小說一樣，官員出來指點一番，然後隱身不見了，災難在繼續。一些良知未泯，正義尚存的普通人挺身而出，醫生、護士、志願者，鄰里朋友間的守望相助……個人和集體，生命的抉擇，圍城中的居民面對瘟疫的眾生相，人性光輝和黑暗，官僚和腐敗，人在困境和艱難時候體現的善和美、醜和陋。小說將更多著墨於信任危機。社會運動後所產生的後遺症，民眾對政府失去信任，社會體制走入迂腐僵化，集體的痛苦演變成的集體歇斯底里症。在 H 城這個水盡鵝飛的圍困空間，信任危機比病毒更為可怕，成為真正的致命危機。醫護罷工和開工之間的搖擺；貨物搶購背後的真實和謠言；學生和老師在「停課不停學」中面對的困境；餐廳茶樓中的面如土色懷疑自己染病的侍應；籠屋劏房中，剛從疫區回來的自我隔離者。倒閉潮、結業潮、失業潮的出現，政府、政客和各種「顏色」市民之間的衝突等等。當然少不了那個每天出入地鐵，在密封罐頭內工作，噴酒精如噴香水的自己。我想書寫這生活的一切，書寫在偶然、荒謬及眾多不可解釋的事物中，每一個圍困空間的悲哀，書寫只有切膚才會知道的疼痛。

珍妮特·布若威認為：「在文學中，唯一的麻煩就是如何讓讀者感興趣。」在香港這個信息高度透明的城市。我們可以看到武漢作家方方所說的：「我聽說背後有著無法言說的故事，這是悲哀的故事。不止是是生命逝去的悲哀，更有不准說出來的悲哀。我也不說。」方方不說的事情，在香港，目前還可以通過網絡看到。當然，我相信這只是冰山一角，很多有心人也做了這方面資料收集。這給我的創作帶來了很多的麻煩。現實太魔幻，遠遠超出了想像。我最終還是放棄了我寫長文的計劃，回到小說閱讀中。

《瘟疫》的最後一段，城中的人死的死、幸存的又重新出來活動和消費。城市由蕭條變回熱鬧。一如以往，災難過後，大多數人都選擇忘記。

我很擔心一些為之付出生命去挽救、去報導的事情被「正能量」者勸說：「草長茵綠的三月，生命開始復蘇，去歌頌更美好的事物吧。」我在這裏衷心祝福每一個圍困空間中的人可以早日走出困境，也但願我們永遠記得乾枯河床裏曾經發生的事情。這些讓人傷心欲絕的眼淚，這些讓人悲憤填膺的事情。這些或許並不具有正能量的悲哀。讓我們學習尊重所有的生命，尊重山河湖海，尊重飛禽走獸。記得人類進化史上發生過的所有疫症，都是一次又一次的警告。讓我們學習反思和謙卑，要知道人類賴以生存的星球並不單純為人類所獨用。不要狂妄相信人類的未來一定美好，否極不一定泰來。或許是時候放下地球霸主的姿態，好好審視一下自己，聆聽一下自然的哨聲。

　　水盡鵝飛的冬季，河床上的水枯竭了，鵝飛走。城市一片死寂。我們的生命和地球萬物，在物換星移中變化著。此時，即便河床上萌生了一點新綠，可是事情還在繼續呢⋯⋯

木子簡介
教科書總編輯、作家、詩人。文學碩士。善以文字做鏡頭聚焦世間百態，用細膩筆墨濃縮城市生活。精煉字句直指人性冷暖，尖銳筆鋒剖析世相表裏。

早春寄懷

周瀚

相隔一個月我們仍未見面
好像相隔了三十個世紀
我們雖身處相鄰的兩城
卻被疫情活生生地隔離

親愛的，你還好嗎？
凝眸著手機視屏的你
眼睛似乎發紅，仍閃爍
對未來的無限嚮往與鬥志

親愛的，你是白色的海鷗
不畏巨浪澎湃，奮力展翅
多少病人期待你的出現
彷彿看到了希望的旌旗

親愛的，你的聲音很鎮定
看到你被護目鏡壓出水泡時
我的心猶如被刀割一樣
多麼想變魔法讓水泡脫離

親愛的，這是你愛喝的鯽魚湯
你汗流浹背，為病人治理
日夜奮鬥在負壓病房
務必要注意保重身體

親愛的，但願你平安歸來
待到抗疫結束的日子
我們牽手在東湖漫步
一邊欣賞晚霞，一邊吟詩

我忍不住對你隔空相吻
手機視屏上留有我的氣息
你聞到了嗎？親愛的，
無論狂風驟雨，我將一路陪伴你！

周瀚簡介

文學博士。現任國際當代華文詩歌研究會執行主席兼秘書長、《國際漢詩研究專刊》社長、《國際漢詩探索》及《五洲華人文藝》《五洲華人詩刊》執行社長兼總編輯、香港青年文學促進會會長。曾榮獲「香港中華文化金紫荊獎」的「實力詩人獎」等。著有詩集《靈魂在陽光中飛舞》、中英對照《周瀚短詩選》。翻譯詩集若干。

二○二○的武漢

巴桐

雲是花的口罩
花是亭的口罩
門是家的口罩
家是眾生的口罩
只有風沒有口罩
披著蝙蝠拋來的黑氅
在空蕩蕩的大街上舞蹈
陽光一下子老了
趴在窗臺上喘息
冬眠的雷聲在二月醒來
風炒著雪，雪燃燒著雨
唯有彼此茫然的眼神
溫暖著二○二○的春天
商店回憶著腳步
杯子忘記了酒香
歡笑告別了臉頰
而墓碑瘋狂生長
何時脫去口罩
何時山花爛漫
即使風雨過後還有風雨
悲傷過後延續悲傷
希望始終走在路上
就像穿透大氣層抵達地球的星光
照亮遠方的武漢和武漢的遠方

巴桐簡介

本名鄭梓敬，福建福州市人，一九七九年秋移居香港。曾任記者、編輯，後來
經商。歷任香港文學促進會常務副會長、香港作家聯會理事、香港《文學報》
副總編輯。

城夜

冰谷

夾道的樹影沉睡後
街燈開始張開眼簾
守住街頭巷尾的出入路口
讓城夜在孤寂冷清的狀態
燈族就像放哨的壯丁
為人們安睡把關
阻攔荼毒生靈的菌毒侵犯

隔離也是一種防護
一道厚牆
空蕩蕩讓菌苗失去保護傘
擺一趟古人留傳的空城計
不讓 Covid—19 輕易闖關
隔離之外，口罩和防護衣
都是抗菌的防護堤
人們心中都有一個夢
一覺醒來，病毒滅絕了
淨潔的空氣裏有陽光蕩漾

冰谷簡介

原名林成興，一九四〇年出生於馬來西亞，高中畢業，曾任橡膠、可可、油棕
園經理，為大馬、亞華、世華作家協會會員，現任大馬作協檳、吉、玻聯委會
執行顧問，曾任作協《寫作人》編委，棕櫚出版社社長。散文作品收錄國內外
四十多種文選，寫作散文和新詩，散文被中小學、獨中選為課本教材。曾獲二
〇一一年崇華母校百年傑出校友獎、二〇一二年第十三屆亞細安文學獎。

盆栽的啟示

賴慶芳

　　素來喜愛大自然，也喜歡種植盆栽。種植盆栽之時，發現它能給人類一點點啟示。

　　「盆栽」一詞有云源於日語「ぼんさい」（讀音 bonsai，漢字寫作「盆栽」），實源於漢代已出現的「盆景」，據聞於唐代傳進日本。清代劉鑾《五石瓠・盆景》云：「今人以盆盎間樹石為玩，長者屈而短之，大者削而約之，或膚寸而結果實，或咫尺而蓄蟲魚，概稱盆景。」元人稱盆景作「些子景」。我不懂種植精緻的盆景，只懂培植簡單的盆栽。三年前同學送贈的一盆蟹爪蘭，是仙人掌類花卉，花朵盛開時如鳥兒展翅而飛，優雅漂亮。蟹爪蘭今年花開二度，一月綻放後，三月再展翅，讓我樂上半天之餘，讚美大自然的鬼斧神工！

　　去年香港經歷狂風暴雨，今年新春後肺炎疫情肆虐，世界各地學府改為網上教學，政府鼓勵居家工作。由於居家工作，避免與人接觸，工作之餘只能將注意力集中在陪伴身旁的植物盆栽。

　　兩年前，博學多聞的好友送我一株小菠蘿花，教我淋灑的方法——非淋於泥土之中，乃淋於葉心空洞處，泥土反而要時常保持乾爽。種植一年，菠蘿花健康成長，開出紅艷如手掌的花朵，持續三個月而不凋，好友解析它已變成了母親，正在孕育新生的一代。果然如好友所言，菠蘿花底部的綠葉生出一株小幼苗。好友云：「菠蘿花母親一般會生長一或兩株幼苗，等菠蘿花兒子長大一些，你可以將它拔出來，放入泥中培植；若太年幼拔出來，它成長不了……這株母親可以丟棄了。此乃生命的循環，它以生命孕育下一代，完成使命後亦終結自己的生命。」

　　好友主理大小事務皆得心應手，其能耐與學識令我佩服得五體投地，一切亦依其言，等菠蘿花嫡子長大一些，我拔了它出來培植。然而，看著日漸凋謝的菠蘿花母親，我不忍心丟棄，認為它可以生存下去。菠蘿花嫡子長得十分健康，母親則日漸失去光彩，深紅色的手掌花也變了黑紅色。好友見之，問我何以不棄？我說：「總覺得它還可以生存。」好友以理性分析，認為它已完成使命，勸我割愛棄之；我則以心性處事，希望等它完

78

全枯萎後才丟棄，那是對菠蘿花母親的尊重。它辛苦的孕育了新一代，不能得子而棄母。後來……

日漸枯萎的母菠蘿花竟然孕育了第二個生命！在它慢慢凋謝的深綠色葉縫之中暗藏了一株細小的嫩苗，我驚喜的發短訊給好友：「菠蘿花生了第二個兒子！」好友亦感意外──生命往往超乎想像。我每天查看幼苗的成長狀況，擔心幼苗未能茁壯而菠蘿花母親已凋零。幼苗與時間競賽掙扎成長，菠蘿花母親將生命給予幼苗而凋謝了。想不到的是，第一株健康成長的菠蘿花嫡子苗因不當的種植而枯死，此株在生命垂危之下孕育出來的次子幼苗反而成長旺盛。

一年後的今日，掙扎求存的幼苗已比其凋亡的母親還要強大，開出異常高大的花朵，同時生育了四株新苗！菠蘿花的成長啟迪我們：當一切以為已無希望之時，往往絕處逢生。當我們以為嫡苗可以順利成長，它反而早夭；幾乎無法出生的幼苗反而茁壯成長。或許造物者透過菠蘿花告訴我們：凡事不要絕望，大自然總有其不可思議之處。造物者之智慧，非人類能理解；命運的安排，亦非人類能預測。

造物者之神奇亦見於生命的頑強。去年秋天，同事送我一株薄荷。那是一株葉大而肥厚的分枝薄荷，是從母薄荷身上剪下來的；放它在室內可以令空氣變得清新，也有美化環境的作用。收到分枝的子薄荷之時，其粗幼如一枝筷子，略比筷子高長。同事因到海外公幹，也將母薄荷交給我代為看顧。同樣放在辦公室的窗台之上，子薄荷快速成長，短短幾個月已與母薄荷一樣高大，枝葉茂密，快速邁向一米的高度。本想等同事回來，向她展示子薄荷的驚人繁茂。然而……

四月某日回到辦公室，看見子薄荷無端崩倒地上。純白的圓柱形花盆是我喜愛的器皿之一，破裂損毀，滿地泥濘，薄荷主幹與枝椏斷成三四截，我十分心痛。為何會無端倒下？窗外煙雨齊飛之時，也屹立不倒，為何在平靜之日反而崩塌？是枝幹太重造成傾斜？還是一時擺放之誤？作為種植者，我也難辭其咎。幸而，母薄荷倚著書櫃，立於窗台另一角平安無事。我心痛地掃著地上的泥濘，拾起斷裂成幾截的殘枝，扶著殘敗的主幹，想著：命運作弄人？如此美好的子薄荷為何會由窗台倒下，痛苦的倒在地上？

我想著該如何處理？常人或許會將它丟棄，我卻不想讓它無辜結束生命，畢竟是同事送贈的薄荷，更何況它本來是多麼的快樂健康！深信植物生命力的頑強，決定將殘枝連同破花盆帶回家中「療傷」。

回家後，破碎的花盆用橡皮膠圈扣著，等候購買新花盆。重傷的主幹以竹籤支撐著，其餘的殘枝以水養植，直至長出根來，再移至泥土栽種。經歷一個月，主幹長出美麗的葉芽，葉芽快速成長，形成婀娜妙曼的姿態，比之前更有詩意、更富美感。呀，薄荷生命尚且如是，何況萬物之靈的人類？縱使經歷不同的磨折，總能捱過去；縱使因環境的摧殘，以致傷痕累累，終能茁壯成長，變得更吸引更美麗。

同事回港後，我將無破損的母薄荷「完璧歸趙」，笑對同事說：「我怕你不認得它！」母薄荷已長高了一倍，且向上生出了兩椏高枝。同事見到時嚇了一跳，笑說：「你替我看顧得這麼好！你這兒真的適合植物生長！」我微笑，一切歸功於薄荷強大的生命力。

強大的生命力還見於聖誕花。去年聖誕節平安夜，外籍朋友送我一盆咖啡杯般大小的聖誕花。我見過無數聖誕花，無一例外不是鮮紅色的。聖誕花的所謂「花」其實只是綠葉之變色，由綠葉變紅而已。然而，朋友送我這盆聖誕花竟是粉紅色的，讓我感到詫異。有多年種植經驗的同事也慨嘆：怎會有如此粉紅的聖誕花？

一直以為聖誕花只能「紅」數周，很快便會變綠或枯萎。奇怪的是，這粉紅聖誕花竟然捱過了農曆新年假期，又再捱過了疫情肆虐的三四月，一直紅至今，粉色未褪；只是新葉越長越多，與舊葉形成一半翠綠一半粉紅的參差狀態。我將相片發給外籍朋友看，她十分驚訝聖誕花經歷半年還是粉紅色，讚美著說：「你有綠色的手指（You have green fingers）！」我微笑，此非我之能耐，乃聖誕花頑強的生命力所致，我唯一做的只是尊重大自然的生命。

盆栽雖是人類栽種的植物，其成長卻是自然界奇妙之力，非人類之力能為之。我從盆栽的種植深深體悟：當人們以為事情會如想像般發展之時，它往往出人意表、超乎人想像。若學懂尊重生命、尊重大自然，大自然會賜與人類美麗的景色與衣食住行所需，因為它是無窮的寶藏，若人類因貪

婪而殘害生命，上天必定予以嚴厲懲罰，且給予刻骨銘心的教訓。

　　蟹爪蘭、菠蘿花、薄荷、聖誕花等盆栽，默默地伴著我耕耘，伴我熬過不少寂靜的午夜，清晨喜見它們喚醒窗外的太陽……

賴慶芳簡介

現任香港大學中文學院碩士課程講師。歷任香港大學導師、香港科技大學導師、香港城市大學兼任講師、北京大學訪問副教授、馬來西亞拉曼大學訪問學者、香港珠海學院副教授。研究興趣包括唐宋詩詞散文、歷朝小說、古代歷史人物及審美、婦女文學、文學創作。現亦為日本島根大學亞太歷史文化研究中心研究員、香港作家聯會學術部副主任、全港青年學藝比賽評判、香港小說學會理事、國際筆會（香港中國）理事、亞洲華文作家協會（香港分會）理事。

「暑中見舞」的夏日之約

潘明珠

謝謝先進的通訊網絡，我和「失散」多年的舊同學聯繫上了。

我問美奈子，東京的天氣熱了嗎？

她回訊息來說，夏天快到了，好想穿上浴衣，去納涼大會呀！

我思緒飄到多年前，我和美奈子穿上日式的白底粉紅藍細花浴衣，偷偷溜到宿舍外，去參加夏祭，那夜相輝的月光和燈影，歡樂的夏日演歌和人群笑語，我們手中捧著的宇治金時刨冰，記憶都彷彿像溶化的彩色冰粒，漸變得朦朦朧朧的似在夢中。

美奈子唉聲說，感覺自己開始懷舊！噢，大概是困在家裏太久了。

在大學時，美奈子是我最要好的同學，我們在宿舍又是室友，上學、吃飯、煮吃和打掃房間，常時一起。她皮膚白哲，有一雙鳳眼，笑起來像日本娃娃。她最愛看少女漫畫和時裝書，說溫習和寫論文都不要緊，反正將來嫁得好便是。畢業之後，她果然很快出嫁，一心一意做個傳統的日本幸福太太。

美奈子又傳來訊息，什麼時候可以聚舊呢？但東京的病毒疫情未緩下來，仍比香港嚴重啊！

我說，嗯，昨天我夢到吉祥寺了，記得我們讀大學時常到那兒的商店長廊嗎？就在那裏，我夢中有兩個漂亮的女郎、穿著彩麗的浴衣，木屐蹬蹬蹬的走過……

就是我們倆麼？美奈子急急問。

我說，不知道！我只看到她們的背後，她們腰上的大蝴蝶不停在搖曳，我想追上去……然後，我就醒來了。

美奈子說，真巧，我也夢見到長廊去，我們倆跑到盡頭的 LAWSON 便利店，記得嗎？我們想買「宮崎駿吉卜力美術館」的入場券，但當天的入場券已售罄。

我說，等熱潮過去才參觀吧！反正它就在我們大學附近的三鷹，很容易去吧……

但，原來世界的人和事，有時似是這麼近，竟會變得那麼遠……

是的，有些事情，沒有即時做的；有些人，沒有即時能見的；有些地方，沒即時到訪的，那樣一刻一刻就瞬間過去了，一晃不覺竟是許多年了……也許不會再有機會了！

我說，去年吉卜力有些展品來香港了，我和龍貓拍了合照，寄給你看！

美奈子上次寄給我的「暑中見舞」明信片上，繪了《千與千尋》女孩和煤炭精靈，喚起了我對宮崎駿筆下所有少女初心的回憶。

我們，那少女的留學時代，是多麼沉醉在宮崎動漫的青春時光啊！那時候，我們只知道驚嘆千尋的世界幻想奇妙，像個仲夏的奇妙夢境；其實，少女的故事，就像我們跌跌撞撞走過的歲月，曾遇到過迷失的，有過疑惑和探索，也聽到了青春的呼喚，要我們鼓起勇氣奔向生活……一串串的經歷，都像千尋的成長路一樣，只能向前，無法回頭。當我們長大了，回頭看望過往，才漸漸明白……

然而，我們始終不想像動漫裏的千尋父母那樣，變成豬！ 我們要認識自我、並找回自己的初心，我們仍有夢想！

沉思間，柔柔的民歌聲從手機視訊傳來……就是那首《夏天的憶記》吧！美奈子說，近來會聽聽這些老歌呢。

歌聲徐徐訴說著一個炎熱而溫柔的夏日之旅：

當夏天到來時，我會想起遠方

尾瀨的天空，

我在霧氣中跳蹦蹦走著，

一個溫柔的陰影，田野的小路，

水芭蕉的花正在盛開。

夢中的河岸，石楠花的顏色漸變，

尾瀨，多遙遠的天空……

如果打碎了記憶，多悲傷啊！

看看尾瀨，遙遠的天空……

遙遠的記憶中，在最炎熱的夏日，我們到了山中湖，晚上仰望夜空，繁星點點。空曠的郊野，漆黑的夜，那是我見過的閃現著最多星星的夜，

閃爍爍的真迷人；感覺那個夏季，特別光芒閃亮！

剛到東京留學的我，躊躇滿志，找來宮澤賢治的日文原著《銀河鐵道之夜》來仔細閱讀，有不懂的日文難句，便問美奈子；美奈子說，她小學時已閱過此書（淺的節錄本），還看了相關的卡通片呀！然後，我豪語承諾，說我想在夏天結束前，把宮澤的書都讀完。

「你將來想成為怎樣的人？」美奈子問，她說自己決定要為一生做好準備，決定一條好的職業道路。

焦慮的未來，我想每個人都會想到一點點。美奈子不能只帶著自己的想法而行，她談到她在學校生活的煩惱，談到畢業後的夢想，和為將來花嫁作的準備。

大抵年輕人都是從少女時代漸轉向成熟時，據說會因腳踏實地而變「現實」，這時就感到困惑吧。困惑和沮喪，總是在年輕、青春年代的失敗和失控中，扮演重要角色吧，也許是因為這種能量，我們才能成長……

而我，只能看到那些你當時看到的，是因為那時的我，和你一樣年輕；你我都有看不見的東西……

美奈子有點感觸，說：這些年，我嘗過東京都各大老店的刨冰了，但在橫濱回來的路上，我停步在二丁目，想買一杯夏之味（僅限夏季的刨冰），現在不再存在了。

「你將來想成為怎樣的人？」美奈子的提問，令我憶起在東京畢業那年的七月，長年積雪的富士山開放讓人攀登，日本人有謂一生必要登一次富士山才算圓滿，大家都覺得機會珍貴，我和同學便相約出發，作為畢業旅行。

我們晚上先到新宿乘旅遊專車到富士山腳，原來夜登富士山是一件盛事，只見很多人一家大小，還有年長的老伯伯和婆婆，都聚在一起準備攀山看日出，我們也跟著浩浩蕩蕩起程了。

有些婆婆一邊登山，一邊唱歌；也有些老人家額頭上還束著頭巾，上面寫著「甘爸嗲」（加油！），很有抱著「勇往直上」的日本奮鬥精神登山呢。

每到達一個中途站，稱為「合目」，人們就在登山手杖上燒個印，證

明已經到了此站。我和幾個同學整夜攀行，感到又累又想睡覺，到了一些斜度較大的山段，兩旁還有鐵索，只容一兩個人抓著鐵索，踏著黑色的沙石攀登前行；我不明白遠看富士山明明是白色的，攀登時才知山上都是這些特別黑色的沙土。

我摸黑前行，有時累得腳踏不穩，聽到沙石滾滾而下，在我後面的婆婆喘著氣大叫：「喂，年輕人，加把勁啊！」

我心想，這樣的行走攀爬，活像苦行僧朝聖，但我不能停下來，心裏鼓勵自己要堅持向上，證明自己是有能力的。

終於！我們到了七合目，大家高舉燒滿印的手杖，滿足地大叫：成功啦！這時，天邊的紫霞漸露，我們靜候日出來臨。

其實，我那次攀山的體會，使我知道，當我長大了，即使現實成人社會有不預期的境況，我青春的叛逆和對自己能力的要求，是有一種堅忍的精神，和自信的初心。

美奈子，我成為不怕困難的有勇氣的人，我愛我的生活，目前在努力擁抱及經歷著難過的日子，並和自己大力打氣：最終會成功啦！

你呢？現成為怎樣的人呢？如果可以，很想相約你再去東京灣，我們也遇到了「疫境」，也一同努力走過迷惘的春天了；夏日這樣好的時光，相互珍惜吧，祝願我們的生活，夏天閃耀光芒，秋天和冬天一路亮麗平安。

潘明珠簡介

中英日文翻譯、香港作家聯會理事、大細路劇團董事，公職任香港康文署文學專業顧問、香港書展文化顧問。並於《文匯報》及《校園報》寫專欄，主持香港電台文化節目《文學相對論》。近著有《心窗常開》、《三棱鏡》等。

六月，陽光明媚

潘金英

「疫情緩和，可有心情久別重逢？飯聚聯誼？英明姊妹，按往年，六月你們飛英；今年如何？仍飛嗎？……」凝視好友Y的微訊，心情別有一番滋味。

每年夏季，在六月裏一片慶祝端午賽龍舟的熱鬧聲中，我和妹妹都會飛到遙遠的英國，八月才回港。

無法忘懷去年仲夏，再一次我和明珠來到劍橋，再和好友共遊！

藍天白雲，陽光明媚；二〇一九年的仲夏，和前年二〇一八的夏日一樣，絲毫不變。生活有時帶來驚喜，二〇一八年我們和故友倚梅夫婦，愉快地道別揮手時，說：明年二〇一九再見呀！

倚梅打算不住女兒家，另買屋子；我們約定二〇一九年夏，再訪新居咯！

於是，去年二〇一九應約再來，盼著訪摯友新居，嚐倚梅那自家造的美味麵包……

可是，生活有時也帶來驚奇。車站上缺了一個他，祇見倚梅獨個兒呆在劍橋巴士站旁！

沿著路並肩走著走著，倚梅欲言又止；我和明珠邊走邊聽，竟是一段段觸目驚心的事，浮在耳畔煎熬著久違的人！

她隱藏的淚光，使我忍不住輕拍她肩，擁抱她瘦了一圈的身子，真能感受她身心揹著的沉甸甸的重擔啊！

原來是一宗意想不到的交通意外，使健壯的男子漢躺床多月了！

我們隨倚梅急急往她家裏去，掛惦著看望阿祖！二〇一八年夏，她丈夫阿祖，曾陪我們到處逛，看劍橋的數字橋，坐特色划艇看湖光水影；在大學林立的劍橋路上、樹下，教擺美好的姿態拍照，心想著志摩和濟慈美麗的詩篇……

二〇一八年夏的賞心樂事，似是昨天；誰知二〇一九年夏的那次探望，竟驚聞阿祖遭逢橫禍，真是天意難料！新居入伙，卻逢意外，難怪總說福禍相生！唉！怎料到他未可前行來車站接我們，更萬料不到這意外竟大傷了他的頸及腰腿神經線，致令阿祖無法行走，連久坐也未可勉強！

　　觀阿祖神情，今不如昔了，他坐片刻即須入房躺床；然而，阿祖真正是勇者！他雖是遇上這突然的蹇運，卻從未有喪志灰心！

　　那時我們坐在他面前，心裏難過，也有點沮喪，真不知該怎說安慰的話來……可是，阿祖卻勉力提起精神，笑述就醫過程；我聽著，內心感到又驚又險；但憶述交通意外的人，卻活脫脫好像是轉述別人的故事，他甚至笑吟吟吐出一句：「近日我終於可站起來了！生活有變，人得隨遇而安……」

　　他有賢妻，二人都說到做到；倚梅真正是忘憂忘倦，樂觀應對！　而他力讚妻子日夜悉心照料，她功不可抹！我們為他倆鼓掌，心裏汗顏呀，沒能為摯友倆做點甚麼……我們常有錯覺，以為眼下萬事萬物都可在原處不變，就像一本詩集，打開去年沒看完的那一頁，就可再看下去，世事原來並不如此！其實，人是不知道生活會遇上甚麼！

　　倚梅夫婦已遷住新居多時，但很多衣物尚未拆箱、開封；事因在這片夏日晴空下，瞬間竟是晴天霹靂，突然遇上的一場交通意外，阿祖從生死的邊緣跨過來，跌入漫長的困境，從健步自如變得只可坐臥……倚梅哪來心力執屋？哪還有心思自家造麵包？……

　　人生的瞬息萬變、起起落落，人際的悲歡離合；對於我們而言，都是種種大考驗，是上天要使人更強更勇、心志和愛，都更堅定嗎？

　　倚梅說：「劍橋久雨的日子，終於看見陽光了。」下午決定扶阿祖出陽台去，就是曬曬太陽，也是很好的。

　　六月的陽光，灑在阿祖和我們身上，暖洋洋的，陽光所照之處，是明朗剔透而亮麗的，讓人心中不由得歡喜起來，感到生活原來是這麼美好啊！

　　倚梅說：「你不要笑我這樣驚訝，陽光不是一定會照進來，照進我們心裏；難得生活有美好的陽光，不能辜負它呀！　」

　　是啊，我太認同了。要讓陽光照進心裏，一句平凡的話，簡單的道理，卻令人醍醐灌頂。也許，因為陽光在香港太常見，太平凡，也就容易被人們忽略吧。

　　阿祖其實是幸運兒，幸虧他一直有賢妻陪在自己身邊，倚梅一直陪他渡過種種難關；遭遇不幸，卻是不幸中之大幸，在平淡中還算非常幸福。

縱使今昔不同了，如今平凡安定的生活，其實也是美好的，見證著彌久日新的愛；只是我們忘了關注陽光，忘了擁抱它。正是這樣，平凡生活的淺顯道理，不會察覺，也就容易被人遺忘了。

原來，生活有時也帶來驚恐。回到香港，我們所見，各種人事可說一直是漸有所改變；新思潮新事物層出不窮，舊傳統一點點剝蝕，平凡安定的生活竟捲起波瀾。眼下的今日香港，一切都方便快捷，社會上有不少人衣食無憂，彷彿一切如意發展；檢視過去的平凡日子多好呢，如今都不同了，安定美好的生活，竟轉眼消逝，風過不留痕，如同世界迷失了陽光。

原來人生許多事，並不都是理所當然的。陽光，也不是理所當然的會照進每個人的心裏。我覺得小城本無事，庸人自擾之；似是無事惹是非，好端端的交通燈、地鐵、日常生活的食店、商舖，為甚麼要遭壞分子拆毀、搗壞？自作孽、不可活，香港多風雨，壞蛋未知是何居心？心裏，是否把自己禁囚在暗黑牢房中呢？往昔我總以為小城美好，人們善良，今日驚覺到見利忘義者眾，不分青紅皂白者形成惡勢力， 才知人性複雜，社會兇險。人，真是不知道生活會遭遇到甚麼！

二〇二〇年，一月的冬日，我們乘飛機回港，機艙座位空蕩蕩的，客稀得寥寥可數，明珠和我兩個乘客，皆感覺沒人坐的位，恍如給哪位大人物包了場般，千斤沉重！其實，那時關注疫情新聞的我們，沉浸在驚恐、懼怕、悲傷之中，心中已忘了擁抱陽光。

原來，陽光真不是理所當然的照進人的心裏。二〇二〇年的春天，在驚天動地的病毒來襲中亮相，令人驚惶失措，漫漫長夜，人人自危。香港受冠狀病毒突侵，封城封境，難受控制，甚至，有些人患上了抑鬱症，心是黯然失色的，感到難關重重難渡過，多麼絕望啊！

不幸的遭遇，誰也不想；既來之，則安之！抵擋病毒既然已經成為耐久之戰，再怎麼害怕、悲傷，也不能重回當初未來襲之時了。怎能還沉浸在悲痛恐慌中呢？

我們要擁抱的陽光的正能量，作出所有的努力，持久地齊心抗疫！生活是廣闊的，就像灑遍大地的陽光。抗疫要分離，往來不相見；但大家並未相忘於戴口罩的時光裏，仍然可以手機、視訊傾談問安，在疫情的時光

裏，春天漸漸走遠了。

夏日來了，生命有很多溫暖和愛，如同熠熠生輝的陽光。二〇一九年的夏天，我們相約劍橋，在倚梅新居喝茶，欣賞陽台外見到的大片草坪美景，相忘於互訴傾談的時光裏；我們曬著暖暖的五彩陽光，心中覺得幸福而富有，這種富有，不關乎物質的擁有，是我們心靈中知足的幸福。

我們相擁道別時，友情依依，好好珍重；相信明年二〇二〇會再見面，重逢會再見到康復的祖、倚梅的笑面。人生有很多美好等著我們去發現，怎可以把自己禁錮在黑暗呢？擁抱陽光吧，讓陽光照進心裏，深信生活都是有希望的。我們不怕生活有變，常有陽光的正能量！ 遠方有惦念，友情永不變！

而二〇二〇年的夏天，已緩緩的在春的迷霧中悄然來到，好像是非常的自然而來的，我住的山村上，草木靜靜生長著，花兒默默開放著，飛鳥蟲獸都活潑潑出來了，六月，一瞬間就來了。

春天的終點，是夏天的起點；夏天的終點，又是秋天的起點……每天有早晨、下午、黃昏、深夜；季節有春、夏、秋、冬；人生有起、承、轉、合，生活不就同樣如此嗎？

二〇二〇年六月來了，這是大家日盼夜望的夏天，這是我們經歷過漫長疫情後的夏天，這是我們抱有種種體會和思念、思考和感悟的夏天， 大家有沒有擁抱陽光？讓快樂陽光照進心裏呢？

從今以後，要讓自己的心豁然開朗，假如過去的心靈，蒙上煩惱灰暗，看到的盡是黯淡無光，請擁抱陽光吧！珍惜陽光，忘記失去的，珍惜所擁有的；讓自己的心光明起來，盡其在我，盡己所能；遇到困難告訴自己：生活總會有陽光，人要變得更強、更勇、更有愛和力量；人生就一定會變得更美好。

遠方有我們的友情和惦念，送春迎夏，霧散迎曙光，仲夏七月，我們再出發！到劍橋去、到詩和遠方去，夏日的天空，會更藍吧！

潘金英簡介

香港公開大學兼任講師，香港作家聯會委任理事，公職任香港藝發局文學評審。曾獲香港不同的文學獎：如童詩、故事、散文、小說及劇本寫作獎，近著有《心窗常開》、《三棱鏡》、《兩個噴泉》等，現為《文匯報》寫專欄，客串主持香港電台文化節目《文學相對論》。

夏日裏的糟香

孫博

炎炎夏日又到，不妨來一碟美味可口的「糟貨」。如能配上冰凍啤酒，真是錦上添花，既解饞又降暑。

外地人聽到「糟貨」兩字，立即會皺起眉頭，以為不是什麼好東西。俗稱之中，事物敗壞為「糟」，所以和「糟」連在一起的詞彙，大多也都是貶義的，比如糟糕、糟蹋、糟害……最典型的，莫過於「取其精華，去其糟粕」，一句話就給「糟」字定性了。

但是，「糟貨」中的糟非彼糟！「糟」是上海及江南一種涼菜的製作方法，「貨」是一種對物的籠統稱呼，兩詞連在一起，就是用糟鹵製成的涼菜意思。「糟」與廣東人所講的「醉」相似，早有「糟醉一家」之說，它們的調料都源於酒類，做法也差不多。

其實，吃糟也是先秦遺風，最早記載於兩千多年前的《楚辭》；至南宋大興，古籍中有都城賣糟羊蹄、糟蟹、糟豬頭肉的記載；到元明清時代，除市上供應糟製品外，已發展到家庭自製，曹雪芹的《紅樓夢》裏，就提到過糟鵝掌、糟鵪鶉；清代袁枚在《隨園食單》中，更有自製糟肉、糟雞的記載。

古人曾說：「入口之物，皆可糟之。」祇要扔進糟鹵入味，盛出來就是一碟開胃的夏季清涼小菜。我算得上一個「吃貨」，再加上天生愛好烹飪，會做各類糟貨，包括糟雞、糟鴨、糟肚、糟雞翅、糟鴨翅、糟門腔（豬舌頭）、糟大蝦、糟魚片、糟毛豆，等等。但是，最受全家人歡迎的還是「四大糟貨」：糟豬手、糟鳳爪、糟門腔、糟毛豆。

一年四季，我家的大小派對上，必上「四大糟貨」。久而久之，我的「四大糟貨」在親朋好友之間就傳開了。如今到了微信時代，朋友圈裏紛紛有人向我討教做糟貨的秘訣，我都會不厭其煩地和盤托出。但是，他們跟著我的指引做，十之八九還是「糟」得不好，做不出那種特有的味道。有的朋友試了幾次未果，乾脆放棄了，只好到我家聚會時大快朵頤。

由此看來，怎麼「糟」得才好頗為講究，也是一門小學問。經過多年的摸索，我想問題可能出在以下關鍵步驟：一是余水時間不夠，首先要把

豬手、鳳爪、門腔等「三大件」放入開水裏汆（又稱焯水、飛水）三分鐘，把髒水倒掉，洗去浮沫；二是火候把握不當，我是採用大鍋一起燉，上海話稱之為「篤」，將「三大件」同時放入旺火中煮沸，然後用小火燜燒，豬手約需一個小時，門腔約需半小時，鳳爪約要二十分鐘；三是涼水沖洗不夠，將煮好的「三大件」分別撈出來，洗去表面的浮油，然後用涼水沖洗五分鐘，再泡在涼水中十五分鐘，充分降溫，最後撈出晾乾；四是冰鎮時間不夠，將冷卻後的「三大件」放入盛器，加入糟鹵並淹沒，加蓋入冰箱腌漬一夜。

為節省開支，也為了環保，我採取「一鹵四用」的良方：第一天糟豬手；第二天糟鳳爪；第三天糟已切片的門腔；第四天再糟的毛豆莢，要剪除兩端尖角。「三大件」全部要過夜，糟毛豆當天可享用。

順便提一下，「三大件」熬好的湯可是個寶。據資料顯示，豬手、鳳爪均含豐富的膠原蛋白和鈣質，可減緩中老年骨質疏鬆的速度，還具有美容功效，可防止皮膚過早褶皺。當天等大鍋湯冷卻後放入冰箱，翌日取出，刮除最上面一層的黃色油，全鍋都是結了凍的奶色原汁湯了，可以用來下麵條、做湯，也可當作炒菜的高湯，不油不膩，營養不菲。

對於阿拉上海人來說，聞不到糟香的夏天可就糟糕了。大家趕快做「糟貨」吧，可別忘了我提供的小「貼士」。

孫博簡介

加拿大華裔作家、編劇。現任加拿大網絡電視台總編輯、加拿大中國筆會會長。出版長篇小說《中國芯傳奇》、《回流》、《小留學生淚灑異國》、《茶花淚》、《男人三十》、散文集等十多部書，部分作品被翻譯成英文、法文、韓文、日文。發表電影劇本《中國處方》、二十集電視劇本《中國創造》。擔任三十集電視劇《錯放你的手》編劇、四十集電視劇《鄭觀應》項目顧問。曾獲中國作家鄂爾多斯文學獎、中山杯華僑華人文學獎、北京市廣電局優秀劇本獎、「英雄兒女杯」電影劇本獎、鰲《國劇本創意大賽獎、大灣區杯網絡文學大賽「最時代獎」、新移民文學突出貢獻獎，以及二十多項微小說、閃小說、散文大賽特等獎等。

天香樹

文榕

開始它是碩大肥美的
紛紛揚揚都是豐滿的葉片
隨意經過時，也偶爾逢著一個溜狗的少女
她們像一起停在了原鄉

記不清它的葉片何時枯黃
不是秋季彷彿是夏日時光
這時它會模仿巨大蝴蝶的舞姿
輕鬆地轉身，搖擺，揮別

迎風凝望的是它的樹幹
筆直指向天宇，哪怕掉盡了最後一枚蒲扇
這教人想起飄飄泛泛的青春夢影
和中年瑜珈後時而閉目的神情

註：天香樹，遍植於吾住所附近，吾為其命名也，真實樹名不得而知。其葉大如蒲扇，輕風吹拂，滿樹蒲扇悠然搖拽，甚為壯觀。

文榕簡介

原名顧文榕，香港文聯常務副秘書長、香港散文詩學會副會長、香港《橄欖葉》詩報主編。著有詩集《輕飛的月光》、散文詩集《比春天更遠的地方》等六部。作品被編入中學語文教材，被選入多種選本。獲兩岸四地華語詩歌高峰論壇華語優秀詩篇獎、第三屆中國散文詩天馬獎等獎項。

小滿後

趙飛雁

在狹小的房間中醒來，然後聽見車流的聲音。起身拉開窗簾，立刻有一道光落到床頭。再推開窗戶，風就攜著花香逃進房間。早餐是一杯咖啡，一個椰絲奶油麵包，熟悉的味道，多少讓我有一種回二〇一九年的錯覺。

記憶總會被氣息，味道所牽扯。

第一次到香港，是因為研究生面試。初春，剛下飛機，熱浪就滾滾而來，香港濕熱的氣候致使空氣四處都瀰漫著水氣。坐著機場快線駛往香港的最深處，沿路的山山水水之景並非是我見慣的江南水墨，總覺得香港的自然山水間有一種人氣。岸邊停滿了不同顏色的貨船，平靜的水面總被遊艇划破。山倒映在水裏，隱沒在天空中，綠色因為藍色的調劑似乎有一些隱卻。山間偶有往生者的住處，偶有信號發射的塔台，偶有一兩處屋宇，山腳處皆為民居，似乎並非是山包圍了民居樓，而是民居樓包圍了山。樓房似乎想與山一爭高下，不知居民站在樓頂是否可以摘到星辰。

面試結束的那個傍晚，我嚼著香港雞蛋仔，走在旺角的窩打老道。翻出了那時候發的一條朋友圈，我寫到：「空氣裏飄散著炸雞味、香水味、汽油味、消毒水味。粵語、英語、普通話。紅色、黃色、綠色、各種顏色」。或許，香港就是一幅拼完的拼圖，單一的氣味，單一的語言，單一的色彩都是構成香港這一塊大拼圖的部分小塊，這種混雜感，零碎感，拼湊感似乎就是香港的特色——什麼也沒有，但又什麼都有。

再赴香港，是開學。八月底的香港如同天氣一般，躁動不安。這是我第一次走進香港的居民樓，老式電梯裏帶著一股發霉的汗酸，頭頂的網格上落滿了灰塵，目之所及的四周貼滿了樓層通知，腳底下的木板表層已經剝落，還有些零星的木屑。出了電梯是港片中常見的馬賽克瓷磚，狹小的樓層通道被六扇鐵門所佔據。我租的樓層的最左側，拉開門，迎面來的是一股濕潤的霉味，房間昏暗、狹小、逼仄。可等收拾妥當，點亮從家裏帶來的黃色燈光時，房間就展露出它溫馨的一面。

深夜，剛下課的我總會在廚房煮一碗柔軟的麵條，然後再往沸騰的水

中滴入從山西帶來的、發酸的醋。不知是誰，在衛生間剛洗完澡，推開門後湧出一股雜糅了碧柔沖繩蛋黃花香和霸王洗髮水的味道。又不知是誰，在客廳裏用滴露浸泡了衣物，會發出一股讓人安心的消毒水的氣味。在離開香港的很長一段時間裏，我會懷念這些味道。在家時，室友遲玥從山西給我寄了一罐醋，我又在淘寶上買了同款的滴露消毒水和洗手液。我不知道我是因為記憶，才去懷念這些味道，還是因為這些味道，促使我去回憶。

前天，在轟鳴的飛機聲中，我在深圳落地。夜晚，躺在床上，和許久沒有見面的阿玥聊天。提及幾個月前，我們如何帶著緊張和惶恐的情緒，從這個城市倉促離去。但歸來的我們，都期望著去重啓那些美好的味覺、嗅覺記憶。昨日午後，深圳微雨，以往人聲鼎沸的口岸，經過的人寥寥無幾。填表，申報，帶手環，當我們回到香港時陽光四溢，出租車從深圳灣口岸一路飛馳到九龍何文田，寶其利街飄散著清幽的花香，一如既往。

回家的電梯一打開，那一股熟悉的味道就衝擊了嗅覺。開門，回到家，重新整理。夜晚洗澡用的還是霸王洗髮水、碧柔沖繩蛋花香沐浴露。夜晚枕著車流聲入睡，清晨枕著車流聲蘇醒。香港的生活，似乎一切都沒變，但又似乎一切都變了。

小滿後，香港夏日的炎熱也即將開啓，願一切皆「小得盈滿」！

趙飛雁簡介

浙江紹興人，現於香港公開大學攻讀中國文學碩士。曾獲得第十三屆語文報杯現場作文大賽一等獎，第十五、十六屆、十七屆中國少年作家杯全國徵文一等獎，獲得第三屆中外散文詩歌邀請賽全國一等獎，文章也多次獲省級、市級獎項，文章多次發表於《紹興晚報》、中國作家網、中國青少年作家網、中國散文網等媒體。

庚子·午月的青陽

顧獻忠

午月的晨
虹霓送走了星星
大雁約來了朝陽
嘰嘰喳喳的百靈
和著新詩
勸退了寒冷的月兒
黃鸝的歌聲引來了夏月姑娘
午月的晨
冰雨蒼桑後
藍藍的天依然格外清爽
靜潔的綠
無暇的水
清風對酒喝醉了白雲
雨滴蘸霧滋潤了海棠
晶瑩的露珠被長風叫了去
含羞的垂柳著上夏妝

午月的晨
暴風雨的殤
刷洗著英雄的都市
捷雋的布鴣喚醒了塵封的人們
麥花香裏說著農事
莖直的蓮荷吐出了新的芬芳
午月的晨
舉著炫麗的霞
帶來熱情的夏
攬著萬束道道的彩光
挑著火紅的月季
裝點著午月的青陽

顧獻忠簡介

字翁之。書法家、文化部全國優秀青年藝術人才、國家高級美術師、《人民日報》
新聞戰綫藝術顧問、《義之書畫報》北京中心藝術家、中華人民共和國第十三
屆運動會我要上全運體育書法項目銀牌獲得者。

獅子山下漁帆賦

以「乘風破浪，赴險如夷」為韻

香海覆翻，巨舟顛簸。疇昔固可獨游，此間還須偕坐。新冠播弄，吏民命舛膽驚；闌市停休，商賈財空囊破。惟獅子嶺之高峰，嘗經宿雨；紫荊花之艷色，直照霓虹。猶存赤心，能燃旭日；不怨天命，豈懼罡風？炳煥兮明珠，寶氣盈於檻之內外；巍峨乎絕壁，嘉名立於瀛之西東。綜觀耀目維港，長充經緯之樞；摩天塔樓，已作嶙嶂之險。但鼓余之旅帆，何傷彼其塵玷？譬若治玉之前，斑瑕數枚；爭妍以後，意態千臉。洵乎饔飧堪虞，攸關禍福之事；肆業未備，且繫存亡之危。曩者非典流行，口罩之日難耐；而今我城大捷，雲開之時可期。笑觀狂瀾，方知藏於芥子；頑抗逆境，遠勝禱於馮夷。因悟楫擊鏡中，船浮江上。寧許清波，卻無急浪？朝暾繼以黑夜，自有替移；信念連同明燈，仍需光亮。然則抖擻奮戰之精神，庶幾增添攻堅之力量。矧夫飛棟綴以琉璃，奐矣輪矣；彈丸羅以俊彥，猗歟盛歟。裁蠡水為吾服，枕層巒作敝廬。比年足食，茲地安居。漁村昌甚，港埠晏如。況乃往來貿易，私營次第乎北征；催辦魚蔬，補給聯綿而南赴。左右咸稱小康，縱橫亦是衢路。既芳澤之斯存，誠遠邦之所慕。桃源人人念惜，拼勁代代傳承。不辨貴賤而相濟，從教窮通以共乘。料必三陽變泰，五穀豐登。

註：戲以歌者羅文〈獅子山下〉、許冠傑〈洋紫荊〉、李克勤〈紅日〉、汪明荃〈萬水千山總是情〉入句。

黃偉豪簡介

上海交通大學人文學院副教授，著有舊體創作集《活水彙草》。

香江‧圍城

黃芷淵

　　起初，這場疫情離我們很遠，很遠。後來，一座城，又一座城，封了，閉了。

　　它竟如海嘯般呼嘯而來，把地球村每一個角落的人類席捲其中。我想到《流浪地球》的開場白：「起初，沒有人在意這一場災難，這不過是一場山火、一次旱災、一個物種的滅絕、一座城市的消失，直到這場災難和每個人息息相關。」

　　電影的台詞，成為現實的預告。無法按停暫停鍵，沒有硝煙的戰爭向人類吹響了號角……

　　年後，地球村，成了無數個孤島，不，是圍城。外面的人想進去，裏面的人想出來。城與城遙遙相望。戴口罩的人，木無表情，機械式地穿梭於家和辦公室。餐廳閉門謝客，沒有應酬，沒有聚會，沒有車水馬龍。人心惶惶。無法見面，惟互道珍重。

　　北方下雪了。覆蓋了百里揚塵。一剪寒梅，傲立雪中。科學家曾告訴我們，病毒怕熱。於是，春天未至，人們已盼望炎夏的到來。

　　南方的冬天，故事裏沒有雪。樹綠花紅，從容淡定。人們對瑣事向來敏感，但對大事似乎無動於衷。哨音在響，情緒記憶在醞釀。路人一個噴嚏，嚇跑了士多旁懶睡的貓，附近的人早已遠去無蹤。是十七年前的那場教訓，那場沉痛的血的教訓。香江小城的回憶瞬間被喚醒。

　　買不到口罩，搶不到消毒液。城裏的古稀老人，戴著唯一的口罩，拄著手杖，從街頭走到巷尾。藥店門口，貼著一張張「口罩賣完」、「消毒液缺貨」的告示。除了發怔，還是發怔。剎那間，街上的人兒跑向同一方向，他們不是在追巴士，而是有人派口罩了。隊伍延綿不絕，幾乎望不到盡頭。老人蹣跚走去，排在了隊伍最後的最後。

　　鄰家大媽說，超市廁紙大米都被搶購一空了。無良商家抓住商機，做起了黑心生意。哄抬物價，製假售假，難以想像的荒誕故事，接踵而來。老人想哭。她是偷偷跑出來買口罩的。想到幾夜未眠通宵輪候口罩的老伴，頓時紅了眼眶。不，哭紅了眼睛，家裏老頭兒更擔心了。眨了眨眼，淚水又咽了下去。

前方開始起哄，人潮慢慢散去，嘴裏嘀嘀咕咕著。口罩又賣完了。天色已晚，兩手空空的老人，情緒瀕臨熔斷。口罩，口罩，那平時毫不起眼的東西，如今竟如此可貴難求。她想自己縫製口罩，但不知道去哪裏買材料。她想鑽進自家劏房那狹小密閉的空間，那裏給予她僅有的安全感。不想在街上多逗留一分一秒。比病毒更可怕的，是無望。淚水如泉般湧了出來，她突然像個孩子般放聲大哭。

淚水模糊了視線。情緒平復後，她的手上多了一包口罩，十個。她尚未回過神來，小伙子朝她揮了揮手，轉身而去。雖然戴著口罩，但從瞇著的眼睛可見，他在朝她微笑。老人呆站在原地，看著小伙子的背影，來不及道聲感謝，他已遠去。城市的溫度，撫平了破碎的心。

日復一日，新常態成了常態。習慣戰勝了未知的恐懼。

春天隨風而去。天空藍得沒有瑕疵，蜻蜓貼着樹蔭處飛，頭頂上只一輪烈日。夏天來了，但病毒沒有走。只是，慢慢地，慢慢地，疫情開始受控。人們開始放鬆了，城市彷彿回到了從前。

下班後小酌一聚，逛逛商場，海邊走走。口罩不缺貨了，政府也派口罩了，銅芯的。家裏長期囤兩包大米。忽然明白，豐衣足食，歲月靜好，不是必然。儘管，街上情侶擁吻時隔著口罩。儘管，進了家門，迎接我們的不是擁抱，而是刺鼻的酒精消毒液。儘管，戴口罩悶熱得呼吸困難，但看著眼鏡上的霧氣，一呼一吸地喘著氣，感恩我們還活著。

爬山，人煙稀少，才敢偷偷拉下口罩。呼吸一口新鮮空氣，竟是如此奢侈。更諷刺的是，大自然，自有因果。人類管不住口，疫情就讓人類摀住嘴巴。匆匆戴好口罩。

疫情的動態曲線，起伏錯落。踏入七月，第三波疫情來勢洶洶。確診數字每天急升，焦慮不安再次籠罩這座城市。圍城的門開了，內地其他城市都通關了。唯獨港村，仍是孤島。半年沒有離開香港了，身處內地的孩子，大概已經長高了半個頭。跨境家庭幾個月沒團聚了。情侶分手了。懷孕四個月來港的太太，寶寶出生了還沒見到在內地的父親。一場場記者會，一個個數字，背後都是一條條鮮活的生命。

　　香港醫療系統瀕臨崩潰了。趕工加建的檢疫中心已經就緒。樓上太太的女兒英國回來了，一年未見，亭亭玉立，戴著印有不明數字的手帶在家隔離。海外疫情更嚴重了。隔壁街的小餐館虧損幾個月結業了。日出日落。城市裏，有無聲的憤怒，有無言的絕望。世紀疫症面前，被選中的人只有苟延殘喘，尚有戰勝病魔的勇氣；躲過一劫的人，何來權利無病呻吟？

　　警車，救護車，閃燈閃個不停。全副保護衣物的醫護人員，在醫院內外忙個不停。戴口罩的小女孩在醫院登記室放下一個信封，鞠了個躬轉身就跑。值班護士接過信封，拿出一張繽紛的心意卡。「謝謝親愛的『yi』生叔叔、護士姐姐，您們辛苦了。加油！

　　女孩還不懂得如何寫醫生的「醫」字，但那份心意，足矣。因為天使，從來都在人間。

　　梭羅說過，只有我們醒著的時候，黎明才會到來。原以為，疫情離我們很遠，很遠；後來發現，地球村裏，沒有人可以置身事外。大暑已過，涼風未至。地球很危險。疫情還沒結束。圍城內外，芸芸眾生，醒著，等待著黎明到來。

黃芷淵簡介

鳳凰衛視高級記者。主持人、特約評論員、專欄作家。曾出版《我在身分迷失中成長》、《我們在現場——從香港出發》，並與同張愛玲並稱為「南玲北梅」的當代作家梅娘出版《邂逅相遇》及《與青春同行》等作品。現為全國港澳研究會會員，三策智庫秘書長等。

塵　戰

陳浩泉

這是一場
人類與一粒塵的戰爭
沒有刺刀
沒有硝煙

那小滑頭
好像無色無味無形
大砲火箭核彈
都只是一把殘廢的牛刀

牠頭戴七彩皇冠
身掛天堂與地獄的通行證
遊走於人間與陰曹
牠喜歡隨意拉人一把
去玩那死亡的遊戲

即使人犯了彌天大錯
他們已受盡鞭笞
上帝啊——
請讓那魔鬼遠離人間

否則——
就使悲憐的人群
快打磨出驅魔的寶劍
送走世紀的瘟神

二○二○年七月十七日

陳浩泉簡介

資深華裔作家與傳媒人。東亞大學新聞傳播系畢業。華漢文化事業公司與維邦
文化企業公司董事經理、總編輯。香港作家聯會前理事、秘書長。現任加拿大
華裔作家協會會長、世界華文文學聯會副會長。已出版詩、散文、小說近三十
種。

溫哥華的華人之花

冬冬

已經在華人裏熟識的溫哥華
怎麼也進入不了一線
比不上紐約
也比不了北京
可即使在這病毒襲來
心都長了牛筋草
依然有去年夏天留下的早上好
散成了落下的櫻花
也已經化作污泥
染在一些華人的頭髮上
越來越黑

這些可愛的面孔
被窗戶內的人們期盼成西湖
被看到的人們物化成西子
真如那句幫了娘家幫婆家
演完上場演下場
一些殷殷的祈禱
流下雪山
入了菲沙河
入了喬治亞海峽
入了還可以湧起的心潮

有些塗鴉很侮辱
有些嚎叫很歧視
可那些可愛的華人
還是容納了之後的日月
升起和落下
彷彿黃河之魂
在渺渺飄灑

　　題記：新冠病毒如海嘯襲來。溫哥華華人幾乎達到了人人動員，全民皆兵的抗疫態勢。不僅做好自己族群的防疫，還向溫哥華的五大醫院，溫哥華市政府，不列顛哥倫比亞省政府和其它各個市政府提供了及時的捐助和協助。

二○二○年五月九日在溫哥華烈治文家中

冬冬簡介

律師、教授、詩人。武漢大學文學學士，約克大學法學學士，渥太華大學法學博士，魯迅文學院第三十三屆作家高研班學員，中國邊界與海洋研究院客座研究員，武漢大學、青島大學、燕山大學兼職教授，加拿大華裔作家協會會員。出版有詩集《漂泊的孤帆》、《為愛而生》、《中國海之歌》、《世界從心開始》、《無處安放》。

口罩下

區肇龍

口罩下是一片陰霾
還是一臉茫然
的不知所措

在一年的雨傘籠罩下
我們平添了一扇口罩
口罩下的面容枯槁而乾嶙
襯托出香港的一片少見的
荒涼
大家也忙於
為這十元八塊
的三層不織布　拼去
多少不必要的光陰和力氣

夏娃的綠葉
支撐著一絲生存的
尊嚴和羞澀

零三年的經歷　沒有帶給我們可見的預視
全球化下的蒼生　只有靜待最好的時機　為了那看似遙遙的將來
撒下動人的種子
靜聽宓安的譜曲

幾代人合奏出迸奮的旋律
動容了巍巍山巒　閃爍了
兩岸港景燈火　在那
過去的時光

捱得了嗎？

一代不同一代的經歷

是為成長作為一種見證嗎？

仍有氣力偷偷喘息嗎？

一代人的拼勁現在已經遠去他方了嗎？

好比過去的一種

容易被遺忘的時間

請給我們口罩下的笑聲

掩蓋得了各種愁容

縱使沒有天長地久的諾言

區肇龍簡介

香港土生土長，畢業於北京師範大學文學院，獲文學博士學位。現為香港理工大學專業進修學院講師。曾在《文學論衡》、《文學評論》、《文學研究》、《國文天地》、《語文建設通訊》、《田家炳中華文化中心通訊》、《香港文學》、《作家》、《城市文藝》、《明報》、《文匯報》等刊物發表學術論文及文藝創作逾五十篇。為《香港教師中心學報》評審員、香港中國語文學會會員、香港中國研究生會會員、美國亞洲學會會員，國立台灣大學中國文學系訪問學者。主要研究方向為中國現當代文學、語文教育。

地鐵神話

方明（法國）

在闇暗裏伸延著交錯的脈絡
這個世界的旅客更短程
輸送著及時的約會或
速食情愛

彼此擦肩卻窒息得深怕呼吸
會洩露心底之秘密
坐姿麻痺無視上落車廂的生命
匆促如窗外一瞬鶵景

驛站之間的偶思無法治療
縹緲的鄉愁地面上無限美感的
羅浮宮巴黎鐵塔或聖母院
此刻都是歲月裏抽象的神話

混雜族群添加香水蒸發的體味
讓人必須學會收歛紛爭的議題
如斯近距觀察異樣的膚肌與表情
你開始迷思與震懾上帝的創世

方明簡介

廣東番禺人，台灣大學經濟系畢業，一九八二年赴法。巴黎大學經貿研究所文
學碩士。兩屆台灣大學散文獎、新詩獎，中國新詩百年百位最有影響力詩人（二
〇一七年），中國文藝協會二〇〇五年度五四文藝獎章新詩獎，香港大學中文
系二〇〇五年宏揚中華文化「東學西漸」獎，台灣大學外文系「互動文化」獎。
香港大學首展台灣個人詩作（為期一個月）。《兩岸詩》詩刊創辦人，「台灣
大學現代詩社」創辦人之一、並曾任社長，「乾坤詩社」、「風笛詩社」、「世
界華文文學交流協會」詩學顧問，歐洲華文筆會會員。

樹的心思

王曉露（西班牙）

樹的悲哀在於
不能行走也不能說話
它不停地往地下生長
觸摸到了地球的心跳
它懂得世界在黑夜裏對峙
又在黎明互相擁抱
世界在水面之下齟齬
又在陽光到達的地方充滿善意
世界讓活著的人痛恨
卻又讓將死之人無限留戀

樹，還不停地往天空探索
它遠遠看見
城市的生靈半人半獸
穿梭在鋼筋水泥的叢林
對同類左手殘殺
右手撫愛

當它無法忍受的時候
就借一把火把自己燒掉
烈火騰起它就可以吶喊
成了煙灰它就可以自由行走

王曉露簡介

西班牙籍華語詩人，祖籍浙江青田東源。一九九九年二月移民西班牙。現任西班牙伊比利亞詩社社長，絲綢之路國際詩人聯合會副主席，詩與遠方文化藝術委員會常務員，歐華文學筆會創會理事，世界詩人大會終身會員，中華詩詞學會、中國詩歌學會、中歐跨文化作家協會會員。有多首詩歌在《人民日報》、《詩刊》等國內外期刊報紙發表，多次獲國家級詩歌項獎。著有詩集《遠方的你》，主編《中西詩歌經典》。

陣雨

老木（捷克）

將要皸裂的胸脯
落過顫抖的汗珠

呼喊百年
終於「被」夢見希望的「曙光」
心境廣場一片狼藉

禾苗盼望著潤物無聲
而不是
地皮不濕的喧囂

西來的沒落洪水
已然肆虐了多處的良知
拜託別為它添雷加電

三百四十億一百六十億……
天水灌蟻穴的架勢……
於大象來說只不過是……

即便不是真情的懷抱
也算是雪中送炭
再來，再來

老木簡介

原名李永華，祖籍山東，哲學專業、法學本科。捷克華人作家、媒體人、退休商人。
曾做過黑崽子、工人、軍人、科研管理、教育培訓、科技公司管理，上世紀九十
年代初赴捷克經商。做大宗進出口貿易，開連鎖飯店，辦農場，做國企投資顧問。
首創捷克華文媒體，參與創辦捷克早期華人社團，與文友共同創辦捷克華文作家
協會。受聘鹽城師範學院特聘教授（二〇一七－二〇二〇）。中國詩詞學會會員。
歐洲華文詩歌會創始人兼榮譽會長。布拉格文藝書局社長，曾任歐洲華文作家協
會副會長。捷克華文作家協會第一任輪值會長。各種體裁個人著作十四種。

把一首詩譯成瑞典語

李笠（瑞典）

很多詩，一半以上的詩，無法
譯。比如〈河豚如是說〉
比如〈拱宸橋的十八種譯法〉
比如〈西湖三月〉……紅燒肉
串了味，江南，江山
也串了味，丟了妖嬈，嫵媚
美，必須棲居自己的語言
一旦向另一種語言移民
就變成撈出大海的水母：一團黏物

譯，就是易

這兩句太膨脹，太激昂，需要
克制，理性；需要心平
氣和。最好是柔聲細語
有教養的北歐讀者在凝神傾聽
雪天，爐邊讀詩的他（她）
不相信高亢的雄辯，他愛讀
獨特感受（視角）。他不信
你提著詞語的花俏燈籠
在星空飛舞。他相信泥裏的腳印

譯，就是易

這首寫母親的完美的十四行
怎麼瘦成了八行？不，七行！
唉，最後，瞧，只剩下了五行！
但詩中的要點都在：直接
凝練，清晰露出純金的質地
把「道」譯成「真理」，把
「你吃了嗎？」 譯成 「你好！」
譯，拒絕漢賦的華服，裸
露，露出你忘了直面的你：真
譯，就是易

輕巧變成了拙重，女高音
變成了男低音，像做了
變性手術，或確切的說：成熟
少年變成了男人，日出
深沉為滴血的日落；胖佛
瘦成十字架上垂頭的耶穌
燕子一樣輕的江南細雨
冷卻成高原雄鷹威猛的雪
一堆紛雜的礦石，純粹成金

譯，就是易

不再是黃皮膚，黑頭髮，而是
枝杈的神經，宇宙的心跳
鮮美的杏子變成了杏幹
不再有芬芳，但有濃密的甜
擺脫了細雨的纏綿，柳條的
追捧；也擺脫了龍椅的霸氣
小橋流水的舊日溫情。你
無需取悅任何一人。唯一
要取悅的是自己：一抹雪夜孤魂

李笠簡介：

詩人、翻譯家、攝影家。一九六一年生於上海，一九八八年移居瑞典。出版《棲
居地是你自己》、《原》等六部瑞典文創作的詩集。二〇一六年出版中文詩集《雪
的供詞》，二〇一七年出版詩集《回家》；翻譯介紹了芬蘭女詩人《索德格朗的
詩歌全集》、二〇一一年諾貝爾文學獎獲得者瑞典詩人《托馬斯‧特朗斯特羅姆
的詩歌全集》等。此外，他出過攝影集《西蒙和維拉》等。歐洲華文筆會會員。

八月的夜空

岩子（德國）

我常在夜裏醒著
卻不懂得夜的惆悵

當我走進石楠花開的夏夜
在獅子追踵處女的路上
沒有風
洋李樹中止了黃昏前的婆娑
午夜藍的天穹
浮雲纖纖
星星廖若得屈指可數
桑葚色的果實
沉靜地等待著成熟被收穫
失去純白的雲彩
勾結成一張巨大的網
籠罩著
時隱時現
不夠圓滿的月亮

鄰里的涼台上
傳來沙啞的乾咳
煙草的味道
還有細弱隱約
難以置信的蟬鳴
豎立的耳朵
回到了回不去的青蔥時光
那裏有法國梧桐和淡淡鹹味的海風

月，終又掙脫而出
我聽見一個聲音在說
今後，這裏就是你的家
星星朦朧了
滿地斑駁
籬牆上
一朵暗紅的玫瑰
砰然而落

岩子簡介

女，本名趙岩，生於遼寧，祖籍山東。中國詩歌學會《與喜歡的人一起讀》欄目主持人，中德人文交流研究中心《中德四季晨昏雜詠》專欄作者。一九九一年春留學並定居德國。上世紀八十年代出版了第一本譯作，二十一世紀走向寫作。國內外已出版譯著或合集十餘部，其中有《上鉤的魚都很美》、《輕聽花落》、《今晚月沒來》等。多次獲得海內外散文詩歌翻譯獎。歐洲華文筆會副主編。

燈塔

童童（荷蘭）

在 Bowling
孩子們可以是王

站在玻璃窗前
我要了一杯卡布奇諾
一顆原色光影的彩色糖

青島，就在你的海上滑翔
但在丁香落下的小鎮，我記憶的山丘
興許注定它就是孤獨的？

恰如力對力的恐懼，鴿子一樣飛起
生命中晦澀而神秘的故事
你是否會在其中？
我知道你會欣賞，荷蘭的堤壩上
那些離群而居的平凡夜色

童童簡介

祖籍浙江溫州，一九九八年迄今為止長期居留荷蘭。歐洲華文筆會會員。作品散見於《中國詩歌》、《綠風詩刊》、《安徽文學》、《浙江詩人》等刊。作品入選《中國詩人年度詩歌選集二〇一七》、《中國詩歌二〇二〇年度海外華人詩選》、美國《新大陸》詩雙月刊等刊。二〇一八年由線裝書局出版發行詩集《鬱金花開》。

今夜，不過汨羅江

趙九皋（意大利）

萬丈紅塵，不染
七尺男兒，不跪

身後的楚國大地
烽火連天
流言，就像一波波巨浪
衝破城牆
尖叫，如同一把利劍
見血封喉
羅淵，在深不見底的夜裏
驚慌失措

八百里的洞庭水
只飲一瓢
生命之輕，如同落花
沒有驚起，一絲漣漪
《離騷》，是一首
唱了三千年的輓歌
誰在，河道的拐彎處
立起一塊墓碑：
楚雖三戶，亡秦必楚

生我者，父母
我所憂者，天下

趙九皋簡介

一九六五年出生於浙江文成。一九八三年就讀於意大利米蘭國立大學，經濟系畢業；一九九〇年出版詩集《自由海灘之吻》；二〇〇六作品入選《中國微型詩歌三百首》，與著名詩人艾青、北島、顧城等同書出版；二〇〇九年作品《戰爭》入選中國語文教材。共有作品二百餘首散見於《詩刊》、《星星詩刊》、《當代》、《紅杉林》、《常青藤》、《華星詩談》等各大刊物和其他網絡刊物。歐洲華文筆會會員。

與石頭對話

屬雄（西班牙）

星空下，舒展開來的線條
構造起伏的點畫筆法
那些裂開，喧嘩，沉重和憂鬱的章節
棱角分明
與石頭的契約，已形成定數

他的靈感，是蒼山上的月亮
陰影下，捏造三座門樓，和無數的竹葉
修辭立體的虛美
山腳的童子，栩栩如生

小心地掏空月下的低語
微微顫動的天地，一地碎銀
沿著山脊，取出色彩
逐漸傾斜的飛檐，舉起明月當空

按照風水佈局，鏤空竹葉
一道工序，一片葉子
一片葉子，便是一個生命

每一次的取捨
電光火石之間，把每一個夜晚的燈光
以時間為參數，貼上雪的形狀

屬雄簡介

浙江青田人，二〇〇〇年定居馬德里。鳳凰詩社總副社長、中詩網副主任。中國詩歌學會、世界詩人大會終身會員等。詩歌散見《詩刊》、《中國日報》、《詩選刊》、《星星》、《人民日報》以及海外報刊等。參與組織了首屆西班牙伊比利亞國際詩歌節，參加並主持了第四屆和第六屆中國詩歌春晚（歐洲分會場），第一屆歐洲華文文學國際研討會以及其他國際性活動。詩歌屢次獲獎。著有詩集《歸來的雪》。主編《僑中人文學》、《海外文學》。歐洲華文筆會會員。

七月流火

穆紫荊（德國）

只剩下知覺和記憶
我在你的懷抱裏
太陽神的火焰
燃遍大地
你用綠給我遮蔽
使我安息
在有水和大地
——生命的融合裏
你喜歡讓我
——在樹林下搖晃
這難以安分的七月啊
——充滿花椒香
每當我快被吞噬
你就用十指羊笛
吹落一曲流火的歌
讓烤得金黃的日子
在剎那間噴薄成岩漿
令我們——
在歡喜和汗水中奔馳
永恆的深處
再沒有別的可描述
兩顆同頻而跳的心

穆紫荊簡介

出生上海，籍貫北京。1987 年抵德國。著有散文集《又回伊甸》、短篇小說集
《歸夢湖邊》、詩集《趟過如火的河流》、個人精選集《黃昏香起牽掛來》、
中短篇小說集《情事》和長篇小說《活在納粹之後》（又名《戰後》）。創辦
歐洲華文詩歌會微平台。歐洲華文作家協會會員。歐洲新移民作家協會會員。
中國廬山陶淵明國際詩社副社長。

櫻花紛飛遍路時

徐楓

　　一千二百年以前，中國偉大的唐宋時期，日本優雅的平安時代。

　　日本佛教高僧空海，就誕生在平安時代的贊岐國（今香川縣）。空海於公元八〇四年（三十二歲）作為遣唐使到達中國，並在長安學習密教，回日本後創立密教真言宗。法號「遍照金剛」。謚號「弘法大師」。

　　空海，從中國回到日本後，在高野山建金剛峰寺弘揚密教，亦在四國各邊地山林修行建寺，在四國民眾中傳揚佛法拯救蒼生。當時的「四國」和日本文化發展的先進地區相比，被認為是邊陲的結界之地。四國被尊為空海大師的靈場，當地的八十八個寺廟在江戶時代即被確定為八十八札所至今。修行僧走遍四國大師曾經的修行之路為「修行」，普通庶民走遍路為「巡禮」。

　　一代又一代的修行者踏上這一條與世隔絕的朝拜之路，他們身著白衣、頭戴菅笠、手持鈴鐺，在山海間輾轉巡禮八十八處寺院。巡禮者遍訪大師修行過的道路，體驗死和再生的意味。它是信仰與修行之旅，也是尋找自我、洗滌心靈之旅。

　　這就是延續了一千多年的「四國遍路」。

　　十多年前，從大阪要搬往高松，相識的日本阿姨就告訴我有名的四國八十八寺廟遍路。十幾年來，在四國隨處可見著白衣的遍路者，卻總感覺和自己生活遙遠。從未想過自己也會去遍路。

　　但偶然的突發事情，很會改變一個人的計劃，甚至能改變很多人的一生。人生充滿不確定性，又彷彿存在著冥冥之中必然的因緣。那時只是還未可知。

　　二〇二〇伊始，新冠病毒攪亂了所有人的新年計劃，Fanny 忽然從繁忙的民宿工作中「失業」，得到了一直奢望的「大休」。但內心根本無法平靜，新冠讓眾多無辜者失去生命、親人，網絡天天各種壞消息更迭，讓遠在日本的我拋淚神傷。努力盡自己力量幫助國內朋友度過難關，可不久後新冠開始日本橫行，全球肆虐，沒多久日本和全世界陷入危機，許多國家病例爆發醫療崩壞，全世界為此恐慌。生命如此倉促，人類如此不堪一擊，多少人無念痛苦死去，活著的人悲傷、生氣、無助、還互相攻擊⋯⋯

　　沒有工作後經濟的損失和失去健康和親人相比，哪值一提。第一次發

現，對眾生的關切可以超過自身，對眾生的哀嘆也可以超過自身。當你發現有時努力沒有用，所有的傷痛那麼真實，而這真實終是虛幻時。也許只有求得自身心靈的寧靜和成長，為眾生的安寧祈禱才是正經事。

即使買不到口罩和消毒水，日本鄉村的生活依然平靜。我獲得了大量從前想都不敢想的時間。可以好好休息，好好和孩子相處，好好反思自己。我不喜歡世界那麼多悲傷，也不喜歡忙忙碌碌，沒空顧及自己和孩子心底的聲音。

沒有做很多醞釀和前期的準備，連續兩天都是好天氣，於是決定帶著孩子汽車遍路兩天，自駕避開公共交通，更加安全。孩子需要透透氣，我也需要靜靜心。

遍路八十八寺的道場分為四個階段，發心、修行、菩提、涅槃。

這四個階段分別代表了四國四個縣。德島是遍路的初始是「發心的道場」，高知路途漫長，山高水遠，是「修行的道場」，愛媛正是遍路的深入，慢慢開悟的時機，因此是「菩提的道場」，而來到最後香川境內，路途開始平坦，慢慢開始接近圓滿終點。因此稱「涅槃的道場」。

遍路的這四個階段，從發心到修行、菩提、涅槃，不正是我們從煩惱走向快樂無憂的一個過程麼？

我們不知第一天會走幾個寺廟，所以住宿也沒有預定就出發啦。

第一番靈山寺在德島境內。從高松到德島靈山寺的距離大概一個半小時車程，有三十分鐘沿海公路，路況很好，海天一色。一路可以隨時停車飽覽瀨戶內海的蔚藍色風情。

路經最大的大麻比古神社，大麻比古神社創建於一千一百年之前，祝祭神是大麻比古神。是阿波國和淡路國的兩國鎮守。我們在神社對面的道の駅休息了一下。路邊是桔園和草莓園。看到猴群三三兩兩嫻熟地過馬路摘桔子再回來，坐在草坪上邊吃邊悠閒玩耍。發覺人跳出生活常態的桎梏，看到動物和自然和諧共生，內心一片安祥。

到了靈山寺。寺廟右邊靠近停車場有巡禮用品店，像是寺廟的小賣部，內有兩個阿姨和一位寫納經的老人，我的遍路用品在這裏購買。第一次巡禮不懂，店裏阿姨非常親切的教我。其實在第一番不要著急趕往第二番，而是應該在那裏先好好看看得到的資料，而不是拿來資料就塞進包裹趕緊

進寺。中文地圖有很好遍路作法的介紹。

　　阿姨給我地圖是免費的，還順便給了我和孩子每人一串菩提手串。說是「接待」。啊，還沒進第一番就接受了傳說中的接待，真是溫暖人心之旅啊。

　　「接待」，是四國當地人對遍路者提供無償幫助的一種古風。給予巡禮者食物、金錢、搭便車，或提供住宿。對步行方式朝聖的巡禮者們，在辛苦犯難的時候伸出援手，給予鼓勵的一種當地文化。

　　八十八個寺廟，每個寺廟都各有特色。寺廟有空海的雕像，最主要的建築物是本堂和大師堂。本堂供奉的是寺廟的本尊菩薩，大師堂供奉的是弘法大師（即空海）。洗手後，點蠟燭香納札賽錢誦經在本堂和大師堂都要各來一遍，最後去納經寫朱印。確實比較花時間。看您自己的禮佛程度了，經是免費贈送的小冊子。有五十音圖標注讀音的，讀不來的話用中文讀一下也無妨。經也是梵文音譯來的嘛，心誠則靈。如果只是觀光目的，參觀一拜也是誠意的。我是這麼認為。

　　兩天都是汽車遍路，沒有受路途之苦，一路和當地人的接觸較少，感受接待文化的機會就很少，算是一種遺憾。但一路上，在迷路的時候，總是接受到熱情正確的指路。寺廟經常空蕩無人，但納經處的主持總是溫柔相待，有問必答，掏出地圖指路，幫我打電話找住宿等。所以只要出發，困難的時候總能在最後得到幫助。「二人同行」空海大師無處不在。

　　開始的誦經並不流暢，從一點不會到慢慢開竅，這個過程是一個很重要的自省，慢慢悟的過程。程序搞烏龍，忘記了哪個環節，念錯，這又有什麼關係。佛祖慈悲。

　　日本有句古話：遍路即人生。走在這條路上，不僅走訪千年歷史，也能對人生有另一番領悟。遍路對現代人來說已經成為一種療癒的旅行。

　　這條全程約一千一百四十二公里的遍路道上，充滿著豐富的自然風土、溫潤人情、歷史文化和佛像文物。它會讓你見識脆弱、體驗虛無、而它也會肯定你的信心，教你看清能耐。然後它陪伴你，成為你的一部分，伴你步上真正的人生路。

徐楓簡介

一九七六年生，江蘇常州人，美術教育專業。二〇〇三年移居日本，目前生活在香川縣高松市，二〇一六年開始民宿和寫作。二〇一九年在香港出版《烏冬面之國》。日本華文女作家協會會員。

二〇二〇的櫻花期

彌生

三月二十日，春分。

女友來電話，說仙川車站前的那兩株已有百歲樹齡的櫻花開了，叫我去那裏見面。

我搬來這個車站，是第三個年頭，最初到這裏來看房子的時候，就與女友在車站的出口相約，下了車一出車站，就看到左右兩邊的這兩棵粗大的櫻樹，那時是夏天，一樹綠茵，遮天蔽日，圍著大樹有一圈不鏽鋼的護欄，護欄做成高低杠的形式，可依可靠，很多人就會在樹下一邊看手機一邊等人。

去年的春天，右邊的櫻樹只有半邊開花，半邊成了枯枝，我走過的時候，端詳了一陣，覺得這樹或許真是老了？吉野櫻是在各種的櫻花品種中能夠長得最大的一種，如果給它的成長環境比較良好的話，五十年樹齡的樹能夠長到十五米高，樹幹兩米五粗，枝條二十米長，不過，吉野櫻的壽命也一般在六十年左右，車站前的這兩棵百年櫻樹，其實已經是超出了一般櫻樹的樹齡，現在有了乾枯的跡象，或許也是自然索命吧，我想。不久，又經過車站，看到有很多年輕的學生在樹下募捐，他們雙手捧著的廣告牌上，寫著是「救救這株櫻花」。

這兩株櫻花樹下，常有各種志願者和年輕的學生們舉行花樣繁多的募捐，有時是為非洲的孩子，有時是為地震災區，有時是為流浪的貓狗，但這次，是為了這株已經乾枯了一半的櫻樹。

櫻花樹該怎麼救，我不知道，但那一刹那，有了一種感動，世界上的任何事，只要年輕人不放棄，就一定有希望，無論是樹，還是任何的生命，也只有這樣的年輕力量才可以救。

後來又經過那裏的時候，看到樹上掛著一些小瓶子，還有一些綳帶纏在那些老衰的樹幹上，就像是給生病的人打點滴和包裹著的受傷的傷口⋯⋯我不知道那點滴瓶裏用的是怎樣的救命藥水，也不知道緊裹在樹枝上的綳帶裏塗了怎樣的返老還童的妙方，但那些募捐過的年輕人，開始救助櫻樹的行動已經表現在這裏了。

按照和女友約好的時間，我來到樹下，櫻花只開了三分，那些在冬天裏已經取掉點滴瓶和綳帶的樹枝上，更多的櫻花在所有的枝條上含苞待放。今年的冬天異常溫暖，冬天唯一的一場非常短暫的雪，是飄灑在五天前，那

天，也是東京氣象廳在電視上向人們宣布櫻花開放的日子，我記得畫面上那幾朵開在神社裏的作為東京標準櫻花開放宣告「開花」的小花，它們顫抖著小心翼翼地伸出自己粉白的面頰，在突如其來的三月的雪雨中惶惑無比⋯⋯

我們也惶惑，本該最喜慶的畢業季和中榜季，本該最開心的春假和旅遊季，本該最熱鬧的花見時節，本來相約好了的聚會和慶祝，因為突如其來的「新冠病毒」的襲擊，都沒有了。

從一月下旬開始，手機和電腦上的朋友社交圈裏，每天都是「新冠病毒」的消息，從武漢的春節封城到現在蔓延到全球的病毒，侵蝕了這個本該充滿歡樂和萬物復甦的春天，讓生活在物質充裕社會平和的我們，變得心被病毒這個看不見的魔鬼使勁揪起來，無法按部就班的生活和做事，無時無刻不在擔心親人，擔心朋友，擔心老人和孩子，也開始擔心還沒有準備好的自己⋯⋯

一月，我們沒過春節，我們跑遍東京的大街去買口罩，那時我們是為了武漢，我們頗有「風月同天」、「與子同裳」的豪情和氣魄，我們以為受難的只是武漢和湖北⋯⋯二月，我們牽掛著那艘鑽石公主號的郵輪上的人的命運，然後感到了我們不再只是旁觀者，我們發現病毒悄聲無息的溜進這個四面靠海的島國，我們自己也需要防護的時候，居住地區的任何商店裏的口罩和消毒液的貨櫃都已經空空如也。三月，病毒擴散和蔓延到了歐洲，蔓延到了北美和澳洲，然後因感染所造成的死亡人數不斷上升，觸目驚心⋯⋯

我知道那些數字，不僅只是一個簡單的數字，它可能就是祖父祖母或父親母親，或者是妻子丈夫，那些家庭裏至親至愛的人，昨日或許還在同一張桌子上吃飯，今日就有可能成為永遠的別離。

打開電視，看到意大利教堂裏擺滿了靈柩，看到米蘭的大街上空無一人，看到德國總理異常沉重的講話，看到紐約時代廣場的空蕩和寂寞⋯⋯然後，日本期盼了好久的奧林匹克運動會，終於不得不延期舉辦，於是，二〇二〇年的這個春天，就這麼揪心的過來又要如此揪心的過去⋯⋯

如今，東京的櫻花已經滿開，樹下沒有了往年熙熙攘攘的人群和歡歌笑語，櫻花默默無語，人也匆匆無語，連車站前那株全部復活了的百年櫻花樹，今年的每一個花朵都充滿了憂傷的眼淚。

女友揚臉看著這株老樹說：「這樹櫻花真的很真誠地要報答那些年輕人為它所付出的努力，只是不知道這是不是它最後一次的美麗⋯⋯」

我心裏一顫，鼻子一陣酸楚，過去很輕易的一直與不同國家的華人作家朋友交談過和自己在文章裏寫過的「物哀」兩個字，此刻一下子立體了起來，一下子有了很多的具體的實感，還有什麼能比眼下的這種狀況更能體現這兩個字的含意的呢？

這株百年的老樹靜默無聲，卻盡力開出每一朵花，或許這是它最後的春天，或許它沒有得到注目和讚嘆，或許明天迎來的是寒流和風雨，但今天它美麗盛開了。

晚上，我在網上看到了很多國家的醫學院的學生，不分國籍和擱置偏見，互相交流研究分析防治新冠病毒的方法的消息，我也看到了美國孩子們在兩手交叉緊握無比虔誠地祈禱：

「願我們這些僅僅面臨生活不便的人／能記念那些生活在危機中的人們／願我們這些不易被感染的人／能記念那些系統脆弱的人們／願我們這些可以奢侈地在家工作的人／能記念那些必須在防護疾病和維持生計之間做選擇的人們／願我們這些不應孩子停學受影響而能夠靈活選擇在家看顧孩子的人／能記念那些別無選擇的人／願我們這些不得不取消自己行程安排的人／能記念那些找不到安全之所可容的人們／願我們這些在金融市場的重創中儲蓄遭受損失的人們／能記念那些根本沒有儲蓄的人們／願我們這些被隔離在家的人／能記念那些無家可歸的人／當驚恐籠罩著我們的國家／讓我們選擇去愛／疫情期間，也許我們無法張開雙臂彼此擁抱／但是，願我們找到傳遞愛的方式……」

在病毒面前，人的命運都是連在一起的，儘管病毒肆意蔓延，但在未來面前，它已經不再那麼可怕。人類會再努力一次，再團結一次，再互相關心和合作一次，沒有國界，不分種族，戰勝這個惡毒的「新冠病毒」的。

不管怎樣，在二〇二〇的這個櫻花季，武漢的櫻花開了，東京的櫻花開了，華盛頓的櫻花也如期開放……

每一朵櫻花都無比美麗，每一個生命都充滿尊嚴。

二〇二〇年三月二十六日於東京

彌生簡介

和富彌生，曾用名祁放。出生在山東。日本中央大學文學碩士。代表作有詩集《永遠的女孩》、《之間的心》和散文集《那時彷徨日本》。世界華文女作家協會會員，日本華文文學筆會副會長。日本華文女作家協會理事。

櫻花二〇二〇

房雪霏

距新學期開學還有一星期，由於疫情，開學時間暫定推延。三月底的畢業典禮儀式已經取消，畢業證書分別寄到學生家裏。今天，政府發布推延東京奧運會。能取消的取消，能延後的延後。但是，春分一過，第一批早櫻如期開了。

學校往返中，鴨川是必經之路。兩岸櫻樹開出無數朵花來，綻放在花盞中的花瓣，像彌漫的雲團，貼籠著樹身樹幹和樹枝，清一色的花，一個葉芽也不見。遠處看，樹樹成花冠，一株櫻花樹，就像是一朵花。可惜，今年這屆新生，不得不錯過這個一路接受花陣檢閱的光景。

第一個帶我看花的人是道子。第一個買櫻花餅給我吃的是和子。第一個告訴我點心外面那個鹹味青葉是櫻花葉的是幸子。第一個幾十年前栽種下櫻樹讓我在家裏可以賞花的是住在隔壁的良子。現在，道子已成故人。和子在神戶一家養老院，幸子在廣島老家的養老院。這四位女性平均年齡九十二歲。五年前的冬季，我從大阪搬到京都定居。次年春，京都的櫻花都開始謝落的時候，良子家的櫻花開始開花。樹體高大，站在靠近我家院子這邊。冬春的京都，據說從南到北每隔一條路氣溫低一度，我們這裏堪比京都市的北極，所以，這株並非晚櫻的樹種，花期卻排在最後。待到花瓣翻飛落盡，樹枝萌出葉芽，良子就會衣著妝容十分得體地提著一盒上好的京都點心過來，為她家的櫻花謝落到我家院子裏表示歉意。

和子和幸子都終生獨身，道子年輕時丈夫與外面女人出走，她一個人把女兒養大，女兒也遭遇婚姻失敗，帶著女兒和道子一起生活。外孫女成人時，道子告別人世。良子的丈夫兩年前離世。「那天我去女兒家，給家裏打電話一直沒人接，我就害怕了，馬上叫了救護車，和女兒往家趕，到家的時候，他躺在榻榻米上，救護車拉走了，就再沒回來。」站在櫻花樹下，良子平靜地跟我說。這些本是異國他鄉不同身世的上輩人，三十年間，不經意中，給了我最直接的有關櫻花的知識傳授，給了我有實惠有風情的恩典。現在想來，溫馨而滄桑。

120

　　關西地區有許多賞櫻勝地，我卻道不出一二。去是去過了，趕時令追風潮式的附庸風雅，終究留不下什麼在心裏。唯一一次獨自與櫻花相處，是幾年前的一個下午。中午在微信中學同學群看到訃告：王磊老師病故，享年六十一歲。生前執教於瀋陽某高校藝術系。一九七五年，二十歲出頭的王老師成了我們的班主任。歸途，在鴨川路邊停下車，坐到櫻花樹下。花色花香鋪天蓋地，河水汨汨作響。處處春草青青，落英點點。腦中浮現著二十世紀的七十年代，我的那些同學那些老師。並沒有想哭，眼眶卻一直濕熱著。教室裏，站在前面的王老師往往不知道如何擺出教師範兒懾服學生。政治教育高於一切的時代，幾乎所有老師看待學生的標準首先是政治思想，王老師在這方面總是不得要領，甚至不會組織那些其他老師張口即來的套話用語。他常常一副漠然空靈又有幾分鈍感的樣子。有時候一大早走進教室，眼角掛著眼眵，好像還沒睡醒。髮型也不合時宜，外觀看就像一個拖沓的單身青年，一點不像教師。性情單純，不修邊幅，才華橫溢。這位比學生年長不足十歲的老師，交下一群各方面出類拔萃的好弟子。

　　櫻花通天地。它獨有的盛大繁華和靜謐中，蘊含著不可思議的近乎神性的魅力。人們走近它，盡享它在乍暖還寒中送來的明媚。萬花一色一體，爛漫又肅穆，彷彿具有療癒力，可以收容釋解失意者的落寞。曾經陪落第考生去鴨川看櫻花，曾經帶雙親和公婆去看大阪造幣局、萬博公園和清水寺等地的櫻花。我不追星，不到勝地打卡，但是願意為在意的人盡心盡力。所有景點都一樣，花多，人也多。但是，留在記憶裏的不是花，而是我們父母走在花間喜不自禁的笑容。那是親子之間相互給予的幸福。

　　花開七日，剎那芳華。「但見櫻花開，令人思往事」。

　　花有千種萬種，但在日本文化典籍中，「花」字特指櫻花。諺語說「花是櫻花，人是武士。」花美，美字後面最近的字是好，美的反面是醜，醜後面是惡。這些人類創造出的界定美醜善惡的詞彙，代表著人心向善向美。人生中有無限的歡悅，也有無盡的苦難。我們懼怕死亡，不願意因為任何緣故讓尊貴的生命告離人世。所以，每當有心愛的敬愛的人離開，我們獻花，把哀思和追悼都給予在世間這一最美好的媒介中。

　　李文亮病逝後，醫院門前很多花束構成一個沒有儀式的祭壇。鳳凰網

視頻報道中，幾個花店主人開車送來一束束鮮花。放下花束，再把寫著送花人輓聯的卡片插進花中。他說那些花是全國各地送花人委託他送的：「我們店裏的花都送來了，還有很多要送花悼念的網友，但是花已經沒有了，只能放一張卡片表達。」他拿手機把擺放好的花和卡片拍視頻，傳給客戶和委託人。畫面中有一個戴著帽子口罩的年輕男士站在遠處，記者問他是不是醫院同事，他說：「不是，不認識的，我只是來送送李醫生。」一邊說一邊擺手說：「請不要接近我，我也感染了，我今天必須來送他……才出來的。」

　　花の陰あかの他人はなかりけり——「櫻花樹下沒有異鄉客」。即將到來的二〇二〇年櫻花季，殃及全球的疫情災難，正應承了小林一茶這首〈天下一家〉。櫻樹開花順序自下而上，因為下面離根近，營養充足。河邊櫻樹，偶爾可見低處探伸向水面的枝條。那是因為水裏有另一個太陽，枝條帶著它的花苞，去那裏尋找光明。但願櫻花開滿樹冠的時候，疫情已去。這個二十一世紀第一個庚子年的櫻花，謝落下的每一片花瓣，都會比以往沉重，它們承載著太多沒能走進這個春天的生命祭奠。

二〇二〇年三月二十四日　京都

房雪霏簡介

東北師範大學本科畢業、奈良女子大學大學院比較文化研究科博士後期課程修滿學分。主要論文有《周作人與與謝野晶子》（奈良女子大學《人間文化研究科年報》第十一號，一九九六年）、《中、日文中「祇園」「祇」字的誤用與誤讀》（《外國語紀要》Kansei Gakuin University humanities review，二〇〇九年）等。主要翻譯著作有椎名麟三小說《溫度計》（《世界文學》，二〇〇五年）、大前研一《差異化經營》（中信出版社，二〇〇六年）。合著有芳賀矢一《國民性十論》（李冬木、房雪霏譯注，三聯書店香港有限公司，二〇一八年）。日文著作有《中國留學・教育用語の手引き》（關西學院大學出版會 二〇一〇年）。中文著作有隨筆集《日常日本》（北京三聯出版社，二〇一七年）；散文《告別二〇一六》獲日本首屆華文文學獎。日本華文文學筆會理事。日本華文女作家協會理事。現任京都產業大學兼課教師。

賞櫻——我們聽到了雨聲

趙晴

今年賞櫻
不能聚在樹下慢慢飲食了
但我們依然拿了兩小罐啤酒
默默地碰了一下
悶聲不響地喝了下去
抬頭看那些燦爛的花枝
拼命地開、拼命地伸展
將全身的粉紅都展現到極致
竟無保留得讓人憐惜
這個涼薄的世間
又怎麼配得上這種轟轟烈烈呢

入了春
風卻是依然不容情
只拂了一陣
就捲下了幾枚花瓣
將它們所有的渴望
統統打落入塵
它們旋轉著、顫抖著
落地時發出最後一聲嘆息
那一聲
不過是對生命應有的眷戀
卻沉重得令人窒息

今年的櫻花開得格外鮮艷
是為了那些永遠留在去年冬季的生命嗎
我們在櫻樹下
默默地碰了碰杯
悶聲不響地喝了下去
今日無雨
我們
卻聽到了雨聲

趙晴簡介

翻譯家、旅日詩人。現居名古屋，一邊在大學教書，一邊寫作。出版物有譯著、詩集等多部，亦寫散文、隨筆。個人詩集《你和我（趙晴詩選）》（上海教育出版社）出展二〇一六年「書香上海」上海圖書博覽會。譯著：《耶律楚材》（陳舜臣）（廣西師範大學出版社）、《隨緣護花》（陳舜臣）（中國畫報社）、《近代都市公園史——歐化的源流》（白幡洋三郎）（北京新星出版社）（監修校譯）。日本華文女作家協會理事。

櫻花祭

林祁

　　櫻花開了，春天還在徘徊——彌生從海的那邊發來微詩，邀我同赴華文女作家協會的徵文。說「赴」，因為是「徵文」，以櫻花徵繳疫情。這場疫情不諦於一場世界大戰，看不見烽煙滾滾卻聞得到死亡的氣息。原以為能夠主宰宇宙呼天喚地的人類，碰到大麻煩了。區區櫻花何以抗爭？

　　今日上野依然有人戴著口罩去「花見」（日語賞櫻的意思），網波傳來他們平靜的微笑。隔空擁抱，寫一篇〈櫻花力〉吧。不過似有模仿《漢字力》之嫌。

　　那麼以〈憤怒的櫻花〉應徵吧，這些日子有太多的疫情讓人操心，也有比災疫更為可怕的「頭腦發昏」令人憤怒。憤怒出詩人。詩餘落筆卻成了〈櫻花祭〉。「祭」在中文裏是祭祀的意思，日語則賦予它節日的熱鬧。我以為，「祭」便是中日櫻魂的關鍵字——哈，還是漢字力！

　　其實，還在一個月之前，未「徵」我已「文」。那天從東京返廈，我辭去所有的送別宴會，寂寥間於上野看到了第一樹櫻花——

> 從口罩抬起目光
>
> 驚艷今年第一樹櫻花
>
> 不聲不響就把春天騙來了
>
> 我可不敢對你抒情
>
> 上野，在你這裏
>
> 所有的物哀都開出花
>
> 沙揚娜拉，上野
>
> 我是有故鄉的人
>
> 手機拍的花比真的還美
>
> 我懂日式燈盞閃爍的漢字
>
> 山川異域　風月同天
>
> 不懂我為什麼在這裏

天飄著冷雨

櫻花都凍紅了

白口罩會變成雪花嗎

　　吟罷詩並未見雪飄，倒真希望有雪變口罩！昨晚廈大學友找我商議往日本快遞口罩，以回報當初日本捐贈口罩之舉。是呀，一個月之前，我還在東京街頭排隊，到處「搶」口罩往中國寄呢！一時洛陽紙貴。口罩雖輕，情義深重。這場災疫倒是激活了中日命運共同體的意識。如果說「山川異域，風月同天」的漢文有可能出自華人之口，而題在捐贈物資上並閃亮東京街頭的標語，無疑出自日人之手了。那「手」自古以來就善取中國貨，變為他家寶的，早就見怪不怪了。這不，舉世聞名的東方之美日本櫻花，不也是從中國移植來的嗎？

　　故，「知日」大家李長聲如此解說：「日本人本來是學中華尚梅花，後來崇尚武士道變成櫻花，看到櫻花落下，人人慨然生出赴死之心，如果還是喜歡梅花，恐怕大家只想隱居好好活下去了吧……」花道直通武士道，好一個「理解萬歲」。

　　他又說：「櫻花像潑婦，嘩地花了，又嘩地落了。」虧他想得出，櫻花像潑婦？我看日本人是絕對想不出來的，最多只會想到「淫婦」、「蕩婦」嘩嘩而已。雖然長聲兄的比喻鞭及女性，我卻要為他點讚，佩服他「語不驚人死不休」的豪爽。

　　記得三十年前，我第一次被櫻花「嘩嘩」吵醒時，亦曾作詩，得以地從廢墟中搬來大詞「轟轟烈烈」以形容花開，有日本女詩人驚訝這種用語方式，曖昧地表示：喜歡用擬聲字並年年「花見」的日本人，卻是絕對想不出這種詞的。這回輪到我吃驚了，且把讚嘆當作批評，畢竟我是從那種語境來的，我終究逃不出那種大語境——

聽花在天地間喧鬧

我在一夜之間

喪失語言

但，櫻花到底是一種什麼樣的語言呢？

寫櫻花最為有名的當是留日前輩魯迅，他輕輕起筆：「東京也無非是這樣，上野的櫻花爛漫的時節，望去確也像緋紅的輕雲」，這段描寫引自上了中學課本的〈藤野先生〉，自然給「少年中國」留下了幾多憧憬。而後旅遊者每每引用，卻有意無意地忘卻下文：「花下也缺不了成群結隊的『清國留學生』的速成班，頭頂上盤著大辮子，頂得學生制帽的頂上高高聳起，形成一座富士山。也有解散辮子，盤得平的，除下帽來，油光可鑒，宛如小姑娘的髮髻一般，還要將脖子扭幾扭。實在標緻極了。」魯迅平時慣常拿辮子盤頭取笑，以至被取綽號「富士山」，想來其間頗有深意。辮子盤頭固然形似「富士山」，但「富士山」壓頂寓意著什麼？這才叫「百分之百的痛」！史載，中日甲午戰爭於一八九四年爆發，中國戰敗後深受刺痛，向東鄰日本學習蔚然成風。魯迅身在其中。從一張東京浙江同鄉會的老照片中（註），可以看出他當時還留有辮子，蓋在學生制服帽子底下。不知他寫〈阿Q正傳〉時是否還留著辮子？周作人曾解釋Q字就像是一個無特點的臉後面加一根小辮子，恰是魯迅用Q命名的用意。

今日看花者必定不留Q辮，但面對疫情來點「精神勝利法」卻不少見，甚至以繩子當辮子「將脖子扭幾扭」。日前，我給大學生們上網課講魯迅，就三不五時摸摸脖子，生怕被辮子纏上，反正釘釘視頻可以不露臉。還暗自慶幸，不被圍城封城，不用寫「萬箭穿心」的日記。嗚呼，這算不算阿Q國民性？

日本作家村上春樹獲得「耶路撒冷文學獎」（二〇〇九年）時，發表了經典演講：「無論高牆多麼正確和雞蛋多麼錯誤，我也還是站在雞蛋一邊。正確不正確是由別人決定的，或是由時間和歷史決定的……我寫作的理由，歸根結底只有一個，那就是為了讓個人靈魂的尊嚴浮現出來，再將光線投在上面。經常投以光線，敲響警鐘，以免我們的靈魂被體制糾纏和貶損……」疫情尚未結束，作家何為？奧斯威辛之後，詩人何為？信手拈來的警句，卻是日本作家的。但，真正的作家是超越國界的，就像櫻花，中日的櫻花都開了。雖然櫻的花期很短，但從南九州的第一朵到北海道的最後一朵，要開上三個月，足足一個春天呢。

終於，我們聽到武大櫻花的聲音了──

三月的櫻花大道從未如此寂靜

想念畢業於此的李醫生

數字會清零，記憶不會

　　櫻花縱使瘋狂，卻是安靜的。總有一些事物不期然地喚醒我們的記憶。曾幾何時，我們在樹下讓櫻花飄進啤酒，再啜一口，爽！喊爽的北京作家，櫻花瓣在捲舌音裏顫出另樣的美。而今各「宅」一方，相忘於江湖；縱使相逢應不識，塵滿面，鬢如霜。「人生若只如初見」，悲的是「故人心易變」，還只是悲人，而今「悲人」已變為「悲天」了。比天大的悲，何以詩文嘆之？

　　小引在網上紀念詩友時說，我們未曾謀面，一生只說過一句話：「春天好！」春天好就好在我們有櫻花。從第一樹到鋪天蓋地，櫻花總是爛漫得無拘無束，粉紅得如癡如醉，櫻花才不怕疫情呢。哪怕幸存最後的看花人，櫻花依然故我，開得自如，活得瀟灑。

　　「天涯地角有窮時，只有相思無盡處」。　要記得擦唇而過的櫻花，記得陪你看花的男人女人，恰是這些人組成你生命中溫暖的記憶，滋長出對抗病毒的免疫力，從而成為一個勇敢善良正直的人。也許當你和方方日記一起歷經「封城」之後，你重讀武大的櫻花已然不同於從前，你觀看上野的櫻花已不同於魯迅。

　　當天空與櫻花一起醒來，你將與倖存者一起「向死而生」，靠光線，靠文字，或者靠一瓣溫暖的聲音……

註：一九〇二年秋，浙江籍官費、自費留學生及在日本遊歷或僑居的浙籍人士一百零一人在東京組織浙江同鄉會。會上決定出版月刊雜誌《浙江潮》。魯迅加入了同鄉會。這張照片拍攝於「斷髮照」前，當時應該還留有辮子，蓋在學生制服帽子底下。

林祁簡介

日本華僑。北京大學文學博士、中國作家協會會員、日本華文女作家協會理事、日本華文筆會副會長。來往於中日之間，現為廈門大學嘉庚學院教授、暨南大學兼職教授。出版詩集：《唇邊》、《情結》、《裸詩》；散文：《心靈的回聲》、《歸來的陌生人》、《彷徨日本》、《踏過櫻花》、《莫名祁妙——林祁詩文集》，及《紀實長篇：莎莎物語》（獲日本新風舍非虛構文學獎第一名）；論著：《風骨與物哀：二十世紀中日女性敘述比較》等。

與日本小鄰居的羽毛球運動

李小嬋

美國的威廉・詹姆斯曾說過：「這一代最偉大的發現是，人類若改變本身的心態，就能使生活本身發生變革。」歲月靜好中如此，更何況新冠攪亂了世界安寧的二〇二〇年。確實一個健全的心態，將能夠使生活朝著積極的方向變革。

生活在東瀛，我體會著新冠給人們帶來的種種心態的變化。

白領們發現原來每天車馬勞頓，互不相識的西裝革履的人們身體貼著身體尷尬地擠在電車裏，都是沒有必要的。人們可以穿著睡衣，有條件的在書齋或者客廳裏，沒有條件的不要緊，在廚房或者走廊也可以工作，只要有一台電腦。當然新電腦是可以向公司報銷的。

學生們發現，原來可以與爸爸媽媽平起平坐，佔領一台電腦，在家裏最好的「地段」上課。

一些愛美的女孩發現本來對整容手術想入非非，因礙於同學或同事的閒言碎語不敢實行，這次新冠出現讓所有人都戴上了口罩，這個天然的掩飾，讓她們可以爭先恐後去美容外科醫院整形鼻子和嘴唇。在所有店舖老闆伸長脖子乾巴巴地等著客人的今天，唯整容手術台前排起了長隊。

我自己在避疫居家之中，也遇到一個顛覆性的體驗，成全了我的一個變化。地球人都知道跟日本人作鄰居，是老死不相往來的。雖然日本人在電梯或者街上都比中國人有更多的微笑和禮貌，但是那通常是千篇一律：

「今天天氣真好啊」

「今天又下雨啦」

也就是你只要回答兩個字：「是啊」，就可以了。

左鄰右舍除了在定期的公寓自治會例行會議時互相寒暄之外，幾乎沒有一起集體活動過。一些家庭肥皂劇裏演甚麼輪流去居家做飯開派對，現實生活中真是少之又少。

四月的某一天傍晚，我在電梯門口遇到同樓層的一家鄰居，他們是母子倆，一位身體微胖，細眉大眼的太太，帶著小學生三年級的男孩，剛從外面回來。男孩子一身散發陽光的味道，少年特有的朝氣蓬勃，我馬上知

道他們是去散步回來。由於公寓管理組合提醒大家在疫情中盡量避開兩人以上進入電梯，於是我趕緊對那位太太說：「請，你們先上吧」。男孩子本來就是等不住的那種年齡，朝我禮貌地說一聲謝謝，就一步鑽進電梯了。細眉大眼的太太面帶歉意地向我微微一鞠躬，也跟著進去了。

公寓裏有兩部電梯，一般來說很快就可以交替乘坐上去，不料十二樓裏有一位老人家突發心臟病，聽到刺耳的救護車鳴笛逼近，所有人立刻自動離開電梯，在玄關外面等候，以免打擾救急醫務人員。十年前的話，我可以爬樓梯回家，可是今不如昔啊，我不敢挑戰爬十四層樓的強度運動。結果等待了半個鐘頭以後我才一個人坐上了電梯。

沒想到，當電梯升到十四樓時，細眉大眼的太太與她的兒子正站在十四樓層的電梯口，他們是專門來恭候我，就為了說一聲：「您辛苦了，讓您久等了，謝謝您。」

原來救護車緊急的鳴笛聲讓他們很在意我的「足跡」，特地在救護車呼嘯而去後，專門等候在電梯口。

這下子輪到我不好意思了：「您太客氣了」。

我們一起走向家門時，我說：「小傢夥最是好動時，媽媽每天陪他一起散步啊」。

「他最淘氣，就怕他一出門直接跑去找他們的少年棒球隊，平時是完全放飛的，現在不行啊，學校有規定不可聚眾進行密集活動呢」。說著皺起了她的細眉毛。

「太陽底下哪都可以運動啊，公寓樓下那個新年搗麻糬的廣場，打網球場子不夠大，但是打羽毛球那是足夠了。我家有現成的羽毛球拍，小傢夥不嫌棄的話，可以一起運動呀，兩個人距離夠遠，打球時還可免戴口罩」。我試探著說。

一直閉嘴跟在後面的男孩子，聞言一個健步跳到我前面說：「奧巴醬，我現在就想去」。

細眉大眼太太忙說：「現在這麼突然可不行，明天下午我們取消散步，你跟奧巴醬一起去打羽毛球吧」。

然後轉向我一鞠躬地說：「真的嗎，那就拜託您了」。

特輯：日本華文女作家協會作品選

從此我和小鄰居的羽毛球運動就「轟轟烈烈」地展開了，最初都是我以三比零壓勝，現在他是三比一勝過我。唉，也難怪，我們之間相差五十五歲呀，他不贏都不可能。

一場新冠疫情，終於使我們這一對鄰居老少玩到一起了。

李小嬋（元山里子）簡介

一九八二年畢業於廈大外文系。八三年赴日本留學，曾任東京文化服裝學院助教。九六年創業至今。二〇〇二年在日出版了處女作日語長篇小說《XO ジャン男と杏仁女》。二〇一七年和二〇一九年由花城出版社分別出版長篇紀實小說《三代東瀛物語》、《他和我的東瀛物語》。其中《三代東瀛物語》獲有賞家族史大賽一等獎。現為海外華文女作家協會會員，日本華文作家協會理事。

瀨戶內海「一期一會」溫馨難忘

龍麗華

　　六月下旬，日本都道府縣間移動全面解禁。我和兩位朋友「蓄謀」已久的放飛終於成行。先從東京到神戶，然後以淡路島－德島－高松－倉敷－神戶的路徑，繞著瀨戶內海轉了一大圈。

　　旅行歸來，寫下萬餘字的〈後疫情時代的西行漫記〉，發表在個人公眾號上。恰好，日本華文女作家協會向會員們發布約稿啓示，以「轉向窗外的視線」為主題，書寫各自在疫情期間的經歷和感受。那就響應號召，選摘其中一段經歷，以饗讀者。

　　位於淡路島西南部的鳴門海峽與意大利墨西拿海峽和加拿大西摩海峽並稱為世界三大海洋渦潮。它僅有一點四公里寬，全長一千六百二十九米的大鳴門橋連接海峽兩端，一端是兵庫縣淡路島，另一端是德島縣鳴門市。

　　因瀨戶內海和外海（太平洋）潮汐漲落引起的水位差，以及海底地形複雜的原因，潮水在海峽間快速流動時產生的「鳴門渦潮」吸引著世界各地的遊客紛至沓來。

　　乘坐觀光船觀賞渦潮，是淡路島最鮮亮的觀光名片。登船前，到物產店和自動販賣機前轉了一圈也沒買到熱飲。說來不可思議，一入夏季，日本各地的自動販賣機清一色 COLD，若想買瓶熱飲，簡直比登天還難。

　　到觀光案內所詢問附近可有方便店買杯熱飲，哪怕是熱水也好。

　　身穿白 T 恤的工作人員笑容可掬地說，方便店離這裏有點遠，如果您想喝熱水，可以給您現燒，時間來得及嗎。

　　驚喜中，連忙致謝，一萬個同意。

　　她從工作間裏取出一隻電動水壺，一溜小跑地去打水。望著她的身影，感動的眼睛有些濕潤。

　　一壺滾沸的熱水，一雙溢滿溫情的眼睛，一張口罩也遮掩不住的熱情笑臉，是淡路島留給我的溫馨記憶之一。

　　天空布滿薄雲，倒是雨水似乎很善解人意，使勁兒憋著下不下。「日本丸」乘風破浪地向鳴門海峽行駛。海風越來越強，解說員的聲音被撕裂成斷斷續續的破音。站在甲板上，任憑海風恣意地吹亂長髮和裙角。愜意中，暫時忘卻了擾人的疫情。

從介紹中得知，鳴門海峽分為南流和北流，南流大多發生在鳴門一側，北流發生在淡路島一側。觀看渦潮有最佳時間段，在潮起潮落的一個半小時內為最佳，若時間對不上，極有可能看不到渦潮。

伴隨著隆隆巨響，飛沫四濺的渦潮近在咫尺。左手臂鈎住船舷，以保身體平衡。兩隻手一會兒端相機，一會兒舉手機，將神秘與驚奇，感動與震撼一一收入鏡頭中。

解說員興奮地說，春秋大潮時產生的渦潮直徑最大可達二三十米，今天看到的渦潮與春秋季的渦潮相差不是很大。三人相視而笑，果真是人品爆表的節奏，小確幸。

下了船，趁乘車前的個把小時去福良小鎮走走。福良是漁民集中居住的地方，水產品公司鱗次櫛比，以盛產銀魚而聞名全國。

旅途中，總會有這樣或那樣的不期而遇。路過一戶民宅，坐在門口的老人邀請我們進屋品嚐銀魚。老人姓河野，是當地一家塑料製品公司的董事長。

數年前，河野先生和兒子在江蘇常熟投資建了工廠，由兒子主管經營，他也經常去，最多的時候一個月去兩次。工廠最大規模時有三百多名工人，日本百元店裏賣的許多塑料製品是他們公司生產的。後來，為擴大經營規模，他們投資購買了新設備，沒想到投資成本提高後導致公司陷入資金周轉不靈，難以維持經營的地步，不得不宣布破產。

父子倆東拼西湊總算給全廠工人發了工資才回到福良，專心經營母公司。經過幾年的努力，終於使公司進入良性狀態，但因為元氣大傷，父子倆再也不想去中國投資了。

河野先生的講述，令人唏噓不已。

坐上開往德島的高速巴士，雨，終於飄落下來。

旅行，重要的不僅是遊玩吃喝，而是由美麗的風景、濃郁的人情和特色的美食等帶來心靈觸動的「一期一會」、一壺熱水、一捧銀魚、一張張萍水相逢的笑臉中的淳樸善良和溫情。

我，還會再來。

望著掛在車窗上的雨幕，我在心裏默念道。

龍麗華簡介

畢業於東北財經大學，經濟學碩士，留校任教九載，獲講師職稱。從事華文媒體工作，至今已逾二十一載，現任日本媒體中國株式會社《留學生新聞》副總編輯，著作有散文隨筆集《扶桑拾英——一位中國女教師的異國新生活》、隨筆集《東瀛·東北風》等。

暮春小記二世古

長安

　　剛去北海道的 NISEKO 滑雪那會兒，老琢磨著 NISEKO 該是哪幾個字。後來得知乃阿伊努語，意為懸崖，漢字通常寫做「二世古」，就頗覺釋然。想起從前住過的荒川沖、平和台，覺得三個字的地名實在可以很有味道。魯迅在四十五歲時回憶起二十歲那年從東京到仙台的旅途只記得兩個地名。一個是水戶，明代遺臣朱舜水客死之地，魯迅反清，應該早有所聞。另一個是日暮里，魯迅自云：「不知怎地，我到現在還記得這名目。」（《藤野先生》），吸引他的大概正是那三個字的韻味。

　　二世古，字面可解釋為兩代人的舊話題。有那麼十來年，幾乎每年暮春都去二世古。這幾年孩子們迷上了阿爾卑斯山多羅米蒂的滑雪場，每次過完聖誕節就從南波希米亞直接開車去。今年春假若非疫情，我和次子會待在布拉格，外子和長子會去參觀歐陸的幾所大學。長子十七歲，明年該有新的開始。四人同去北海道滑雪，滑一次也就少一次了。

　　三月底東京尚未進入緊急狀態，羽田機場倒已是一片冷清。籌劃已久的第二航站樓國際區域還是如期開放了，一片珠灰瑩白，和諧熨貼。樓上新開張的蔦屋書店又兼咖啡館，木香木色，從容舒展，處處見匠心。門前兩個姹紫嫣紅的大花藍遠看像兩隻大眼睛，眼波裏滿滿的都是詫異與寂寥。過道裏幾叢粉紅的人造櫻花不時顫巍巍點點頭或搖搖頭。日本人迎奧運，卯足勁兒招待八方來客，卻趕上這般詭異的年份。新千歲機場也見蕭條，大廳中央頂天立地掛著一面草綠條幅，上書「微信支付旗艦機場」，像個草綠的幽默。

　　又見二世古。還是那家旅館，大廳裏依然擺放著一灰一棕敦敦實實兩匹矮腳馬，房間也仍是比鄰的兩間，打開牆上兩道沉重的鐵門就連為一體。二層窗外是銀粉銀沙銀世界。記得長子四、五歲時有一天醒來發現外面雪地上有隻小狐狸，立刻興奮異常。那些天他正學彈一首《小狐狸》，一直想見見真狐狸。

　　對外子來說，冬天不滑雪就算白過。兩個孩子都是一兩歲上就給外子抱著滑，如今滑起雪來就跟說母語一樣流暢。我懼怕速度，跟不上他們的

節拍。常常是他們三個人風馳電掣，我一個人自得其樂，慢慢咀嚼銀色的風景。在多羅米蒂滑雪場孩子們總喜歡挑戰急速陡坡，時速有時超過一百公里，令我心驚膽戰，遠遠躲開。二世古這個地方就平和多了。有時四人同滑，時光好像會倒流。總記得長子當初穿著一件蔥綠連體滑雪服，技巧跟不上速度，遠看像座埃菲爾塔。幾年後次子長高了又是一座綠色埃菲爾塔。如今那滑雪服早不知去向，只把蔥綠的回憶留給了我們。

春季滑雪不必忍受嚴寒，自是暢快。明媚的上午，蒸蒸向上的太陽也像蒸蒸日上的生命般蓄勢而發、明白曉暢。日沒時分落寞又輝煌，滑雪客們常常駐足流連、窺穀忘返。有次還見一女人手握大罐啤酒滑上小丘坐定，對著金色雪山悠悠自飲。至黃昏，光也曖昧，影也朦朧，獨自滑翔於蜿蜒山道，天地間只剩下山和雪和我，真個是千山鳥飛絕、萬徑人蹤滅。

旅館的晚餐以往都是自助餐，有一品成吉思汗烤肉風味絕佳。今年只能點菜，菜單上清清爽爽，羊肉早已退居二線。附近的披薩店與和食店還是老樣子，只是顧客見少。有一家印度館是頭一次去，偌大餐廳僅我們一家四口人。廳內壁飾、音樂都是濃墨重彩的印度調兒，餐桌桌面是大塊玻璃板，下麵一個個小木頭格子裏鑲著各色調味料。端詳著調味料，大家聊起五年前的印度之行，都想起次子在喀拉拉鬧肚子的狼狽相，又都說還想去印度。

從銀燦燦的二世古回到灰濛濛的東京，已是落櫻繽紛。幾天後東京進入緊急狀態，羽田第二航站樓的國際區域亦於開放十三天後關閉，像關上了一個美輪美奐的夢。所有飛機似乎都停飛了，整個世界好像都停擺了。一家人變成了宅男宅女宅童，慶幸這個春天畢竟還去了一趟二世古。

長安簡介

原名張欣，一九六六年生。畢業於北京大學中文系。東京大學文學博士。法政大學教授。著有《越境·離散·女性——徘徊於邊界的漢語文學》（法政大學出版局，二〇一九年）。作品見於《散文》、《書城》、《讀書》、《香港文學》等刊物。

寂寞而美好是京都的味道

杜海玲

　　疫情下的京都，仲夏的京都，由於沒有了觀光客的到訪，它的寧靜好幾次讓我產生「這真的是京都嗎」的恍惚。偶爾有浴衣身姿的京都女孩走過。讓人想起在疫情之前，曾經有那樣多那樣多穿著浴衣的遊客，說著中文或外語，興高采烈地自拍或讓同伴拍照留影。

　　不知從何時起，我到京都的第一站，固定為建仁寺。它是日本最古老的禪寺。處於鬧市，位於祇園的中心地帶，卻悠然恬靜。

　　為交通便捷，每次去京都總住在它的步行範圍內，漸漸成為習慣。若有時間充裕，一定徒步前往——從京都車站開始走，也只大約走了四五十分鐘。一方面喜歡走路，一方面也非常想看看安靜的京都。這樣安靜的京都是十分少見的。

　　由於遊客少，建仁寺裏只有三兩日本遊人，裏面的靈源院在今年夏日剛建好新的枯山水庭園，稱為「鶴鳴九皋」，門口賣票的工作人員，由於訪客少，很盡責地跑來解說這個園子的匠心。

　　從建仁寺出來，徒步往高台寺和八阪神社。一路依然是靜。八阪神社裏唯見一名神職人員走過。

　　從八阪神社可以望見的那條商店街，永遠熙熙攘攘的熱鬧的街，這次卻幾乎一片都是關閉著的，成為日語所稱的「百葉門街」，即店家都關門並拉下了百葉門。惟有路邊一個自動外幣兌換機顯示著這一帶本是遊客聚集地。

　　商店街旁著名的花見小路，曾經這裏總是有很多遊客，為了看藝伎舞伎入夜時分娉娉裊裊地行過。而這時冷清的花見小路像一句歌詞「寂寞的長巷而今斜月清照」。

　　疫情中的京都，旅館都不用預約。在前往的新幹線中，我曾比較兩種旅館，都是很想體驗的。一是「町屋」，即百年以上老房子改造的酒店，庭院深深，內有「坪庭」。二是在雜誌上看到而心嚮往之的「宿坊」——住在寺廟裏的旅館。京都以寺廟多著稱，其中有幾家在廟裏修了遊客住宿場所，是為「宿坊」，可以聽晨鐘暮鼓，可以體驗坐禪寫經。

在新幹線上我決定於百年不遇的空曠京都裏，隨意走走，走到夕陽時分，覺累了，就在附近找一家別緻的地方入住即是。

結果是傍晚走到了知恩院。這正是雜誌上介紹可體驗清晨寺廟早課之地。由於現如今一切都是在網上預約，我一時也不知是否可以直接進去問詢。想了想還是在距離它一百米的地方，在手機上預訂了。隨之進去辦理手續。聽了一應介紹，包括清晨四點五十分會有廣播叫起床。

清晨果然就被廣播叫醒了，下樓一看，只有我一個人，前台兩名男子告訴我，畢竟是疫情剛緩和些，這個旅館從六月開始營業，來入住的人還極少。與他們聊了幾句，得知二人都是僧侶。片刻後有一青年來接我去看晨課。這位青年是佛教大學三年級學生，已考得當僧侶的資格，在廟裏做義工。

我們沿著緩緩石梯攀援，伴著鳥的鳴啼，有晨鐘響起，木魚之聲亦漸漸近了。進到廟裏，日本式正坐，須臾就見有幾位身著袈裟的僧侶魚貫而入。正坐在榻榻米上，看幾位僧人充滿儀式感的進行早課，心裏也有幾分肅穆。

中途有一位貌似就住在附近的京都女性進來，匆匆正坐下，很虔誠地跟著和尚合掌與叩拜，當和尚誦經停，轉過身來，揮動拂塵，很有威儀。那名女子俯首並發出了啜泣聲。在這清澈的黎明，在肅靜的廟宇，不禁於我心有戚戚焉。

晨課一共大約四十分鐘，由於沒有訂這裏的早餐，而是想去車站喝咖啡，我辦理了退房手續，告別京都。寧靜的京都，沒有觀光客的京都，寂寞而美好。靜是靜的，但商家受打擊也是真的。商家說，希望回到那個，很多遊客的，熱鬧的京都啊。

願疫情安穩，歲月適宜地熱鬧與靜好。

杜海玲簡介

一九六八年出生於上海，十八歲來日留學。日本《中文導報》主任記者編輯。出版過隨筆集《女人的東京》、《無事不說日本》，二〇一九年翻譯出版日本芥川獎作品《我將獨自前行》（磨鐵圖書）。

走出圈外

華純

　　進入九月，手機突然跳出了去年同期攝影的內存，當它自動回放時我眼前浮出阿爾卑斯山的日日夜夜，呈現了一個充滿刺激、挑戰人生極限的山地徒步的精彩片段，同時也令我心有餘悸地回到了瑞士克萬特蘭機場和荷蘭西佛爾機場，為兩次化險為夷的驚悚事件額手稱慶。這個故事令我終生難忘，以我這樣一個身經百戰的旅遊老手，竟然會出現這麼大的差錯，不妨說出來給大家敲一記警鐘吧。

　　去年夏末秋初，我從歐洲捷克的布拉格入境，途徑奧地利、匈牙利、德國和瑞士等國，與隊友一起開拓了探險旅行的徒步路徑。最後一天，我在日內瓦與夥伴們依依不捨地告別後，單獨在酒店多住了一晚，準備第二天飛往阿姆斯特丹，在那裏轉機飛回日本東京。正好能趕上成田機場飛往菲律賓的航班，不耽誤參加馬尼拉的國際會議。

　　小狐是我們團隊的資深導遊，年紀比我小兩輪，做事細緻慎密，我倆在飯店裏吃完了牛肉鐵板燒，小狐不放心地說：「您再確認一下出發時間吧，明早不要睡過頭了。」時值深夜十一時，小狐要去機場登機，就此握別。我回到房間打算整理行李，卻因連日疲勞，身子一歪倒就睡著了。凌晨兩點我醒了過來，在手機上確認航班時間，突然間想起幾天前改動過機票，原來是在蘇黎世登機，後來改為日內瓦登機。我反覆核實機票單，才明白航空公司未曾取消蘇黎世航班，我的行程是從日內瓦飛到蘇黎世，連接原先預定好的航班。我頓時驚慌得六神無主，必須一早趕到機場弄到一張七點多飛往蘇黎世的機票。

　　當時正值歐洲旅遊高峰，機票特別緊張。我哭喪著臉到酒店前台求救，得到的信息是日內瓦機場很小，早晨五點半才有人在售票窗口值班。我只好在四點半時叫了一部出租車去機場。司機睡眼朦朧地說，這時候機場沒有一個人。我一聽就緊張了，因為二〇〇〇年我在彼得堡，坐凌晨四點的出租車去二號機場，大霧彌漫機場，下了車我心裏打著邊鼓，經過倒塌的建築物，走進空蕩無人的候機廳。過了一會一陣沉重的腳步聲響起，一個高頭大馬的警察走了進來，他看過護照後沒收小費就離開了。那時關於俄

國警察的惡評幾乎與黑社會差不多，敲詐勒索，甚至殺人搶錢。整個過程中我的臉一定蒼白如紙。好了，現在這地方是瑞士，天下最安全的國度，不必害怕警察。但歐洲小偷防不勝防，但願他們不會在這麼早的時間混進機場作亂。

眼睜睜地等到售票處的燈全都亮了，已經有一排人站在窗口。我結結巴巴地把事情原委說了一遍，售票員在紙上寫了一個數字，我驚訝地問：「是瑞士法郎嗎？」「是。」我窘得無話可說，一張機票自行作廢，一張補票付六百五十法郎，相當於五千多人民幣，這真是貴得離譜。

我灰溜溜地上了飛機，在蘇黎世轉機來到荷蘭。下午二時到達阿姆斯特丹的西佛爾機場，神經又開始高度集中。只見過道上人來人往，全世界的人都朝自己的既定方向匆匆來去。我看到一排電腦上掛著轉機服務台的牌子，於是拿著護照、登機牌和行李站在電腦屏幕前，填寫欄目和獲得下一個登機閘口的指示。

我坐過無數次荷蘭航空公司航班，第一次發覺西佛爾機場之大，遠遠超過了想像。它共有六個不同的通道，通過中央集轉站被接連起來。歐洲航班主要由單元 B、C 和 D 接待，洲際航班主要由單元 E、F 和 G 接待。我走向 C 單元的登機閘口，感到路程很長，差不多走了一千多米才進入關卡。這時我才發現手中的護照不翼而飛，頓時大腦一片空白，渾身癱軟。我不記得在哪個通道上的閘口下了飛機，也不記得離開服務電腦後走了多少路轉了多少彎才來到這個登機關卡。我看了看周圍，發現沒人能夠幫忙，我只好一邊忍住淚水，一邊努力尋找記憶點來辨別方向。半途中我拉住機場工作人員問有什麼辦法可以找到我下機的出口處，那人聳聳肩膀表示他不在這個服務區工作，我大聲問歐洲來的飛機是哪個方向，他指指前方，我拼命地跑過去，在一個轉彎角上我奔下樓梯確認這裏是否有我上過的廁所。果然沒錯，我狂喜地復奔上樓，遠遠看見了我登錄過的轉機服務台（機場有無數個這樣的服務台）。謝天謝地，太好了，護照和登機卡還在桌上。我一把奪過來又開始拼命狂奔，因為飛機馬上要起飛了。幸虧在阿爾卑斯山天天徒步練就了體力，這一路狂奔，跑出了一身汗水和心跳過速。直到登機坐入座位，我還在大口大口地喘氣，裏外二層衣服全都濕透了。慢慢地心率終於平靜下來了，飛機穩穩地在秋天的藍空中飛行，我以逃過一劫

的僥幸心情，喜滋滋地打開了荷蘭航空配備的盒飯。有一根十分堅實的甜點冰淇凌，我拿起來就咬，很不幸，一口就把一顆門牙連根嘣斷了。

今年秋季，我來往於牙科醫院，為的是把這顆全損的牙重新扶立起來。這是一個刻骨銘心的教訓，告誡我以後出門旅遊時一定要核對時間表。可是去年那時候，是絕對想不到今年旅遊旺季的九月，我只能憑籍美好的記憶讓旅遊之夢在山水間蕩漾。新冠病毒疫情難控，各國出入境嚴加防範，我們的登山鞋和手杖，竟失去了用武之地。

華純簡介

旅日作家。創作詩歌、散文、小說、俳句等作品並多次獲得文學獎，部分作品進入大學教材。現任日本華文女作家協會會長、日本華人文聯副會長、香港世界華文旅遊文學聯會理事、海外華文女作家協會理事。

香皂

河崎深雪

我每年都有自己的「熱點話題」。今年我的熱點是「香皂」。

可能最先引起注意的是，元旦後我跟朋友去東京日本橋新開的時尚商場，在那裏買了一塊台灣製造的月桃香皂。價格有點貴，一千七百日元。這是專門用於洗臉的。

後來，新冠病毒的疫情在全世界出現，東京也不例外，媒體每天宣傳防疫，號召大家要好好洗手，以及該怎麼洗手等等。所以我買了好幾塊橘子香皂和檸檬香皂。顧名思義橘子香皂含有橘子皮，顏色呈現淡淡的橙色，香味清新。這是洗手用的。

近來我還用上了廚房專用肥皂。以前的廚房肥皂效果不好，總是在玻璃杯上留下了肥皂渣痕，而現在的肥皂挺好，連玻璃杯都洗得亮晶晶的。除了洗碗以外當然還可以洗抹布，又乾淨，又環保。

接下來還有淋浴時用的，最好用的是阿勒頗（Aleppo）橄欖皂。阿勒頗是敘利亞的第二大城市，阿勒頗皂是手工天然製成的。過去我每年入夏用美國製造的 SEA BREEZE（海風）沐浴露。這個沐浴露也有近一百二十年的歷史。含有薄荷、尤加利等清涼的成分，所以夏天用它非常清爽和舒服，倒過來要是你覺得太涼快的話，就意味著秋天已經來到了。所以我每年努力在秋天來之前用完。今年買了一塊阿勒頗橄欖皂，雖然沒有 SEA BREEZE 那麼涼快的感覺，也沒有香味，但用它來洗澡就知道皮膚有沒有緊繃，用過後很乾淨，又很滋潤。整個身體都有輕鬆多了的感覺。

我曾在美國住過一年，當時用過 Dove（多芬）香皂。價廉物美，那個白白的奶油樣的使用感和香味，是我對美國生活的一個回憶。我居住在上海的時候當然用過「上海藥皂」等牌子，那個紅色盒子裝的，是有點怪味的，……呵呵，很衛生。我好奇心很強呢。

阿勒頗橄欖皂雖然沒有月桃香皂那麼貴，但還是比一般香皂高六、七倍。那麼日本傳統的米糠香皂又會怎麼樣呢？我又按下了網絡購物的回車鍵……，嗯嗯，用它還很不錯。

後來，我的好奇心、研究心稍微燃燒起來了。又買了牛奶香皂。這個有淡淡的牛奶香味。挺好，用這個，我的小腿肚都像牛奶那樣光滑了。根據我三番幾次的研究表明，至今為止，性比價最強的是這個北海道牛奶香皂。但，還得等等，還有法國馬賽香皂，我還沒有用過。我一定會買薰衣草味的。

其實，由於我喜歡上月桃香皂，今年春天特意在網絡上買下了月桃種子。寄過來的東西是一個小小的棉花球大的種子被裝在信封裏。哎呀，只有這麼一粒的種子嗎？但揉一揉它之後就發現在白色的小球裏，共有五十多粒小種子。呵呵，那就好。於是我種在我家小院子裏的幾個地方，夢想著，我自己製造月桃香皂。萬一自己做太難了，那就把月桃葉子放在衣櫃裏。葉子有清香，聽說可以防蟲，很天然。我夢想著我的衣服都撒發出月桃香味。所以每天都給它澆水，但是兩個星期過去了也沒發芽，一個月過去了也沒發芽，兩個月過去了依然沒見發芽。……終於我放棄了我的「月桃香皂之夢」。

起秋風了。世事一場大夢，人生幾度秋涼？

如今好季節來到，為了驅散一天的疲勞，泡一個暖暖的熱水澡，我要好好用上我喜愛的各種香皂了。

河崎深雪（河崎みゆき）簡介

文學博士。日語性別語言學會評議員，日本華文女作家協會會員。曾在華中科技大學和上海交通大學任教，現任日本國學院大學教師。著有中文版《漢語角色語言研究》（二〇一七年商務印書館）。並發表漢日雙語詩作和詩歌譯文。有詩作發表於《香港文學》雜誌。

秋之祈盼

解英

醒來，天朦朦亮，啾啾啾，鳴叫聲隱隱入耳，披衣起床，推開門窗，秋蟲的清靈啼唱隨著晨風浩浩蕩蕩鳴響，衝入耳，鑽進腦，撞擊心。

是秋了。二〇二〇的秋，蹣蹣跚跚來得很遲緩，在你還被暑熱浸淫煎熬、還被各種不幸信息緊纏密繞中，秋突然來了，邁著清爽腳步，靜悄悄真切切，來到了身邊。

這個時節，最先想到家人友人。晚飯後闔家圍桌而坐，桌上堆滿應季果品，柚子、栗子、菱角、柿子，重頭戲自是月餅、桂花酒。仰望圓圓明月，吃口月餅抿口酒，嘻嘻哈哈東拉西扯，那些個平日羞於上台面的糗事逸趣，此刻洪水般傾瀉，無遮無攔欲罷不能。每每都是心細的妹妹見到母親背過身打瞌睡，再三再四提醒，家人才揣著不捨快快散去。

與友人聚，另番景象。吟詩作畫者，總是捷足先登，昂首挺胸朗聲吟誦，拉開架勢揮毫潑墨；歌者舞者，先是耐著性子忍，忍到心尖冒煙，喉頭腳趾刺癢，嗖地躍出，起舞狂歌。那歌那舞，如閒雲野鶴，肆意無縛，桀驁不羈。惹得觀者塞耳捂眼，戳戳點點笑罵一番後，才歇了嗓子住了手腳。於是眾人敞開肚皮，大杯喝酒，大餐佳餚，直至橫七豎八醉倒。

每年秋季我都回北京，為與家人友人相聚，為買自來紅和五仁月餅，吃了喝了，包包裹裹還會背回一堆。記得幾年前的一個夜晚我正要入睡，電話響了，朋友開門見山問：「有月餅嗎？」「有」我答。「多嗎？」「還行。」這下朋友不客氣了，很乾脆拍板：「約幾個人，周末來場賞秋明月聚。」「好，敲定！」

然，二〇二〇中秋，正宗老字號月餅、家人友人相聚，在哪裏？在哪裏？只能在吃不到月餅、摸不到親人友人溫暖的手、冷冰冰的電子屏幕上，開國際會議般、強顏歡笑視頻相聚……

這個時節，自然要賞秋。頌秋悲秋吟秋的詩詞歌賦，古人早已寫盡；秋的絢麗美艷，也被攝影大師收入了鏡頭。打開電腦，如夢如幻的秋色圖片視頻頻頻刷新，此刻，體內的每個細胞每根神經被牽動著雀躍奔騰，誰能不心動！

正碼字中，手機叮咚響，「回憶」欄目展出一組二〇一九年在加拿大賞楓葉照片，停下筆，上揚著眼角嘴角一張一張細看。那是從多倫多出發，沿楓葉夢幻

之道東行，終點是最東端的王子島和阿利法克斯。寬大的車窗外，楓葉色彩漸行漸變，淺紅－橘紅－桃紅－大紅－紫紅，大片大片的林木，並不單純熊熊赤焰，間隙中跳躍著明黃棕褐青綠，霞光下，遠處的山川田野，近處的車輛行人，被斑斕色彩籠罩，光怪陸離，亦真亦幻。置身其中的我，詞窮，只能張大嘴巴不停驚呼。

倏地，一縷細霧拂過，清晰的照片變了形，左右搖擺模糊不清，是淚落在了屏幕上，為何如此，我說不清，卻清晰知道，今秋甚至更長時間，不能放心地自由自在旅行了。

寫到此，心很沉、很悲、很痛。

但秋景還是要賞的，瀟瀟落葉還是要踏的，拋掉「秋高氣爽」、「楓葉似火」、「層林浸染」之類的酸詞，直接去，去能去的天地和自然中。《沙之書》有句話說得好，「如果空間是無限的，我們就處在空間的任何一點。如果時間是無限的，我們就處在時間的任何一點。」

我們現在正處在有限的空間及時間的一點，雖是狹仄的一點，幸運還有重山峻嶺，有樹木花草，有大海河流，有遼闊天空，那就去吧，去大自然中，觸摸松柏溪流山石，放空疲憊的身心，把不幸之年的種種悲哀種種傷痛，釋放乾淨。

太陽東升了，秋日的陽光飄入屋中，灑到書桌上，煞是溫潤暖人，我抬頭望向窗外，發覺四射的光綫中，絲絲深沉隱約其中……

腦海中不由浮出蘇軾的詞「人有悲歡離合，月有陰晴圓缺，此事古難全。但願人長久，千里共嬋娟。」

月有陰晴圓缺，人有悲歡離合，祈盼不幸早日過去，迎來千里共嬋娟。

誠然，我無法預料二○二○餘下的歲月還會發生什麼，但我祈盼：不幸不再降臨，明晨醒來還能聽到蟲鳴看見陽光！祈盼家人友人、自己平安！人類平安！

解英簡介

女，世界華文微型小說研究會受邀理事，中國微型小說學會會員，日本華文女作家協會會員。曾任中央廣播電視總台編輯、記者。現居日本，在某私立大學任教。業餘時間從事小說、散文、遊記、詩歌等寫作。曾在《人民文學》徵文、第一二三屆世界華文微型小說徵文、第三屆「黔台杯」世界華文微型小說徵文、「新健康杯」首屆中醫題材微型小說徵文、澳大利亞世界華文戲劇主題微型小說徵文、第二屆「金熊貓」網絡文學徵文等大賽中多次獲獎。多篇作品被翻譯成日文，發表在當地媒體；部分作品被香港、美國、泰國、澳大利亞報刊登載。

秋之什

彥火

秋

　　我不知道其他人有否感到秋來了的跡象，我自己則是在這幾天的半夜在涼颼的風中驚覺：秋偷偷地來了，如墨七，在主人不知不覺的酣睡中而來。

　　秋，妙手空空地偷走了夏的餘焰和汗濕。

　　秋是什麼？

　　緣緣堂主答得好：秋是人的三十歲。

　　三十歲是秋天的心境。

　　「我只覺得一到秋，自己的心境便十分調和。非但沒有那種狂喜與焦灼，且常常被秋風秋雨秋色秋光所吸引而融化在秋中，暫時失卻了自己的所在。」

　　秋介於夏、冬之間，該是最平和的。

　　渺渺蒼煙，嫋嫋輕雲，是平和的。

　　火熾的熱情，驚心動魄的夏雷，一個是漸漸消褪了，一個是隱遁了。

　　這一人生階段，緩緩潺潺，透明亮亮的，但並不湍急。

　　我愛秋，正如我愛三十這個年齡，三十是實在的，沒有太多的幻想，也不會有太多的世俗。

　　「朝飲木蘭之墜露兮，夕餐秋菊之落英」。

　　屈原這一名句，領悟了秋骨，領悟了人生。已超乎世俗，超乎名利。

　　現實中，這種秋思秋緒幾乎沒有的。

　　屈原其實在這裏是否說明了他已看透人生，所以便產生脫世絕俗的感覺？

　　夏目漱石對人生看得更真：

　　「人生二十而知有生的利益；二十五而知有明之處必有暗，至於三十的今日，更知明多之處暗亦多，歡濃之時愁亦重。」

　　這是夏目漱石三十的自白，也是秋的自白。如果你是三十歲，看到這裏，你也會有同感嗎？

　　三十是人生直線上的中點，正如秋是夏、冬的緩衝季節。向後看，艷艷的夏目已漸遠了；向前看，鎧鎧的隆冬不遠了。只要向前邊踏上一步，

秋便成熟了，是瓜熟蒂落。

故鄉月

中秋節來了。她來了，因為電視廣告充斥了各種各樣的月餅和名牌洋酒；她來了，因為紙箹舖添上不少紙糊的燈籠……這是城之秋。

清風白雲、雁陣橫空，飛絮的蘆芒，明亮的秋水，還有最最重要的一輪檸檬月，都通通被森森的灰色建築物摒斥在外。

每年中秋，都撩起對故鄉月濃深的眷念。

故鄉月，很豐滿，圓圓脹脹，通體透明，雖然摸不上手，卻有情懷如瀉之感。

沒有城裏人那樣貴重的月餅、漂亮的燈籠和美酒佳餚，但卻有圓圓的滿月，伴著沁人的清輝和桂花香，伴著滿腦子兒時畫夢錄。

每年中秋，我們小孩總喜歡在吃完晚飯後，跑到屋前的曬場來，枕著冰涼的青草，仰看著那皎潔得如水晶球的月亮，聽著大人講述吳剛伐桂樹、嫦娥奔月的故事。

窮山村的人沒有月餅，偶爾有一二枚糖果。天真的我們便把糖放在嘴裏。剝開來的包糖果的玻璃紙，我們用來蒙著雙眼看月亮，可以看出藍色、紅色或黃色的月亮。

故鄉月是令人懸念的。

兒時的「月光光，照地堂」，只有在故鄉才能體味。

中秋這一天，月亮特別亮，如水銀，閃爍銀粼粼的光，昂頭一望，就可以看到綽約丰姿的月姐姐，清美得如一個凌波仙子，逸雅灑脫。

一葉三角楓

在一片的海隅，收到一片楓葉，夾在一紙信箋上，信箋寫道：「我們的學校就在嶽麓山下，愛晚亭前，現在是紅楓似火的時候，寄上一片紅葉，寄託我對您遙遠的敬意吧！」

這是一個素昧平生的朋友寄來的一片深情的楓葉。

說是朋友，又冠以「素昧平生」，不是自相矛盾嗎？

不，一點也不矛盾。

素昧平生，是表象，也是暫時的；在它的底裏卻有一脈的情意，它是流動的，牽繫著兩顆異地的心靈——這才是真摯的，也是恆久的。

事情是這樣的：在一家文藝雜誌寫了一篇關於楓葉的小文。這篇小文卻觸動一顆異地的心靈，激發起他深蘊的情意，於是他託雜誌社轉來一封熱情洋溢的信，信內夾著一葉三角楓，如一片感情的風箏，颺過海空，飄落在我的案頭。當我攫著它，如攫著一根感情的線，線的一端牽繫著一顆澄明的心。

杜牧的「霜葉紅於二月花」，是作於久遠的年代，他到愛晚亭賞楓，成為千古佳話，但在時人眼中已有點渺遙了。嶽麓山下愛晚亭這動人的名字，一直在我的腦際縈迴。

那一年，踩著杜牧的足跡去愛晚亭，滿山的楓樹在一片翠綠的氤氳之中，綠滴滴的，又如一個剛落地娃娃，鮮嫩嫩的，就是少了一份羞澀的紅霞。

那一年十一月跑到日本的日光，那有名的日光紅葉還是土黃斑斑的，我只是在華岩瀑布購了幾幀日光紅葉的明信片，滿懷惆悵地返來。

想不到幾個月之後，在我的書桌的玻璃板下，卻壓著一葉三角楓——摘自愛晚亭的紅葉。

三角楓蒸發了水分，由胭紅變赭赤，但上面分佈細緻的葉脈，仍然是玲瓏活現的。

愛楓紅，因她是經霜寒而來的，她比溫室的紅花，除了美艷之外，還孕著一股豪氣、傲氣，那是梅花的精神！

這種精神不是每一種花都有的，因而她就來得更可貴、可喜。

有人把楓紅比喻青春少女笑靨那朵羞霞，如果說得更貼當一些，該是健美可經風雨的自豪的一笑——紅紅的，可以聽到那琅琅的笑聲的。

我愛楓紅更添幾分情！

海島之月

兒時的故鄉月，是令人懷戀的。自從來到這個海島之後，城市生活的

佟傯，再沒有那份閒情逸致了，即便有，還是賞不到故鄉那樣清美輝朗的月亮。

前幾年，一位畫家朋友每到中秋，總邀約我們到窩打老道山她寓所的天台去賞月，她的天台比較寬敞，加上花樹弄影，一邊把酒，一邊談天，也很愜意。

自從這位朋友舉家移居外國後，中秋節只有一徑地往維多利亞公園擠，節日的維多利亞，燈火比月光更璀璨，賞月變成了賞燈了。

隨著年紀的遞增，中秋的意念也越來越淡了。只有兩個女兒，每年都嚷著買花燈，中秋才在記憶中顯現。

前不久，來自菲律賓的一對夫婦，竟然託我為他們買月餅和花燈，不覺使我感到意外的驚訝。

這對夫婦去國外多年，仍然那麼執著拘牽於自己民族的傳統節日，使我為之汗顏。

所以特意在今年中秋，叮囑家人要好好地慶祝，因為這是自己傳統的節日！

秋雨，秋思

這幾天，是在麻麻的雨中上班、下班。

有人很怕雨，怕雨聲聒耳地嘩啦嘩啦長號，怕雨的沒完沒了的癡情，怕雨打亂一天的程式。

我對雨的眷戀多過憎厭。那一天下班，撐著傘，在朦朧的雨中，佇候在巴士站，桔候一個多鐘頭巴士，在怨懟聲中，我很安閒，因為除了我，還有雨，親昵地細訴一個無標題的故事。

雨中的長街，在暮昏中灌得烏亮，在慘淡的街燈中，斜織著夜歸人的夢。

有時我覺得這個島城太污穢了，人氣、廢氣、煙塵，恆年地覆罩著，是應該上下地好好地沖刷一下。

夜也太黑了，也應該滌洗一下。

張抗抗說：「黑暗把一切都遮蓋了，所以你會覺得它美。天亮以後你

才會發現它的缺陷⋯⋯月亮和星光太微弱了，假如我們有一雙能穿透黑夜的眼睛那該有多好。」

黑暗是虛偽的，躡著腳而來，所以它怕光；只有雨什麼也不怕，她來的時候，伴著細碎腳步聲，來得爽快，來得瀟灑，她是清澈的。

我特別愛秋雨。

秋雨像家鄉弦管，很清脆，也如北方的駝鈴，自遠而近。

秋雨中，我很喜歡起個大清早，跑到植物公園去看花、看樹。

雨下的花，分外明艷，細緻的瓣朵滴溜溜冒著水氣。

雨下的樹，青翠得如同綠緞子。

走上花徑，偶爾飄來米仔蘭的幽香，幽香在水氣中，格外地吸引著行人。

籬笆上的爬藤，也閃漾著翡翠的光。

當今夜在秋雨中，我不禁想起李商隱的〈夜雨寄北〉：

> 君問歸期未有期，
>
> 巴山夜雨漲秋池；
>
> 何當共剪西窗燭，
>
> 卻話巴山夜雨時。

當夜來的秋雨漲滿池塘，遠方的遊子在想望著什麼時候能與家鄉的好友剪燭西窗，促膝長談？

秋雨馱負著多沉重的遊子情？！

每當我想起這首詩，就有一種衝動，希冀跑到深山的小村落，去與童年的友好共話桑麻！

秋雨，載著多少秋思，載著多少情！

彥火簡介

原名潘耀明。香港作家聯會會長、世界華文旅遊文學聯會會長、《明報月刊》總編輯兼總經理，文學雜誌《香港作家》網絡版社長、《文綜》社長兼總編輯。（篇幅所限，詳見特稿部分彥火簡介）

歲月短歌（組詩）

夏智定

又逢霜降

北窗所抱這片青山
一夜間寒凝了、有點淒惶
樹色呈褐黃，鳥囀如平時
但有一首冬天的詩，韻腳已在響

其實，四季皆美
萬物輪轉中，都是詩意的方向
人間滄桑，山色有無
正靜靜地嵌入多愁者之心窗

霜夜

又是月落烏啼的楓橋之夜？
或是銀霜映古今的玉門關外？
都是羈族的詩人們抒懷之境，
只有腳印，串連成夢，卻無法去猜……

人間風霜，淒清又壯闊，
伴寒冽的星語、思接千載。
我的日記詩中，透出紅塵的氣息，
那深情一頁中，也藏著最美麗之霜夜。

今日寒露

枯荷枝枝，在湖心為造化而莞爾一笑
寒蟬和蟋蟀們開始吟唱自己的風操
菊花們在討論快樂的花期將至
秋漸深了，人間又多一重妖嬈
時光由節氣標定、詩眼在天下灑種
很多文朋詩友拿起了筆，尋回萬古心潮

重陽節感懷

秋風，菊陣，芳冽了重重史實和往事
那登高者的山上詩會，又見高朋滿座
一定還會有王維或杜牧來主持
他們也知悉現代會寫詩者極多極多

古代和現代，其實都是相通的
菊花釀酒，永遠予人醺醺然的情懷
而五言或七律，或今日之新詩
都是一樣在詠唱先賢，為人間祝福

可惜白居易在潯陽江頭另有詩會
不然他會有幸在今天認識很多詩友
不等他了，我們飛盞一慶，笑聲爽朗
哈，那一行天邊秋雁，正是一串在飛的詩句

夏智定簡介

香港作家、詩人。原《大公報》高級編輯，主編《文學》、《讀書》諸版。香港詩評家協會會長。出版有詩集、散文集多種。

今秋心影三首

凌亦清

度秋

耆年未懼苦伶仃，喜伴秋楓愛晚亭。
鄉酒添杯生暖意，籬花透戶散芳馨。
常聞暮雨輕彈樂，偶賞朝露急遁形。
最是逍遙星月夜，坐遊典籍醉詩經。

秋夜

時臨季轉晚涼秋，薄霧橫飄蔽月柔。
困宅誰甘憐獨個，離群眾苦笑同儔。
傷情禍害仍摧壓，痛惜人亡未止休。
寂夜難眠窗倚立，唯祈疫去再無求。

期好秋

荒堤寞寞水悠悠，夜雨橫來暗疊愁。
稍慰疫情方轉緩，還煩亂作未曾休。
年來慣忍無歡節，日近常期度好秋。
當信泰來由否極，昌亡順逆史洪流。

凌亦清簡介

原名陳夢青，祖籍廣東，長於香港。自小喜愛文學，中學時開始試向報刊投稿，筆名主要有凌亦清、冰淼、桑雅等。作品見於《文匯報》、《明報》、《星島日報》、《新晚報》、《伴侶》、《海洋文藝》等。二〇二〇年香港作家出版社出版詩文集《夢筆青書》。另小說及新詩曾分別收錄在香港青年出版社出版的《香港青年作者近作選》、《萌芽集》、《青年作者小說選》以及「福建人民出版社」出版的《香港小說選》和《她們的抒情詩》等。

不要固執地惦記春天

冷江

起風的時候
天空變得那麼高遠
下雨的時候
秋天的葉子無比清純
母親的微笑入夢的時候
我們的心裏都住著童話
你的目光漸漸冷卻的時候
淚花如潮水填滿荒原
不要固執地惦記春天
當父親在石階上磕去最後一管煙絲
當母親燃起老屋灶膛前第一縷煙火
當白髮蒼蒼的奶奶
伸出瘦骨嶙峋的手撫摸我的臉
當藏區失明的小女孩
面對遠方的客人綻放如清泉一樣的笑容
那一刻我又看到了春天
我離春天如此的近
四季就像銀梭
萬分悲苦都織成了人間動人的詩歌

冷江簡介

中國散文學會會員，中國微型小說學會會員，北京市豐台區作協理事，全國小小說高研班輔導老師、鄭州小小說傳媒簽約作家，二〇一八世界華語微型小說十佳新銳作家。出版有小小說自選集《永遠的花朵》。

雪的遐想

彥火

故鄉的雪

自幼對雪便一廂情願地思慕著。

長年居住在常春的南國特別嚮往北國飄雪的風光。

我的童年是在家鄉福建的小山村裏渡過的。山村的冬也很冷凍，尖峭的風濤把我的口唇、手背都扒開長長的裂紋。在痛楚中，我還眼巴巴地想像雪花飄零的情景。

山村雖然也常常在寒夜中悄悄地凝霜，但下雪的機會很微，有一次，在灰黯的昏晚中，我瑟縮著頸步過天井，天井閃爍銀芒芒的白花點，大喜過望，一邊嚷著「雪！雪！雪！」一邊手舞足蹈。

雪沒有生腳，因而來時不意的悄悄。

我佇立天井，仰著臉，伸開雙手，讓雪花舔著，感覺著沁人的冰涼，雪花觸著體溫，融化了，融化在濕濡的水氣中。

自此後，便很難得再見一次雪了。

沒有雪，卻有冰。在山村每屆深冬，打清早起，溪流、水池都結成一層薄冰。

我們幾個村童便相約起個大清早，每人攜著一個玻璃瓶，跑到山邊的溪流，撈起水中的冰塊，往瓶中塞，聽說把瓶中的冰水密封了，待到暑熱天時把它喝了，可以有解暑的作用。

我忘了後來有沒有喝隔一冬春的冰水，只覺得這童年的玩意一直嵌在腦海中，竟沒有變黃褪色。

來到這個海島，要看到雪更難乎其難了。在嚴冬的時候，也偶爾聽到飛鵝山飄雪的消息，但這只可以從報紙和螢光幕的電視消息看到，畢竟太疏遠了。

有一年十一月跑到日本，原來有一個願望也是想去看日本的雪景，但東京的溫度徘徊在七八度之間，雪始終被排拒在聳拔的大廈之外。

後來在一次參觀日本的華嚴瀑布，倏地見萬千純白晶瑩的小雪花飄灑而下，銀潔耀眼。

同行的女隊友，立即跑到紛揚的雪花中，要求與雪留影。有幾個年輕的男隊友，索性掀開衣領，敞開胸膛，讓雪花飄進他們的胸懷，去感染經雪撫拂後的沁人的冷澈。

他們說，他們是打從呱呱墜地第一次見到雪。

再有一次是在富士山的五合目山腰，聽說氣溫是零下二度，隊友都往賣紀念品的商店鑽——那裏有暖氣設備。

我拿著照相機，飛也似地跑到山坳處，為披著銀裝的富士山照像，一氣拍下十多幀，直到手腳都僵麻了，才往回程路跑。

因為見過雪，也熬過冷，當天晚上在山中湖酒店吃神戶牛火鍋格外的滋美和滿足。

曼哈頓的雪

日本谷崎潤一郎的《細雪》改編成電影，曾在香港公映，頗受歡迎。電影有一組鏡頭，是描敘細雪紛飛的日本小鎮，美致引人。

細雪，予人溫煦怡適的感覺。來時杳然，純潔一如天使，輕撩細撥著指尖兒，為冷得發抖的天地編織著緞白的冬大衣。

細雪紛披，又如一張網狀的瞠亮的少女披肩。

初到紐約，曾為早來的柔情如絲的細雪，渡過不眠之夜。

我住在遠離曼哈頓市中心的皇后區，過著一種孤寂的留學生活。一天入夜，仰望窗外，只見漆黑的夜空閃爍銀光，待定睛一看，窗上已綻開一朵朵初放的冰凌花。才恍是早到的初雪，劃破這寂靜的夜。

雪片如鵝毛，飄舞夜空，墮地了無聲息。

興頭一來，兀自一個人跑到騎樓，憑欄賞雪：騁目北極蒞臨的天使，恣意向街頭的椏樹、北美松，庭前的花圃，烏黑的柏油路，篩下一遍又一遍粉白的毛屑。

長街已在酣夢中，白天繁囂、紛紜、醒酲的紐約，已被千絲萬縷的細雪所洗禮、所柔化，蔚然是一色純白溫良的姿容。

我愣愣地瞪著徹夜忙碌的細雪，為她深濃、綿綿的情意所融化。

那一簾雪夢
太陽島的冰雕

最近瀏覽的一次雪景，是大約在五、六年前的冬季，地點在哈爾濱。提起哈爾濱，很多人想起冰雕世界。

穿著厚茸茸的羽絨褸、戴著掩蓋大半張臉的羅宋帽及雪靴，迎著虎虎的北風，在一個五彩繽紛的琉璃世界裏徜徉，對於一個四季如春的南方人，是一樁令人雀躍和難忘的事。

某一天，我離開了團隊，由黑龍江小說家遲子建帶我到太陽島，瀏覽更宏偉、更壯觀的冰天雪地。

說是冰雪天地，因它的佔地面積比冰雕世界要大得多了，因為那是一個島，島的天地白濛濛一片，廣袤無垠。

在這裏，有粼粼莽莽的樹林，有白茸茸的雪屋，還有不同景物的冰雕和人畜區域。

動物區，有各類野獸，十二生肖、家禽、猛虎、獅子、大象等，真是「原馳蠟象」了；

人物區，有古代人物區，中國流行民間故事的女主角、民族英雄；

當代人物區，有不少人們熟悉的政治領袖、抗日英雄等等。此外，還有中國景點和世界景點。

古今芸芸眾生相，通過雪雕藝人巧手，一一顯現於俗世眼前。

子建說，太陽一出，天氣回暖，眼前的景物也很快消失於無，不過比海市蜃樓的生命長了一點。那是一簾夢，這是現實世界可觸而不可及的另一簾夢。語調蒼涼而無奈。

愛荷華的雪

遲子建與劉恆後來參加了美國愛荷華國際寫作計劃，臨行前我告訴她，愛荷華的雪景真美，有一份文學的空靈，也許是給到來的海內外作家薰陶了。

她枯枯翹望愛荷華的下雪，三個月過去了，等了一個秋季，愛荷華的雪卻遲遲下不來，只有失望而歸。這都要怪溫室效應，地球人作的孽。

我曾在愛荷華住了一年多，我把在愛荷華河畔寫的一段文字寄給她——

愛荷華的雪，若是不來則已，如果下起來，沒完沒了，洋洋灑灑，一連幾天幾夜。

其實它是無聲無息的——驟然向窗外一望，才「呀」的一聲：

噢，愛荷華的雪！

那一條汩汩而流的愛荷華河，給多情的白雪公主籠住了，它們的愛情結晶品，是皚皚凍結的冰河。

過去，伴著愛荷華河是悠然自得的水鴨，白雪公主一來，牠們便知難而退。

上學放學都經過河岸，偶爾也看到仍有三三兩兩的水鴨在徘徊漫步，行人走過，也不驚飛。

很令我想起秦觀的那一首《還自廣陵》：

天寒水鳥自相依，十百為群戲落暉。過盡行人都不起，忽聞冰響一齊飛。

記得在愛荷華，某天天寒欲雪。聶華苓、詩人許世旭忽然雅興大發，倏地約我到湖濱燒烤，攜了酒、肉，驅車到湖畔。北風嘩嘩地死颳，我們花了九牛二虎之力也無法把爐子燒起來，幾個人凍得臉發紫手腳僵硬，只得打道回府，在聶家臨河的騎樓架起燒烤爐，烤著中西部特產的細嫩的牛肉，喝著伏特加，老天驀地下起細雪來。許世旭不禁吟起他的《雪中問答》：

雪呀！／今晚除了一天地的黑暗／誰敢妒你，／今晚除了我們熱切的手／誰能捧你就如捧著一朵蓮花呢？

彥火簡介

原名潘耀明。香港作家聯會會長、世界華文旅遊文學聯會會長、《明報月刊》總編輯兼總經理，文學雜誌《香港作家》網絡版社長、《文綜》社長兼總編輯。
（篇幅所限，詳見特稿部分彥火簡介）

傳道・授業・解惑

潘銘基

　　韓愈不會想到，短短的六個字，到了二〇二〇年會遭逢前所未有的挑戰。在〈師說〉裏，韓愈要傳的當然是儒家的大道，授業乃是傳授學問知識，解惑旨在解決學子所遭遇之疑惑。有些道理隨著時代而改變，有些則是恒常不易的，傳道、授業、解惑肯定屬於後者。

　　二〇二〇年九月的新學期，有一點跟過去的不一樣。這種不一樣，我們或許稱之為「新常態」。「常態」是 Normal，「新常態」是 New Normal，其實「常態」更多的時候用來和「變態」（Abnormal）作對比，當「變態」習以為常後，它便會成為了「新常態」。二〇二〇年九月的新學期，實在有點與別不同。我們時常說，香港的土地供應緊張，四處都是人。可是，在九月份開學以後，如果還想尋找一片淨土的話，大學校園肯定是不二之選。當然，網上授課並不是新鮮事，自二月份開始，老師們已經習慣了當「網紅」。令人感慨的是學生已經習慣了不用出門，但求安坐家中而知天下事。

　　還是宋人謝枋得《文章軌範》說得好：「道者，致知格物誠意正心齊家治國平天下之道。業者，六經禮樂文章之業。惑者，胸中有疑惑而未開明也。」老師要傳些甚麼大道，看來似乎有點沉重。傳統而言有所謂儒家的道統，蘇東坡更是稱譽韓愈能夠「文起八代之衰，道濟天下之溺」，以道來救助已告沉溺的人，儒家的道何其偉大！生活在二十一世紀的老師，沒有這種可能。在一所大學裏，傳道像是發揚校訓，授業仍是學科知識的傳授，解惑是幫助學生解決形形色色的問題。

　　校訓是一種人有我有的東西，所有學生都知道自己學校的校訓，只是知道歸知道，是否真的貫徹執行，實在是不得而知。即以敝校為例，大學加上九所成員書院，校訓院訓一大堆，「博文約禮」、「止於至善」、「明德新民」、「誠明」、「修德講學」、「博學、進德、濟民」、「文行忠信」、「修己澤人，儲才濟世」、「博學篤行」、「知仁忠和」等絕大部分典出儒家經典，孔老夫子看了，自必以為其道不孤，得遇知音，後繼有人。儒家道理從來都是知易行難，校訓院訓朗朗上口，高聲疾呼，也不見得大道已經得傳。傳道要成功，肯定需要多方面的配合，以「博文約禮」為例，

潘重規先生《論語今注》以為「博文」是「博覽載籍，嫻習典制」，「約禮」是「用禮節來約束他自己的行為」。潘先生的解說，簡單明白，「博文」成功與否，測驗考試可知一二；「約禮」二字，不單是遙不可及，是不是學校的重要目標，亦尚未可知。

「授業」是相對簡單的一環。網上教學有一個好處，按下「分享畫面」鍵，學生上課所關注的瞬間從老師遷移至 PPT（簡報），何其舒壓，人生一樂！曾經問學生，喜歡面授教學，還是喜歡網課，我以為人文學科的學生都應該珍視人與人的接觸，答案肯定是面授。可是，現實殘酷的告訴我，莘莘學子比較關心的課堂筆記是否能夠悉數記下，課堂是否可以錄影以作回味，人的交流與否並無他們首要的考慮。疫情下的課堂，並不簡單，學生們可能聽了太多的「歷盡艱辛」，能上網課，汲取知識，已經成為了宅家的美事。讀書求學問，老師「授業」看似簡單，其實幸福也不必然。女兒去年讀小學四年級，原本每年要考試三次，結果全部取消，彷彿成為人生空白的一年。因此，能夠上網課的，那怕是坐這山望那山毫不專心的人，習以為常之餘又心懷感恩。其實，大學的一個科目，就算已經完成了整整的一個學期，也不過是從門縫略見堂奧，如果沒有多作引伸與思考，作用終究不太大。因此，學問知識的傳播，說實在上網課也不會有太大差異。

秋天將盡，冬天將至，在這個不一樣的冬天，韓愈大概也難以為學生「解惑」。疫情反覆，罩不離口，當中學和小學都相繼回復面授課堂以後，只有大學生仍然安坐家中，收看任課老師在屏幕裏的表演。隔著屏幕，即使傳來如何親切的問候，跡近造作，隔閡難除。在疫情之初，剛開始網課，大家都有點興奮莫名，自我感覺走上了時代科技的尖端。誠然，如果沒有網課，老師們的生計只能存疑，心懷感恩之餘，卻又思考網課真有這麼的好，真的可以是面授課堂的完美替代嗎？有時候，世事紛擾，我們都忘記了最基本、最原始的東西，沒有了這些東西，事情便會有質量上的變化。人與人的溝通，老師要幫助學生解決種種的疑惑，這是網課所不能取代的。

難道網課時，學生就不可以打開咪高峰高聲提問？或者利用聊天室輸入問題嗎？當然可以，如果這些都是學術的問題。「傳道」、「授業」、「解惑」是一千二百二十多年前韓愈對為人師表者的責任的解說，「解惑」到

了今天的網絡時代，面對著前所未有的挑戰。這些年來，因為涉足學生的輔導工作，許多時候面對著學生們形形色色的難題，而這些都不是學術的問題。老師要為學生「解惑」，恒常不易，可是在屏幕前又該當如何解惑呢？在情緒上受到困擾，如果能夠找人傾訴，說得上是鼓起勇氣，並不簡單。如果只是分享喜悅，面談與網聊也無別，但當意志消沉，情緒低落，面見的了解與安慰實在至為基本。人與人的接觸，是網課永遠所不能取代的。

在「新常態」之下，師生都逐漸習慣了網課。其實，無論甚麼事情，即使起初有萬二分的不願意，人類便是有一種將不合理的事情習以為常的能力。第一次上網課是二〇二〇年上半年的事情，當時學生都表示希望疫情盡快結束，可以回復面授。第二次是秋冬之際的現在，似乎同學們都有很好的適應能力，網課已經成為日常，回校的動力已不復見。這個時候，學校又傳來詢問二〇二一年上半年授課形式的電郵，以學生為本，我自是不敢胡作非為。虛懷若谷，向這個學期的學生查詢，權作意見調查，結果超過一半表示希望繼續網課。從善如流，不論好壞，在疫症的威脅下，大家只能作出遠離面對面交流的抉擇。疫情何時結束，無人知曉，大學四年，如果只能活在網課的陰霾下，不免若有所失，空餘遺恨！

網課不止是香港的產物。因為疫情，世界各地的學校先是停課，後來改為網上教學，「停課不停學」是網絡時代的口號。科技如何進步，暫時似乎仍沒有辦法解決人類在情緒上的困擾，面對面的傾談對於有需要的學子而言，依然是無法取代的。我們時常說，身教比言教更為重要，老師的以身作則可能較諸書本裏千頭萬緒的知識更值得青年人學習。究竟如何利用網課身教呢？這可能是二十一世紀教育事業的一大難題。學校是學習與人相處的地方，小學、中學、大學都一樣水。宅家網課，看見的只有老師的芳容，以及佔著畫面主導的簡報（PPT）。如果老師和 PPT 有主從之別，從前是主角的老師，在網課裏肯定已經易角了。除下主角光環並不難受，可惜的是，一個不能做到「解惑」的老師，感覺上總是辜負了韓愈在一千二百多年前的囑咐。

疫情反覆，無力亦無奈。如果經典是可以經得起考驗的，那麼，「傳道」、「授業」、「解惑」或許都會隨著時代發展而有適時的變化！

潘銘基簡介

香港中文大學中國語言及文學系教授、博士生導師、劉殿爵中國古籍研究中心名譽研究員、伍宜孫書院副院長暨輔導長;並任越秀外國語學院中國語言文化學院特聘教授、大禹與中國傳統文化研究中心特聘研究員,以及世界華文旅遊文學聯會理事等。學術興趣在儒家文獻、漢唐經學、歷代避諱、域外漢籍、唐宋類書等。在校任教《論語》、《孟子》、《漢書》、《禮記》等科目。著有《孔子的生活智慧》、《賈誼新書論稿》、《孟子的人生智慧》、《顏師古經史注釋論叢》、《賈誼及其新書研究》、《漢書及其春秋筆法》、《字書裡的動物世界》等。

格義「某瓜」，訓詁善惡

孫繼成

　　常走的道路上，因為暖氣維修，開工深挖，於是我就順道拐進了旁邊的小樹林裏，繞道而走，或捷徑而行。走不多遠，我就看到星星點點埋沒在地上草叢中的香梨似的果果，一個個色澤鮮艷，金黃誘人，莫非是誰遺忘了自己的果園收成？散落此處，果果鮮美，令人垂涎心歡。

　　原先我是沒有見過這類瓜果的，看著這些長似黃梨的果果，心生喜意。我從落葉草叢中撿出一個來，拿在手中掂了掂，很沉的樣子；捏了捏，居然沒有捏得動，看來果肉非常厚實。於是，我就在樹幹上磕了一下，磕去一塊果皮，露出了一點果肉，我用舌尖舔了一下，酸酸的，有點木渣的感覺。

　　順路看去，果實點點，好些果子都藏在樹下的這片草叢中。一個挨著一個，有大有小。大的，像小狗的頭一樣，小的也像鵝蛋一樣大，總之，形狀各異，都是黃澄澄的，讓人歡喜。

　　我四下瞧了瞧，沒有發現什麼果樹能結出這麼大的果子，於是，自己又禁不住地胡想亂猜，說不定是哪家任性的娃，不愛吃它，就把它任性地丟在了這兒，送給鳥兒們，也不虧是一頓美餐。因為我實在想不出果來何處？！個頭這麼大的水果，成色又這麼好的水果，數量又這麼多的水果，丟在地上，留給蟲兒叮咬，賞給鳥兒抓撓，這該是多大的恩賜啊！？

　　穩神目測了一下，地上的果兒，多多少少，約有二三十個，聞起來，散有一種淡淡的香氣，讓路邊的樹林增添了優雅幽靜的妙處。為了健身健步，我不得不暫時離開果處，給她們擺拍了幾張照，就快步走開了。

　　第二天下午，我又路過此地，又貓身鑽進了小樹林，去看那滿地的瓜果。她們依然都在，於是我把她們歸攏成堆，照了個合影。我又挑了幾個大個的，把她們放在附近的樹杈上，給她們一個一個的留影存檔，記錄這人間豐收的果悅。

　　聽得旁邊有綠化工人的除草聲，於是我就順聲過去請教他們。我問，那些散落在地的果果叫什麼名字？他們說，那是木瓜啊！我聞了聞這手中的木瓜，淡淡的，是清香。我又問，林中種植的木瓜是不是不能吃啊？他說，這種果不能吃，只能聞著好聞。我再問，果香能夠持續多久，果實能放多

161

少天？大約能放一個周，果就爛掉了。

我終於知道了果的名，果的用，心裏果然高興。原來此處的木瓜，只是為那深夜或白日的浮動暗香。那些一心想著果果，就張口開吃的親們，肯定很是失望，畢竟口腹之欲後，才有了美的享受。於是，我又復轉回去，重新審視地上的這些木瓜，撿了幾個體型好看的，個頭規則的，放進了褲袋裏，帶回去給家人看，也許他們還不知道這其中的果然美妙。

看著落在地上的一小堆木瓜，我的心裏不禁有了其他的想法。其實，這些做老師的，那些做學生的，每一個莫不就像這一堆堆的木瓜嗎？平時，多數的我們會散落在地，無人理睬，因為只有那些肉多汁多的，好吃好看的，才能夠進入眾人的視野，享受果果的鮮美讚譽。像我們這些無汁無肉，自帶香氣的果果兒，多數不會進入吃貨的視野，多數也不被人看好稱讚，也只能默默躲進這草叢中，在別人的嘆息或惋惜中，暗自發點自己的氣味，至於能不能被人聞到，會不會被人看到，那就要看個人的緣分了。也許，偶爾入林的閒人，或行者如我者，才有幸看到這片落果，才得以欣賞如此果美，才得見躲在此處的秋色，也許瓜兒們只能慢慢地成長，慢慢地瓜落蒂熟，至於能不能被人欣賞，那倒是其次的了。至於可不可口，多不多汁？木瓜們也只能木然無語，也只能堅持成長，默默發力。儘管木瓜長得像黃梨，看著也像黃梨，究其實，木瓜真的不是黃梨。

那些好吃的人，愛吃的人，以吃為主的人，對木瓜肯定是不感冒的。但是，那些聞香而至的人就有了重拾木瓜的香味，拿在手中，揮灑著那淡淡的清香，肯定是木瓜沁人心脾，惹人心醉。

地上的木瓜就這樣率性地躲在草叢中，享受這無邊的陽光與溫暖，路人的惋惜與垂涎，好似都沒有入得她們的雙眸。拿在手中，有點沉甸甸的，每個木瓜在太陽照射下，都自帶點膩光，淡淡地，讓親聞的人，有了愛的治癒，有了自然的美好。

於是，我又想到那些所謂做學問的人兒，天天嘴裏說著「不為五斗米」，而實際上心裏卻時刻期盼著「六斗米」的滑稽。至於我們寫的那些文章，也許不符合這潮那流，也許不符合這方那法，甚至於還會倒了別人的胃口，但只要是碼奴的結果，不管是木瓜，還是黃梨，總該給出一個說法。

說木瓜沒有黃梨汁多，這是有目共睹；說黃梨沒有木瓜清香，這也是有鼻共聞。

木瓜，之所以稱為木瓜，也許就在於木瓜的可愛，木木的，萌萌的，不能吃，不能喝，只可遠觀，不可褻玩也。

木瓜的旁邊，就是銀杏樹，一排排，高大挺立，金黃一片，算是秋景之王，秋景之冠。躲在這銀杏樹叢中的一縷木瓜香氣，無論是傻瓜，還是木瓜，都沉醉在這自然的恩賜中，不可明說。

木瓜，這個名字依然讓人感覺不到木瓜的香氣，這名字只是讓人感到有點呆萌，倒不如叫她香瓜或香木瓜更加好聽易記。我不知道第一個稱她為木瓜的人是怎麼想的，但是，對我們來講，她哪有瓜的影子？

也許，木瓜自有木瓜的妙處。木瓜之所以稱為木瓜，大約也在於她的自安其命，自親其景，有自己的風水，也有自己的樂趣，也許她的幸運就在於樂與銀杏為伴吧。

看到個別的木瓜有被鳥兒啄過的痕跡，估計是鳥兒都會食而無味，或者憐香惜玉，不忍下口。總之，木瓜就這樣靜靜的，美美的，躺在陽光下的草叢中，樹葉裏，看著這人來人往的世間，飛來飛去的鳥兒，經營著屬於自己的清香世界。

我把木瓜貼在微信朋友圈裏，讓大家看圖識瓜。有的朋友說，不認識。呆若木瓜的親們，學問越大，越不知道這就是傳說中的木瓜。有的朋友也說，只聞其香，不知其名，很是好奇木瓜為什麼就叫木瓜！？

其實，叫什麼名字，有時候並不重要，但有時候，名字確實非常重要，因為它代表了我們的格局，凸顯了我們生活的層次。有朋友說，鄉間三歲孩童都知道木瓜之香，為什麼我們這些教授卻不辨其名，簡直是莫名其妙，簡直是歎為觀止？也許，我們早就失去了童心；對這個世界的美，我們早已習慣了閉上左眼，抑或閉上右眼，早已習慣了給世間萬物定出個價格，估摸個身份。這沽名釣譽的遊戲，好似都成了教科書的套路。

試著想，生物系的同學，或農工系的同學，會不會拿去實驗室裏，給木瓜們做個切片研究？能不能萃取提煉木瓜的香氣呢？現在的新文科，也只能給木瓜找個新的名字，否則，別人又會說，我老孫看瓜，總是自看自誇。

也許，明天，我在這片木瓜林中掛上一個小牌，牌上書曰：木瓜，傻瓜科，晚熟型，拉丁文名為UKCUF，聞香是果，啃咬必究，然後，再用英漢兩種語言詳述木瓜之美，木瓜之源，木瓜之氣節，木瓜之藥用……木瓜，我也只能如此待你了，希望木瓜做好自己，香起來的時候，自己要頂呱呱。

　　邂逅木瓜林，聞香木瓜氣。木瓜入我房，閒暇譯清香。瓜兒離不開秧，秧兒上連著瓜，就這樣，讓我們蕩漾在熟悉的校園中，偶爾你就發現了不熟悉的風景：傻瓜對話木瓜，要給瓜兒一個說法。

　　暗香浮動，是為木瓜贊。

孫繼成簡介
山東理工大學外國語學院副教授，英國劍橋李約瑟研究所訪問學者。

冬天的童話

潘明珠

　　安徒生曾在他的自傳中說：「人生就是一個童話。充滿了流浪的艱辛和執著追求的曲折，我的一生居無定所，我的心靈漂泊無依，童話是我流浪一生的阿拉丁神燈。」今年冬天，正是許許多多心靈感到極艱辛和無依的冬天，不是天氣寒冷所致，而是新冠病毒持續肆虐令人心寒，惶恐無依。我們多麼渴望尋到賜給我們力量的童話神燈啊！

　　今年冬天，特別令人浮想及追求童話中暖慰人心的溫情。

　　本來，我的姨甥去年高高興興預訂了結婚宴席，打算這個冬天，與另一半舉行夢想中的婚禮，但因疫情無奈要取消婚宴了，幸好他父母在家中為一對小情人舉辦溫馨的家宴，至親為他們送上祝福，希望他倆得以像童話中的王子公主般快快樂樂生活下去！

　　本來，我打算今年冬天，出發到聖誕老人的故鄉，像繪本中的聖誕小熊一樣，嘗試協助聖誕老人送禮物，以滿足童年美好的願望呢；但疫病勢頭太強了，把人困在斗室無法外遊，幸好我還可閱讀和創作童話！

　　在南方成長的我，成年以後才有機會真的在冬天見到下雪，第一次遇見白皚皚的大雪是在日本的秋田，在寒假時，大學的宿舍十室九空，我便寄住在秋田獸醫的家，初時實在不適應，刺骨的寒氣一沁入心，便思鄉起來，但回想那段日子，獸醫先生每天對動物說話，安撫即將產子的牛媽媽，我膽粗粗協助為牛接生；在大雪下我們還玩雪球、合力砌圓圓的雪洞，然後在雪洞中燃點小小的燭光，燒日本米餅來吃，身在雪洞竟不覺冷呢，這一切簡直是可愛的童話啊！

　　冬天的童話，總給人送來暖意。牀頭這一身雪白絨毛的聖誕小熊，仍是那樣甜甜的笑著，牠的笑容使我思緒飄到那一年冬天，我和醉心於媒體創作的朋友，把一套美國和日本原創的「溫情童話寶庫」繪本的錄像版引入香港，此系列包括《聖誕小熊》、《黃帝與夜鶯》、《牛仔阿標》等童話，我翻譯中文版，並找明星名人如蕭芳芳、周潤發、張灼祥、車淑梅、何紫來作故事講述，專業的配音，繪形繪聲，芳芳講小熊在裂開的冰塊上大叫

救命，周潤發以輕鬆的聲調述牛仔精神，具童心的張校長幽默地說明小笨象其實不笨⋯⋯而我們幕後人忙得不可開交，但一群愛新鮮事的藝術發燒友熱情高漲，非常投入製作，結果製成的作品很出色吸引；在當時，繪本閱讀仍未普及，這樣的多媒體式繪本更是前衛的作品了！日文版的製作人欣賞香港團隊，他把唯一宣傳用的小熊毛公仔送給我。那一年冬天，因為童話，我們內心理想是那麼滿滿沸騰呢。

我第一次因工作出差到巴黎那一個冬天，心情異常興奮，想起將到花到巴黎，觀看世界名師的時裝表演，想著想著竟然錯誤地登上了去倫敦的夜機！幸好空中服務員迅速應變，安排我立即轉機。當我從緊急出口的垂直鐵梯一步一步向下退時，真是步步為營，聽見滿天紫霞，冷風吹來，我迷濛的意識開始覺醒，我清楚知道此行可不是鬧著玩的，要提起精神工作呀！第二朝清晨五時到了巴黎，睡眼惺忪，便匆匆忙忙趕去開工作會議了；九時正，我要去會合我的客戶訂貨，下午趕到時裝會場取資料⋯⋯對我來說，這確是開始打拼工作的、難忘的冬天！多少營營役役、忙得天昏地暗的日子過去了，我問自己，我的美好童話已不復存在了麼？

在受挫和沮喪的日子，姊姊傳來雪萊的詩句鼓舞我！冬來了，春天還會遠嗎？

這些年每逢踏入十二月，有一件事我就會像童話儀式一樣開始進行，我先買一本自己喜歡的日記冊（日本文稱為手帳），也許因為曾在日本留學，看到每年日本書店推出的手帳，有我喜歡的龍貓卡通，或設計時尚的日記簿，五花八門，大開眼界，內裡還附有可愛的貼紙，到了重要的日子像生日、畢業，可以在當天的格子上貼一個醒目的貼紙，真是超可愛呀！畫家朋友朗寄給我她設計的貼紙，我喜歡極了，即貼在新手帳上，並寫下一些自己的新年目標。

也許是受日本的同事這習慣影響，我覺得年結和年頭的目標設定，可以令自己收拾心情，啓動新一年向目標出發，有激勵自己的作用。

我跟姊姊說，二〇二〇的疫情這樣反覆，新一年不是沒有什麼希望嗎？

姊卻說，第一波後有第二波，不就過了？現第三波後又來第四波，何必太過慮？不也就會過去嗎？

　　甚麼事，也會捱得過的，香港人的春天，始終會來的呀！

　　記得嗎？那個寒冬在黑龍江書寫《雪中情》，我們穿梭於哈爾濱的冰雕展中，在晶瑩亮麗的冰雕大城堡，赫然見到角落一小片冰塊，前面扁圓的頭，後面彎彎的尾巴，它多麼像孫幼軍筆下的冰小鴨啊！是啊！即使這麼細小的冰小鴨，仍時刻保持希望，冰小鴨對春天有無限憧憬，期待看到春天，即使最終冰小鴨可能會因春日的暖陽而融化，他一直堅持，保有一顆赤子之心，相信美好，這支撐著他，面對生命的難題，我們要能像冰小鴨一樣執著追求，有信心就有希望，希望在明天在明年，而有希望，有願就有力！

潘明珠簡介

中英日文翻譯、香港作家聯會理事、大細路劇團董事，公職任香港康文署文學專業顧問、香港書展文化顧問。並於文匯報及校園報寫專欄，主持香港電台文化節目《文學相對論》。近著有《心窗常開》、《三棱鏡》等。

冬天三個媽：我和老媽、新媽

潘金英

　　冬意隨北風漸濃，早起寒意生；自去年底疫情爆發，轉瞬又快過年了。生活的日常平淡，口罩與限聚已成新常態，市道依然蕭條，而埋怨聲音卻少了，皆因親友間聚少離多，已成習慣了。

　　但這個冬天，我的老媽，要升做太婆，我快做外婆了，因女快升格做新媽了！

　　這是不一樣的冬天，預備迎接不一樣的新一年！這就是我──身為媽媽的我、快成外婆的我，平凡、真實，而又新奇活潑的、絕不一樣的冬天！

　　一晃時間，閨女婚後已過了快兩年，小夫妻自不吭聲，她肚內的寶寶現在已經四個月了，這個非常消息，才剛收到！像冬，女兒雖然表面是冷靜沉默的，但是她的內心卻像火一樣在燃燒，因為她肚內的寶寶，似讓她抱著小暖爐在胸前呀，殊不知自己已在靜靜地得到了祝福，人們身在寒冬天的時候，榮升新媽媽的女兒，已經得到了火一樣的鍛煉，有了堅忍的意志和超強的毅力了，她會愈戰愈勇，直至可愛的小寶寶呱呱唱歌，來到這新世界……

　　這是香港一個獨特的冬天，在我眼中，她雖沒有岑參的「北風捲地白草折，胡天八月即飛雪。」 香港地沒降雪，沒有白雪拂去了此地之愁憂塵埃，沒有白雪抹走香港人心靈的塵埃，陰影；但這個獨特的冬天，有老舍筆下說的「因為有這樣慈善的冬天，幹啥還希望別的呢？ 」

　　這是在我心中一個慈善的冬天啊，她是很慈善的，她是慷慨的，她是剛中有柔，柔中有剛；只有人們用心去感受，自然就能領悟、明白，慈善的冬天啊，聖潔的冬天啊，寧靜致遠的冬天啊，在默默無言中，獻給了偉大的任務給女兒，賜給了珍貴而含蓄的大禮：寶貝兒──給三位母親！

　　女兒，我和我的母親，讚美冬天啊，歡迎小寶寶！

　　這是一份特大的禮物，對於我們來說，好消息真是最珍貴的聖誕禮物！而孩子，從來都是最正宗而重份量的愛情結晶，是上天給小夫妻留下的最了不起的禮物。

　　我不禁回想起自己懷了我女兒的舊日時光，也是冬天啊！ 昔日那時候，我年輕首胎，我的母親對我呵護備至。一提到冬天，腦海裏浮現的不是北風呼嘯，而是一聲聲噓寒問暖，一杯杯熱氣騰騰的蜜糖柑橘水。

　　在母親自家調浸的橘子水，背後有著一股強大的暖流，暖意流遍我的全身。那時候，在冬天裏懷孕的我，常手凍腳凍，我的母親就為我泡一杯蜜糖柑橘水，特別是在睡前時，她還特意走六層的樓梯（因我和丈夫住處是沒電梯的，某唐樓的六樓呀）；母親為我運送一大瓶蜜糖柑橘水。我在家一推開門，就聞到一股柑橘水淡淡的清香哩。我曾愚蠢的問過媽媽，為什麼要讓我常喝這種柑橘水？其實雖不太難喝，但它沒有任何甜香，甚至還帶有苦澀呢！

　　老媽總是微笑的對我說：「柑橘水雖帶點兒苦澀，但我為你加了蜜糖呢！它可以驅寒，可以給你暖身子啊！」 我聽後很明白媽媽的話，於是一口氣的喝光它，頓時覺得渾身上下熱血沸騰，在寒冬的夜裏，我不再瑟瑟縮縮，我體會了媽媽的良苦用心。我深信，她把對我的愛，泡在一大瓶柑橘水裏了，把摯熱的愛裝在我的身心裏了。那不純是柑橘水，而是媽媽精心為我泡好的愛心營養水！每晚都會很在意的喝點柑橘水才去睡哩，那是母愛、愛女深情！

　　母親對我的丈夫說：「將來你要好好照料新母親呀，初為人母，初生小寶寶，你可一應都要嬌嬌氣氣奉養，勿要老婆任性減肥；母、子寧肥勿瘦，營養要夠！」

　　那時我的丈夫欲言又止，他可是討厭肥胖的女人！他是極不情願駁咀的呀，硬著頭皮點頭；母親欣慰的笑了。我當時只是覺得很幸福，媽媽的笑很可愛，那笑容讓我內心感到的，只有母女彼此才能明白的溫暖與親切。

　　及後，一場大戰掙扎過後，我才知道，為何在人間痛苦的排位榜上，生產陣痛，原來排在第一位！及再後來，日子晨昏顛倒，初生兒的她，我粉雕玉砌的寶貝女，留下給我的，是一個忙碌得分身不暇的世界！！

　　坐月日子那時，值得慶幸的是，我的母親常陪伴著我，她做了我的守護神，在大寒天的日子裏，母親那張幸福而安詳的笑臉，散發著陣陣貼心的愛，這愛，展現了對我這個初為人母的新手媽媽，無限支持和關愛，這

愛比天還高，比海還深；這偉大的愛，點亮冬天！

然而，產假後上班沒幾天，母瘦了，小寶肥，我這新手媽媽，靠臨時保母不消瘦才怪！

我的母親不忍心了，她看見上班又上學的我，簡直忙壞了，知道我打算把寶貝女放在托兒所，真不捨得！她就二話不說要抱孫女走，說：「你倆放心返工，我來揍BB！此刻只覺得世上只有媽媽好！」

然後，日子漸漸過去，我那粉雕玉砌的寶貝女，已然亭亭玉立了；然後，日子又漸漸過去了，她如今也快要做新媽媽了。

某次寶貝女探我，見她慵懶洋洋，從不下午睡的她，卻在沙化睡，怎麼回事？她為什麼胃口差？不清楚她何解不吃？她是在奄尖挑菜嗎？一連串的疑問在我腦中浮起，令我疑惑了。

我把情況告訴我老媽，老媽搖搖頭說不知因由。忽然，她說：「會否害喜了？」我更加疑惑，便下定決心上門去問她。但她不在家，我赫然看見字紙簍，似有驗孕棒……

一看顏色，疑竇冰釋！我在這瞬間明白了一切，樂了。此時，一股暖流湧上心頭，窗外北風吹著，我不覺冷；反而是感覺得北風竟如鵝毛般吹拂我，我格外的舒心暢快。

這是一個熱呼呼的冬天，本來新一代怕養B責任大、開支貴，常唱養隻貓、狗不養B，傳宗接代不在乎！於我，眼下的冬天是讓人感到溫暖的，這人世間的那種濃濃的傳延美意，是源於那對下一代的火熱的愛心。正是這種「神聖」的傳延旨意，點燃了心香瓣瓣，我想，小寶貝的溫暖，足夠初為人母的女兒縈繞一生，成就她成為更完美的女性，這是可以預期、認真期許的，過來人的我，清楚知道：嬰兒小寶貝，現在是女兒懷抱著的小暖爐，是掛在她心頭上的小太陽，她的小寶貝，將是寒冬迎來的春天，將會把所有的溫柔和溫暖，全都投射在父母的心上，無論冬天多麼嚴寒，她的小寶貝會送給她的媽媽：無限愛的祝福，在愛面前，令她的媽媽不退縮、不哭，即使痛，也是幸福。

「今年做新媽，驕驕女特別勇敢，讚！」我豎起拇指快樂地說：「對嬰兒來說，確實也很勇敢，大讚！」

　　雖然今年因為新冠疫情的緣故，老媽不忘囑咐我要特別小心照料女兒，說勿嫌她長氣。怎會呢？恐怕我自己更長氣了⋯⋯。

　　於是，我首先囑咐女兒，外出到產科檢查時防疫工夫要足，盡可能要人陪同，或是我，或該是好女婿，而說到飲食宜合季，應戒口，寧可信其有，不要吃荔枝，怕不幸影響胎兒皮膚，寒冬要加衣，令肚內這位可愛小寶寶，如春日和暖呀！如此一番囑咐話兒，說得肯定，盼會給孕中新媽帶來非比尋常的慰藉吧，為人母者，心中只願贈與快樂能量給我的驕驕女新媽呢。

　　儘管雖然還不能被外婆外公抱在懷中弄耍，安慰；這位未來小主人，對大人肯定有好處，日子會忙碌呀，因為每個小嬰孩，都是要求特多的小主人啊。對我們來說，確實感到很快樂，是的，本人認為，嬰兒是未來，也是勇士，嬰兒能提醒許多我們遺忘之品質：好奇、探新、勇敢嘗試，失敗再來⋯⋯。

　　女兒呀，你要開心、樂觀又溫柔，胎教重要，你愈開心、樂觀又溫柔，嬰兒就更快樂、聰明又活潑，你的愛和歡喜心，不僅保護了孩子的小世界，也愈能為你戰勝凜凜寒風，送給你冬天一束最美的心靈之火，讓你信心滿滿，做個好叻媽媽。

　　雖然十月懷胎不容易，但是——女兒啊，在妳前面，將會是忙碌卻開懷的好日子，你的小宇宙會教曉你成萬能女俠，而我會一如你外婆守護我那般，一直守護你和你的小寶寶，那綿延的愛，似爐火般旺，點亮冬夜。

潘金英簡介

香港公開大學兼任講師，香港作家聯會委任理事，公職任香港藝發局文學評審。曾獲香港不同的文學獎：如童詩、故事、散文、小說及劇本寫作獎，近著有《心窗常開》、《三棱鏡》、《兩個噴泉》等，現為《文匯報》寫專欄，客串主持香港電台文化節目《文學相對論》。

我與咖啡

陳永和

我很愛喝咖啡。但沒法經常喝。有人不讓。誰？我身體。

我在想，為什麼會有這種事呢？我明明愛喝咖啡，我身體也知道。它怎麼可能不知道呢？我身體應當知道我所有的事。但怎麼就不讓我喝呢？既然不想讓我喝，就不要讓我愛喝呀。

於是我發覺我跟我身體是兩個東西。我對我身體沒辦法。跟我身體沒理可說。誰都對自己身體沒辦法，都沒理可說。它就是這麼矛盾，讓你愛，卻又不讓夠著愛。

一個美國女友，愛喝紅茶。但她身體也跟她作對，不讓她喝。她一喝紅茶就過敏，身上發癢。但她堅持愛喝，看醫生，醫生給藥片，她寧可一邊吃藥片一邊喝紅茶。我看她很享受。我們在一起上咖啡館時她老喝紅茶。

吞一片藥片自然是很輕鬆的事，藥片往嘴裏一放，就點水，咕嘟就下肚了。以後的事就看不見了。藥片怎麼在胃裏腸裏折騰看不見。看不見就等於沒有。

可是喝紅茶看得見。她喝得很慢，一杯紅茶她能喝半個小時。也是，想想是吞了藥片才喝的，不拖延享受時間行嗎？

所以女友一定覺得值。看得見的在享受，看不見的，看不見的就不管它了。

可遺憾的是我做不到。我沒法為了喝咖啡去吃藥。我排斥吃藥，一想到藥片進入我身體我就受不了。誰知道它會在我身體裏幹什麼。看不見的東西比看得見的東西可怕多了。所以我寧可不享受也不吃藥。

開頭只是喝了睡不著。下午二三點起喝，到晚上就睡不著了，一整個晚上可以睜著眼睛到天亮。那就上午喝吧。於是就上午喝，連續喝了幾天，開頭沒注意，怎麼突然發覺胃腸就不好了，也不痛，就是不消化，東西積在胃裏，胃不工作的感覺。開頭並沒覺得是咖啡的作用。但弄了幾次最終也只好承認，於是只好放棄，不喝了。

其實我身體已經在告訴我，不能再喝咖啡了。

但又愛喝。有時候就會想喝。

我對想無可奈何。我想抽煙、我想情人跟我想喝咖啡，就同一個想。我身體無法讓我不想。誰身體都無法讓誰不想。不是我有意要去想喝咖啡，是

想喝咖啡自己從頭腦裏冒出來的。它根本不聽我指揮，愛冒出來就冒出來。

我不知道它會在什麼時候什麼地方冒出來。我嘗試過壓制，你要想我就不讓你想，把你往下壓。可我越不讓我想我就越想，有幾次弄得我恨不得立馬就喝，非喝不可，不喝就過不下去的感覺。

糾結得不行。

無奈，我只好協調我跟我身體，開始琢磨我身體跟咖啡的節奏，它需要隔多久才能接受一杯咖啡。

試了幾次以後我就找到規律了，我只能偶爾放肆一下，十來天半個月喝上一杯咖啡。

東京田端路上有一家咖啡店，二層，但空間很小，門口擺著幾個裝著咖啡豆豆木桶，要了以後現磨，特香，種類也多，任你選。

我經常走路半個多小時，到這家店要上一杯咖啡坐到二樓面對馬路的位子上。

我先聞一聞咖啡杯裏冒出來的香氣，才端起杯子嚐一口，眼睛看著馬路上來來往往的車輛與行人。

我喝得很慢，慢慢品。我得到了很多快樂，超過了從這杯咖啡裏應得的。大約隱忍之後的得到總是翻倍的。雖然我完全不懂咖啡，我叫不出牌子，哪裏產的。很多東西不需要懂，不懂不影響快樂。

但夏天住在阿寒湖小鎮後我又開始糾結了。

找咖啡店就不用走那麼多路了。樓下，我從窗口往下看，就看到咖啡店大大紅色的招牌，裏面做的麵包還很好吃，經過店門時，都聞到裏面飄出來一股濃濃的香味。但有個小小的不足，坐在咖啡店的座位上看不到外面街。

我更喜歡坐到家對面花香酒店的大堂裏喝咖啡。

花香酒店門口每天都站著幾個迎賓的工作人員。其中有個穿和服的女子，整天的笑臉，原來是老闆的媳婦，混熟了，我就問她，我們能買一杯咖啡坐到裏面大堂喝嗎？穿和服女子笑眯眯地說可以。她說什麼都是笑眯眯的，無論是天氣還是客人。

大堂環境很好，寬敞明亮，上午九點多開始到下午四點多基本沒有客人，非常安靜，沙發寬寬大大，坐得也很舒服，從落地大玻璃窗可以看到

外面的阿寒湖，每天景緻都不一樣，晴天是晴天的美，雨天是雨天的美，大自然其實是微妙地不重複，百看不厭。

很奇怪，咖啡店裏泡的咖啡就是比家裏泡得好喝。

我跟女友買一杯咖啡，坐在沙發上，邊喝邊聊，一坐就是半天。

看阿寒湖時身邊有一杯咖啡感覺真好。湖天天都在那裏，我天天都看，於是就貪了，放肆了，想天天喝咖啡了。

我癡心妄想，發明了一種辦法，到咖啡店買一杯可以帶回家的咖啡，裝在紙杯裏，上面有蓋子。

我喝咖啡要加兩個咖啡奶跟兩根棒糖。

第一天就喝四五分之一，剩的帶回家放在冰箱裏，第二天拿出來，在微波爐上熱一下，再喝四五分之一，剩下的第三天第四天第五天再喝。

把一次的享受分為四五次。一杯咖啡喝四五天。

但我身體又不幹了，胃又開始不工作了。

我實在弄不明白，為什麼我隔十來天半個月喝一杯咖啡可以，一天喝一點就不行。

實驗只做了一次就結束了。有什麼辦法？我只能聽我身體的。

我三十多歲來日本後才第一次喝咖啡。有時想，如果我年輕，甚至更早就開始喝，我身體會怎樣呢？

現在我算徹底明白了，年輕的時候，我身體聽我的，我是將軍，它是士兵，它任我糟蹋、作賤，熬夜，幾天不睡，狂吃濫飲，它不吭聲，全忍了。但老了，就倒著來啦，它是將軍，我變成士兵了，它讓我睡著我才能睡著，它讓我吃我才能吃，它不讓我吃我就吃不得。你年輕時越糟蹋它，它現在也越糟蹋你，你年輕時得到多少，它現在照單全部收回。

人生就這麼顛來倒去做。

只有一次，不可重來。

陳永和簡介

出生於福州，著有長篇小說《一九七九年紀事》、《光祿坊三號》。現兩棲於福州與北海道阿寒湖小鎮。

174

獅子山下

徐國強

獅子山是香港著名的地標，高四百九十五米，矗立於香港九龍塘及新界沙田的大圍之間，因其形狀像蹲伏的雄獅而得名。

早在一億四千萬年前，由於地殼的變動，形成了具有獅子形態巨石蹲伏的獅子山。大自然鬼斧神工，由於獅子的形態非常逼真，就有了遠古時期上天派遣這頭獅子到凡間幫九龍地區的百姓除害的傳說。

香港還有一座精神上的獅子山，這就是香港人引以為傲的獅子山精神。

一九七三年香港電視台開始播放的一部單元劇《獅子山下》，一幕幕當時普羅大眾為生活努力打拼的時代集體風貌，一個個生動鮮活的故事，記錄下了七十年代至九十年代香港社會的進化過程，不斷講述著香港普通市民逆境自強、奮鬥不止的勵志故事。

獅子山下，走來了國際功夫明星李小龍。在香港文化博物館裏，有李小龍展館。當我們看到李小龍那粉碎「東亞病夫」牌匾的一腳時，心中就好像出了一口惡氣一樣，那是中華民族頑強不屈、自強不息精神的飛揚。

在九龍的一條不算熱鬧的街道邊，一對父子正在一起推著小車沿街賣雪糕，小孩大約七、八歲。誰能想到，這個小孩就是三十多年後的香港律政司司長黃仁龍。現在每當他回憶起年少時期，記憶就顯得格外清晰。在很長一段時間裏，那就是他們全家的生計，收入也僅能勉強糊口。不過，在黃仁龍看來，這樣的生活反倒讓他更加嚴格要求自己，把握一切能抓住的讀書和工作機會。

獅子山下，走來了李麗珊、梅艷芳、周潤發、劉德華、曹星如等一批又一批從平民家孩子奮鬥至成功的身影。

梅艷芳，樂壇和影壇巨星，被稱為「香港的女兒」。她一生歷經坎坷，從遭受欺凌的底層歌女到備受尊重的一代歌后，她與香港人一同成長，憑藉自身的不懈奮鬥取得巨大成功，其形像如同香港這座城市成長成功的縮影。

一九七九年，由黃霑作詞、羅文演唱的同名主題曲《獅子山下》，唱出了香港市民一起建造屬於自己家園時的那份和諧樂觀、無畏無懼，以及

在逆境中團結奮鬥、同舟共濟、守望相助與包容，引發了全體香港人的共鳴，傳遍香江。

　　人生總有歡喜／難免亦常有淚／我哋大家／在獅子山下相遇上／總算是歡笑多於唏噓／人生不免崎嶇／難以絕無掛慮／既是同舟／在獅子山下且共濟／拋棄區分求共對／放開彼此心中矛盾／理想一起去追／同舟人世相隨／無畏更無懼／同處海角天邊／攜手踏平崎嶇／我哋大家／用艱辛努力寫下那不朽香江名句

　　在香港歷史博物館裏的「香港故事」展廳，視頻播放的第一首樂曲就是《獅子山下》。

　　獅子山精神代表著香港人的努力和掙扎，代表著他們的頑強不息的堅韌品格。一代代香港人以自己的實踐來闡釋踐行著獅子山精神，並且不斷注入新的時代內涵。

　　「秋盡江南草未凋」，溫潤的初冬來到了香江。香港人背靠強大的祖國，在獅子山精神的鼓舞下，擊敗了佔中逆流，擊潰了黑暴和顏色革命。今天我們也一定能夠擊敗新冠病毒，迎接下一個充滿希望的春天。

徐國強簡介
香港作家聯會永久會員、香港中華文化總會副理事長、香港書評家協會榮譽會長。

只有天空獨自盛著藍（外二首）

吳燕青

在城中 我們的紫荊花又開了
滿樹的花張著五個花瓣的掌心
迎向太陽 迎向撲面而來的光
其中的一朵色澤尚是明麗的
二○二○年的冬風搖下她 傾倒的花
躺在城市的草地， 花叢和地板上
路過的人 被口罩捂住了嘴
對她說不出慨嘆和讚美
那麼多的人 隔離在房中央
說不出慨嘆和讚美
更多的人 穿上防護服
說不出慨嘆和讚美
只有天空 獨自盛著深深的藍
獨自擁有無邊的遼闊

只有月色獨自盛著孤寂

鐘聲在午夜敲響
小教堂的十字架
藏起月光灑下的淡影
一朵烏雲哭泣過的痕跡
被風裝進寬大的袖子
小女兒的白色校服裙
從晾衣架收回摺放進衣櫃中
停學的孩子們 取回校園手冊
在虛擬的網上 對著屏幕朗讀
在城中央的廣場 找不到放風箏的孩子了
他們的笑聲 沒從口罩中飄出去
冬風吹著紫荊花 月色溶溶啊
只有月色 獨自盛著深深的孤寂
獨自行走在無邊的孤寂中

只有海洋獨自盛著波浪

深藍的海洋　漲了潮
游魚們在海中開生日會
沙灘上貝殼和沙子築大城堡
紅樹林螃蟹和彈塗魚在月亮下唱歌
孩子，我給你描述的海洋
還有中華白海豚躍出水面
睡前故事翻到十六頁
海裏還有許多美人魚
多麼廣大美麗的海洋啊
孩子，我們現在要睡覺了
城市的夜燈一盞一盞熄滅
我們把口罩放在安全的地方
去看海的時候，我們再戴上
孩子，你會做一個甜夢吧
你的夢中，不會有病毒　口罩　隔離
媽媽也做夢　夢到海洋
只有海洋，獨自盛著深深的夜色
獨自盛著夜色中起伏的波浪

吳燕青簡介

八十後，做過醫生，現從事教育工作。作品散發於《大公報》、《香港文學》、《草堂》、《詩刊》、《星星‧散文詩》、《台港文學選刊》、《作品》等報刊雜誌。著有詩集《吳燕青短詩選》。

秋的告別（外四首）

張繼征

抖擻著西北風的凜冽，
樹梢吹響動人的音樂；
晶瑩的紅葉鋪軟了曲徑，
四季演釋最浪漫的一頁；
望著情侶遠去的背影，
秋天揮手作最後的告別。
小曲隨秋蟲蟄伏山野，
荷塘留下最美的殘缺；
大雁剛在南方引頸高歌，
北國已舞動第一場飛雪；
聽著火爐邊微醉的酒歌，
秋天揮手作最後的告別。
穀倉敲響了歡樂的鼓樂，
秋天揮手向大地告別；
彤雲飄拂著火紅的晚霞，
秋天揮手向藍天告別；
秋天告別 告別秋天，
來年再和金色的美麗相約！

一夜之間

晨風吹開了窗簾，
一片紅葉飄落眼前；
窗外的那棵木棉樹，
不見了綻放的火焰。
門後的那座小公園，
搖曳著的翠綠依然；
哦，草根多了點暖色，
色彩變得更加燦爛。
園中菊花生機盎然，
綻放了甜蜜的笑臉；
淡淡的清香飄拂，
似乎就在一夜之間。
一陣清風吹開了衣衫，
哦，舒爽直撲心田；
天朗氣清 白雲飄飄，
就在不知不覺中忘了時間。

欲寒還暖的時節

秋意還在林間徘徊，
立冬踏著落葉而來；
趁欲寒還暖的時節
秋收冬藏正巧作安排。
艷陽忙乎了整個春夏秋，
提前下班休息在西山寨；
星星無懼北風的呼嘯，
伴隨明月浪漫了夜的可愛。
秋的詩情畫意盡收胸懷，
把盞品嘗大自然的慷慨；
立冬，欲寒還暖的時節，
金黃和銀白燦爛了歲月的風采！

白雪皚皚

北風神奇地把窗簾掀開，
晶瑩的雪花輕盈地飄來，
銀裝素裹田野一片潔白，
陶冶人們的情操純潔胸懷。
樂開了鄰家的大人小孩，
堆個雪人守在窗口門外，
迎接聖誕老人早點到來，
歡聲笑語洋溢著城鄉村寨。
雪花飛舞夢幻浪漫世界，
踏上雪撬穿越茫茫林海，
套上鹿車與白雪公主慶賀，
巫婆們的醜惡全被冰雪掩埋。
白雪皚皚飄落生活天地，
雪花喲別落得太急太快，
別把繁忙公路橋樑遮掩，
別把護林大叔的小屋壓壞。
北風俏俏地把瑞雪吹來，
晶瑩的雪花把禾苗遮蓋，
瑞雪吉祥消除病蟲災害，
來年豐收的喜報如雪花漫天鋪排！

春天希望的季節

小草在和風中搖曳，
杜鵑染紅了峻峭的山嶽；
牧笛在田野中迴響，
大地翻開了翠綠的一頁。
蜂兒在花叢中相約，
乳燕剪開了湖畔的柳葉；
車輪在晨曦中飛奔，
一年又到了希望的季節。
藍天翱翔著雲雀，
田原飛舞著彩蝶；
小鹿也奔跑著喜悅，
春天，不用派請帖！
汽笛驅趕了寒夜，
馬達奏鳴在長街；
城鄉在陽光下歡騰，
春天，不用派請帖！
春天，蓬勃向上的季節！
春天，充滿希望的季節！

張繼征簡介

香港詩人詞家、亦工書畫，師大美院畢業。國際文化藝術交流協會主席、香港當代文學藝術協會主席、香港音樂文學學會會長、中國音樂文學學會常務理事、香港中華文化總會副理事長，香港作家聯會理事、香港文聯秘書長，《世界詩人》雜誌社長、《香港文藝報》執行總編、《香港音樂文學報》主編。在國內外百餘種報刊發表詩詞書畫作品二千多件，出版有詩文集《兩江情》《維港濤聲》等七本，主編有詩詞曲集《紫薇花開》等多種。獲俄羅斯普希金國際詩歌藝術節桂冠詩人等榮譽二百多項。

霧

謝璇

鏡片擦了又擦
窗外依然灰白一片
新的一天
所謂新的開始
並不令人振奮或期待

慵懶疲倦的車廂
一如隔夜的蒸籠
混亂的思想裹挾在其中
熟了嗎？幾分熟？
什麼時候會被夾起來吃掉？

你激動地指向窗外
看！有湖！湖裏有人玩划艇！
路過多次的農家樂
頭一回出現在路人甲乙的對話中
世界成為「非對方的朋友只展示三天的朋友圈」
眼睛被蒙上了放大鏡
只為下一次聚焦得以實現

藍天白雲，遠山大海
大海那頭密密麻麻的樓宇
落地玻璃窗，千尺豪宅
豪宅陽台上的沙灘躺椅
通通消失不見

我們成了我們的焦點
世界舞台上的唯一呈現
只有當下，沒有遠方
這個鬼天氣，原來是個巨大考驗！
我溶化在我之中

我們溶化在我們之中
心安理得地做一個短視的人
在車輪和新聞的轟炸中
窩在透明而隱蔽的角落裏
認真地聽對面座位上的禿頂男子大聲講電話
說著唐樓交租的事情

謝璇簡介

出生於湖北黃岡。曾供職於媒體和高校，現攻讀博士學位，從事文學創作與文化研究，居於香港。曾獲第九屆「大學文學獎」散文組優異獎、第八屆「大學文學獎」散文組嘉許獎、第九屆深圳「讀書月」徵文優異獎。散文、詩歌、評論及專訪作品見於《香港作家》、《藝文雜誌》、《散文詩》、《新京報書評週刊》、《明報》（明藝版）、《南方都市報》（副刊）等。

文 林

秋，濃了托翁故居

江揚

　　秋天是斑斕的。而在莫斯科，本來就是個懷舊色彩濃郁的城市，在那成片的金黃、火紅、深綠樹葉的妝點下，更加猶如一杯陳年老酒，層次凸顯分明。

　　眼前的列夫·托爾斯泰的故居博物館，坐落在距離市中心不遠的托爾斯泰小街上，看上去質樸含蓄。深褐色的木質牆框著院子，臨街就能望見樹蔭下那幢漆成黃綠色的二層小樓。門口已經看不出當年的格局，裏面卻樹木森森，庭院寂寥。在莫斯科，這就是棟很普通的房子，出身貴族的托爾斯泰雖然很富有，卻把家安在了平民區。

　　門口一棵當年托爾斯泰親手栽種的白樺樹，長得格外挺拔粗壯。走進放滿生活物品的屋子，恍如走入十九世紀末到二十世紀初那段不算久遠的年代。古色古香的燭台，飾有典雅花紋的牆面，厚重的木製家具，閃耀著歲月悠然的光澤。托爾斯泰全家在這座房子裏居住了十九個冬天，每個房間擺設得都好像主人還在這裏過日子一樣，帶著天長地久的形態。

　　經歷過一戰、二月革命、十月革命、國內戰爭、肅反、衛國戰爭、蘇維埃政權到蘇聯解體等等這些俄羅斯歷史上乃至世界史上的重要時期，在危機與改革相互交替的過程之中，這裏彷彿與時光無涉，凝重得顯現出滄桑後的雍容與安詳。

　　一樓客廳的煤氣吊燈下，鋪開一排長長的餐桌，上面擺著二十多副盤碟。不知有多少個白天或者夜晚，托翁的家裏高朋滿座，成為文學藝術精英們的沙龍。契科夫、列賓等一串讓人耳熟能詳的名字，在這裏與托爾斯泰探討文學和藝術，甚至激烈辯論。比托爾斯泰小十六歲的列賓常常與他發生爭執，在藝術上他們存在著不可調和的分歧。然而，這並沒有影響他們之間的友誼。他們仍然繼續交往，也繼續在所有方面發生爭論。與此同時，列賓也繼續畫著托爾斯泰的肖像畫。

　　環顧四周牆面，掛著一幅又一幅尺寸不小的油畫，多是列賓為托爾斯泰及夫人和女兒畫的肖像，既是藝術傑作，也是俄羅斯日常生活的真實反映。在與托爾斯泰交往的二十多年中，列賓為他畫過多幅寫生作品，既有

犁田耕地的素描和油畫，也有寫作中的托爾斯泰，還有長椅上的托爾斯泰、病榻上的托爾斯泰。列賓的畫筆，以簡約的構圖傳遞出作家豐富的內心，沒有虛飾。這一刻，是兩位大師心靈的接近，在文壇和藝術界留下了一段佳話。

鑲嵌在玻璃鏡框內的是畫家帕斯捷爾納克為《復活》畫的插圖原稿。托爾斯泰對俄國人民苦難的理解，對人的救贖之路和探求，對人生終極價值的關懷，深刻地影響了帕斯捷爾納克，使他先後為《復活》繪製出三十三幅插圖。這些插圖又打動和感染了對插圖要求嚴謹的托爾斯泰，同時也成就了畫家。對我來說，了解蘇俄的油畫藝術就是從文學作品的插圖開始的。

記得我第一次讀《復活》是在中學年代，人物的名字太長覺得有點難記。後來在大學重讀時，感到了俄羅斯文學的親近，「因為從那裏面，看見了被壓迫者的靈魂，的心酸，的掙扎」（魯迅）。作品圍繞主人公聶赫留朵夫為瑪絲洛娃上訴這條基本線索，透過「監獄」完成了靈魂的救贖和精神的復活。托爾斯泰描寫的貴族、農奴、囚犯、獄卒、工人、革命者等各個階層和各色各樣的人物，全景式反映了整個俄羅斯當時的社會面貌。在撕去貴族資產階級俄國的一切假面具的同時，也對俄國社會的虛偽本質進行了無情地批判。

在二樓寬敞的大廳裏，三角鋼琴邊的陳列台上，放著蕭邦、海頓、韋伯和莫扎特的樂譜，都是托爾斯泰的最愛。這個地方，也是當時里姆斯基·柯薩科夫、斯克里亞賓、拉赫瑪尼諾夫等許多著名的音樂家和作曲家到訪並演奏的地方。那是一個群星璀璨的時代。

從房間望出去的每一扇窗戶，景色都是那麼旖旎。走廊的盡頭，是托爾斯泰的書房，他為自己挑了一個最僻靜的地方。書桌擺在門口的位置，燭台、筆具、鎮紙、文件夾等文具都像沒有挪動過一樣。字跡娟秀的手稿，紙片已經發黃。陽光下的搖椅，似在等候托翁躺靠片刻。

耗時十年的《復活》是托爾斯泰在這裏完成的最後一部長篇小說，同時還創作了包括《伊凡·伊里奇之死》等在內的近百部作品。評論家們說及的這段時光，正是俄羅斯面臨深刻的社會危機，托爾斯泰創作的旺盛期，

也是他實現人生觀轉變的關鍵時期。因為《復活》最能體現托爾斯泰晚年對世界、對生活、對社會的看法。今年是《復活》問世一百二十週年，也是托爾斯泰逝世一百一十週年。

托爾斯泰當初買下這棟房子，就是因為喜歡它的後花園。秋天裏的後花園，成排成行的樹林和撒落地下的葉子，都被染上了一層金色的外衣，鋪天蓋地地如同漂亮的羽紗覆蓋了整座庭院。真的被這片金黃色的世界震撼了！我徘徊在托翁散步的小徑裏，彷彿看到山坡上托翁讀書思考的背影，聽見庭院內迴響著托翁與孩子騎自行車玩耍的笑鬧聲⋯⋯

幾隻小松鼠，驀地蹦到我的面前，又迅速跳開，它們在忙著尋找美味的松果。秋風中，片片樹葉恣意飄落，像飛舞的金色蝴蝶，為園內平添了生命的色彩。樹底下鋪蓋著一層厚厚的、金黃色的葉子，宛如一塊金燦燦的地毯。我輕輕地坐在上面，聽風踩在樹葉上沙沙作響響。陽光透過枝葉的縫隙，溫柔地灑在我的身上。

江揚簡介

香港作家聯會永遠名譽會長、中國作家協會會員。歷任《黃金時代》雜誌社記者和編輯，香港《文匯報》記者、高級記者、首席記者。出版報告文學集《九七香港風雲人物》，散文集《歲月不曾帶走》、《留住那晚的星星》等作品。

寫在汪曾祺百年

周蜜蜜

那是一九八八年的春天。我在英國參加完一個短期的電影製作培訓課程回來。由於外子在香港貿易發展局工作，被派往北京辦事處出任首席代表，我和一對小兒女也隨之而往。局方安排我們住在亮馬河畔單棟的日式小樓房，待一切安頓下來以後，我就聯繫上作家朋友孔捷生，請他約同幾位在京城內的作家朋友聚會，一起喝喝茶，聊聊天。

「你最想見誰？」捷生問。

「你認識汪曾祺嗎？我讀了他的小說《受戒》，那種不慍不火，清新雋智的筆法，很有其師沈從文之風，我實在是非常喜歡。」我說。

「哦，我認識他，還常常會見面的。」捷生說。

「太好了！請你約他老人家來吧。」我有點是迫不及待了。

捷生欣然應允，馬上約請汪老，還有張潔、李陀等大作家到一個飯館聚會。

漂亮優雅的女作家張潔和英俊挺拔的李陀大師先後來到，二人即時妙語連珠，火花不斷，現場的氣氛立刻變得熱鬧起來。

而我牽掛的是他——汪曾祺汪老先生。論資排輩，汪老的輩份是最高的，又是我的偶像級作家，不由得正襟危坐地恭候著。

不一會兒，大門外走過一個推著自行車的男子身影，捷生叫道：「汪曾祺來了！」

什麼？汪老？他竟然是騎自行車來的？這位和我母親同齡的前輩作家……

我一怔，汪老已經健步走進來了，出現在我們中間。只見他一頭花白的頭髮下，一雙眼睛炯炯有神。

捷生在一旁作介紹，我當下覺得很開心：這個汪老，完全沒有什麼老態，看起來充滿活力，簡直是比我們還要年輕！

汪老落座後，大家興致勃勃地聊了起來。汪老一點兒架子也沒有，令人感到親切溫和。我說在八個所謂的革命樣板戲中，編得最好的一個是《沙

家濱》，尤其是劇中阿慶嫂的那個唱段：「壘起七星灶，銅壺煮三江。擺開八仙桌，招待十六方。來的都是客，全憑嘴一張。相逢開口笑，過後不思量。人一走，茶就涼……」真是妙極了！

汪老笑笑說，這詞別人聽起來輕鬆，當年編寫的時候，可是要過江青那最大最險的難關。他告訴我們，那時江青親自到劇場審查劇本，就坐在他旁邊，只感到冷風颼颼地刮過來，江青板起臉孔，一句台詞一句台詞地審，「比考殿試還可怕！」

汪老繪聲繪色地說著，引發一陣陣笑聲。本來那是他人生一段相當凶險的經歷，他卻以「輕舟已過萬重山」的心態，談笑風生地憶述，足見汪老的機智聰慧與幽默。

我們邊吃邊聊，十分愉快。

不知不覺，到了散場的時候，汪老再騎上自行車，瀟灑地絕塵而去。

「他好厲害呀！這個年紀還騎著自行車獨來獨往的！」我忍不住對捷生說。

「他就是這樣，常常單人獨騎滿北京的跑，來去自如，很有勁頭！」捷生說。

我點頭默念：汪老根本就不會老，他的寫作生涯必定是很寬闊悠長的。

從北京回到香港數月後，接到詩人舒非的邀約：她在三聯出版社為汪曾祺編輯出版作品集，特別請他老人家來到了香港。為表示歡迎汪老，舒非特別邀請幾位相熟的文友，和他一起飲茶聚會。

茶聚的地點，是距離三聯書店很近的中環一間大酒樓。時值中午，繁華的中環人來車往，酒樓裏也是一片喧嘩。我提早了一些到達，也看見有一兩位文友已經在座，彼此都是一樣的心情，只想著能快一點見到可敬又有趣的汪老。

過了一會兒，舒非陪同汪老施然而至。

大家都站起來，向汪老表示敬意。

汪老卻謙和地笑笑，用手勢示意請眾人坐下來。我看見他的雙目依然炯炯有神，毫無倦怠之意。他的淡定怡然，似乎把中環的喧鬧、香港人的庸碌都鎮住了。

話匣子很快就打開了，從香港酒樓的點心、菜式、香港人的生活面貌，到京港兩地的文壇狀況、散文、小說的寫作等等，汪老和我們就像相識多年的好朋友，無拘無束，無所不談。

　　時間很快地過去，一頓茶餐已經結束，可是大家和汪老依然有聊不完的話題，都捨不得離開。但千里送君，終須一別，我們都希望汪老以後有機會多來香港，和我們多聚、多談，我們都盼望著汪老有更多的作品在香港出版，這裏實在也有他的很多讀者啊！

　　萬萬想不到，這竟然是最後一次和汪老見面。飛逝的時光，匆匆地把人帶到了一九九七年。汪老大去的惡耗突然傳來，令人難以置信：一個充滿活力和魅力的作家，完全沒有任何衰老病態，怎麼會猝然離世的呢？他的笑容、他的眼神、他的聲音，不時地湧現出來，無論如何也忘不了……

　　幸而，汪老的作品可以永遠留下來，任何時候閱讀，也不會覺得過時，哪怕是一個小小的故事、小小的人物，他都寫得活靈活現，觸動人心，展現出獨特的文學風格和感染力，歷久彌新。

　　如今，我的案頭長期放置著汪老的作品全集，不時也會翻閱細讀。

　　今年是汪老誕生一百週年，聽聞國內為他建立了紀念館，我也感到十分安慰。汪老和他的作品一樣，永遠也不老，永遠也值得好好的珍惜與懷念。

周蜜蜜簡介

又名周密密，曾任電台、電視編劇、專題電影節目編導，影評人協會理事，報刊、雜誌執行總編輯，出版社副總編輯。一九八〇年開始業餘寫作，作品在海內外發表，並且多次獲得各種獎項。至今已出版一百多本著作及多部兒童電視劇、電視節目，其中部分作品被選入中、小學教科書。現為中國作家協會會員、香港作家聯會副會長、香港作家出版社副總編輯、兒童文學藝術聯會會長、香港藝術發展局文學委員會評審員、護苗基金教育委員，世界華文文學聯會理事、香港電台節目顧問。

人生憾事——鼓浪嶼憶舊

舒非

那天傳送一張問候圖片給一位人在台北的朋友，他問「菽莊花園？」任何鼓浪嶼人一眼就可以認出來，不足為奇。這位小老弟是印尼華僑，身上流著熱情的血，我問他：「有在鼓浪嶼拍過拖嗎？」「沒有，太遺憾了！」我說我也是啊！

張愛玲說人生三大憾事：海棠不香，鰣魚有刺，《紅樓夢》未完。我說，身為鼓浪嶼人而沒在鼓浪嶼拍過拖，那應該也是人生一大遺憾！

怎麼說呢？鼓浪嶼太美了，那種美是歲月靜好的美，花前月下的美，曲徑通幽的美，而不是浩然大氣之美，更不是歷史悠久之美，前者比較小資，是更適合拍拖談戀愛的。

前面說的菽莊花園，沿著港仔後海灣建立，有白色的拱橋跨越海面，橋下蔚藍的海激起白色浪花，山上綠樹如蔭，山下鮮花盛放，風平浪靜的港仔後海灘伸向前方，拔地而起的日光岩高高聳立。假如與戀人在這樣詩情畫意的菽莊花園散步談心，那該是怎樣的愜意啊！

如果覺得菽莊花園拍拖太過光天化日引人注目，那麼可以選擇遍佈鼓浪嶼那些彎彎曲曲的小巷和小路。那些小路，常常幽靜得一個路人都沒有，只聽到從洋樓飄出來的蕭邦或者莫扎特的鋼琴曲，還有就是自己和情侶的腳步聲。

若是覺得精力十足想要出一身汗，那也容易，就去爬日光岩吧！日光岩也稱晃岩。這是一座奇岩怪石疊起的山，挺拔、俊秀，長長的石階蜿蜿蜒蜒通向山頂，每走幾步就有完全不同的景緻：山上山腳皆是樹，有木棉英雄樹，有台灣相思樹，有鳳凰木影樹，有三角梅，有大榕樹；登高俯瞰鼓浪嶼小島，遠眺廈門港，石階兩旁的巨石，石壁上刻著許多名家書法，這些作品或飄逸俊美如王羲之，或雄渾圓潤如顏真卿，或剛勁有力如柳公權，或柔美工整如歐陽詢……情侶雙雙登山，不再是小巷深處的竊竊私語，應該充滿歡笑，笑聲如銀鈴傳遍整座山林。

舒非簡介

本名蔡嘉蘋。香港詩人、作家、資深編輯。出生於福建廈門鼓浪嶼，及後移居香港。自小熱愛閱讀和書法，成長後喜愛文學藝術和電影，也酷愛旅遊，迷戀一切美好的事物。任職出版社編輯長達三十載，策劃編輯過眾多古典或現代中國文學經典和佳構，深受影響。曾在《明報》、《明報月刊》、《東方日報》、《大公報》、《星島日報》、《香港文學》、《亞洲周刊》、《BBC中文網》等媒體撰寫專欄或稿件，擔任過多個文學獎的評審。著有詩集《囈痴》和散文集《記憶中的風景》、《生命樂章》、《二水集》等。

塵垢

　　人的一生，總留下痕跡，做過什麼，說過什麼，都像塵一樣積存起來。風起時，不經意就揚起，塵埃漫飛，讓人懷念，讓人非議。

　　跟我們同住在深水埗那幢唐樓的鄰居，多半淵源深厚，故舊情誼，知道來歷，那份感情，年深月久，顏色蒼古，無法磨滅。儘管往事如線步甩脫的線裝書，紙張發黃，墨痕模糊，可是貧賤相交，彼此境況都瞭然於心，回憶便倍多悲喜了。

　　當年唐樓一屋面積約六七百呎，共四間板間房、一張上下層的碌架床位、一張吊床、一個閣仔，二十多人住在一起。有些住客憑著街招，登門察看一番才決定搬進來。有些繫於感情，彼此素有往來，知道唐樓環境，只要有人搬出，不假思索就搬來，然後安心繫根，張姨就是後者。

　　母親帶著兄姐和腹中的我，從鄉下來港，在基隆街一幢木樓租賃了中間房，業主是張姨的父母。一對老人家，耳朵不靈，扯直喉嚨跟兩老說話都無法入耳，住客背地裏竟稱他倆為「聾公聾婆」，這稱謂有欠敦厚，也反映了住客的水平。

　　張姨帶著一子一女住在娘家，生活仰給，大概來自父母，這當然不尋常了。我們在木樓住了兩三年便搬到汝洲街，後來偶然探望，那幢木樓仍有印象。樓梯板踏上去就吱吱叫，騎樓寬敞光猛，最令我好奇是一具炭燒熨斗，它有時冒著煙來回於熨衣板上，有時擱在一角等待冷卻，熨斗好像是黃銅造的，其實當時熨斗已電器化了。

　　張婆婆麻雀癮大，與我母親在麻雀枱上為友。她僂著腰，上身前傾，老花眼鏡與十三隻麻雀距離僅數吋。張公公半臥在躺椅上，或看報紙，或打瞌睡；他手腳長長的，人老了，五官仍然好看。家務落在張姨身上，她也喜歡玩麻雀，但是從未見她落場，她只站麻雀枱後面旁觀。像許多失聰者一樣，張婆婆嗓門大，對這女兒尤其聲高語促，甚至凶巴巴的，動不動就搶白幾句。張姨的女兒隨母姓，我叫她雲姐；她五官精緻，似張公公。那時女孩流行的玩意是用硬卡紙為模特兒，另有數套紙製華麗衣裳供替換，雖然不比今天身穿綾羅綢緞的芭比（Barbie），但是已很開心了；雲姐大方，

讓我一起玩。

好幾年後，張姨攜雲姐租賃我家床位下層，因為兩老去世，木樓也拆卸了。我父親是包租，熟人熟路，明白對方脾性，大家放心，他們也不用受二房東欺負。床位下層，三呎闊，單人床，母女相依。牆上安裝鐵角臂，加上層板，可以儲放衣物。床位兩側靠牆，另兩側垂下可拉動的布簾，更衣和睡覺才拉上。雲姐就讀於大角嘴的詩歌舞街官立小學，學校開放日曾帶我參觀。張姨也在詩歌舞街葛量洪夫人新村裏做清潔，全屋以她出門最早，午後已下班，回來總是先洗澡，午間寂靜，正好不是廁所使用的高峰期。她們吃飯時，就借用我們三張小板凳，圓形搪瓷大盤盛著飯餸，母女走廊對坐而吃，飯香在空氣不大流通的走廊份外飄香。張姨的兒子已是學徒，住在工廠。

我長得矮小，走路慢，步行往小學要走一大段沒有瓦遮頭的路，父親讓我坐保姆車上學，這是我童年唯一的豪華。有回司機繞路，不知怎的繞過詩歌舞街，車停下來，竟隔著車窗看見張姨在屋邨露天的地方掃地。她穿上深藍制服，身型好像比平日更臃腫，頭髮也更凌亂，執著掃把……我分明知道她做清潔，卻從未想像過實際情況，原來知道跟親眼看到是兩回事。一時感觸，哭起來，司機奇怪，忙問：「你不舒服嗎？」我搖頭拭淚。張姨剛好抬頭望過來，多希望她看不見我。

此後她每次下班入廁所洗澡，我總有點難過。我姑婆在工廠車衣，眼力體力都消耗，但到底不用接觸塵垢。除塵去垢，技術性低，在工種中最卑微，待遇也很差，任何人都會稱呼為「垃圾婆」，把最骯髒的垃圾與人扣連在一起，多叫人難堪的稱呼啊。

唐樓人多嘴雜，背後提起張姨之時，總有些譏誚。未婚而生養孩子，在那年代怎不遭歧視呢？她的過去，像塵垢，偶爾會給抖出來，再用腳踐踏幾下才罷休似的。雖然鄰居也跟張姨打麻雀，然而骨子裏頭是看不起的。不過也有善良的忠告，鄰戶婆婆曾教誨雲姐：「你媽媽跟別人不同，所以你要幫忙媽媽，屋邨每禮拜都要洗地，你哥哥常常去幫媽媽一起洗，你也去幫吧。」聲音低緩，一番好意，說得雲姐眼圈紅了，卻依然不肯去。由於路過而發現張姨工作的地點，那兒太接近她的學校了，她內心一定非常

掙扎的。

　　雲姐小學畢業，正值香港製衣業黃金年代。她手腳麻利，車衣以量計算工資，何愁收入？加上眼神和言語都流露堅強，老闆、管工都不敢欺負，儼然是六七十年代在職婦女的典型。我也漸漸長大，需要一些女性用品，雲姐識途老馬，帶我去北河街小販攤子選購有蕾絲花邊的內衣。不久鄰戶婆婆那邊有房出租，她們便搬去，還買了電視機，成為第一戶擁有電視的鄰居。一台十四吋電視放櫃子上，房間晚上可熱鬧了，我們都擠過去看《歡樂今宵》。那光景也許算不上吐氣揚眉，到底漸漸脫貧，透出曙光。

　　張姨有好幾個兄弟姐妹，在最貧賤時，誰都沒有施以援手，僅在拜年才聚聚。孩子生下來，沒有棄之保良局門外；父母離世，木樓湮沒，頓失依靠，竟在污塵和發臭的垃圾中撐持著，承擔了千古恨。

　　雲姐和她哥哥都很早就成家，想是母親慈愛，盡量保護，上一代的陰影不致令兄妹不信任愛情。他們也很幸運，早就買了居者有其屋，成為中產，不再是遭白眼的孤兒。可惜張姨六十出頭就肺積水去世，離世那一刻兒子傷心得當場昏倒。媽媽洗滌塵垢的艱苦，與及種種屈辱，兒子深切體會，即使年輕體健，也不勝徹骨之痛。昏倒是激情的永別儀式。

　　張姨積下塵垢那幾年，我還未出世。她穿深藍制服，半彎著腰掃除塵垢之時，我無意中目睹了，如今猶歷歷在目，變成見證。命運，她選擇了承擔；晚年安順，是承擔命運之後的命運。天天掃除，自我救贖，塵垢亦應化作無垢了吧。

黃秀蓮簡介

廣東開平人，中文大學崇基學院中文系畢業，從事散文寫作，獲中文文學獎及雙年獎散文組獎項，並任中文大學圖書館「九十風華帝女花──任白珍藏展」策展人。著有散文集《灑淚暗牽袍》、《歲月如煙》、《此生或不虛度》、《風雨蕭瑟上學路》、《翠篷紅衫人力車》、《生時不負樹中盟》、《玉墜》七本，數篇散文獲選入中學教科書教材。

相知十三載　清水亦陶然

閻陽生

陶公說：香港文化根繫大陸。反過來葉茂也可護根。

下面香港總編和大陸作者的交往雖清淡如水卻銘記於心。是以紀念陶然逝世周年。

二〇一九年三月九日陶然去世。我心中暗暗一驚。就在上個月初，我還專電《字游》傅曉：陶然先生是否到深圳參加會館的揭幕儀式？

去年在港澳開完國際研討會後，我即應諾赴美踏上《阿姆斯特丹號》一百二十四天的環球之旅。但在這條豪華巨輪上居然沒有微信——這大概就是主人讓你忘掉凡塵的初衷。「霸氣十足」的即時連載：《帶著帕金森環遊世界》，從一開始就「胎死腹中」。

那晚，我正飄在南太平洋上發呆，夕陽給遠去的波利尼西亞群島鑲上一圈金邊。粉紅色的沙灘，擦身而過的鯊魚……又一摞鬱積的文字無法發出。忽然，手機上閃現出彭潔明秘書長的一串資訊：《香港文學》總編陶然急著打聽我的去向……

相知二〇〇六

但苦於大陸不願擔「政治風險」，港澳不願受「經濟損失」。史鐵生勸我分割成個人延伸為傳記，各自刊登再合為專輯。我又不甘心割捨。眼看「十年面壁」，功虧一簣。這時傳來《香港文學》準備刊登書稿的序言〈為什麼是清華附中？〉。

於是我知道了有個陶然。那我不明白為什麼一個純文學的香港雜誌，要刊登一個大陸作者沉重的歷史研究。後來據推薦此書的文史學者余汝信講，陶然是抱著一種讀散文詩的感覺，去讀這篇論文的：當我們越過歷史的煙雲回望文化大革命時……

相見二〇〇九

這篇文字使我沒有重蹈「歷史留白」。在心底蕩漾著一種輕鬆的感激。在二〇〇九年，我應潘總邀請來香港宣讀旅遊文學的論文時，我已用「分而發表」奠定了文史學者的地位，「一個赤腳醫生的傳奇」等，被稱為「知

青三傑」十年不衰。

我在香港作家聯會舉行的晚宴上，見到了陶然。積存在內心三年的感激之情，見面時卻化為會心一笑。我居然聯想到李敖的詩句：「就因為多看了你一眼」。但和台灣「內秀外陋」的怪才（李敖、凌峰、趙傳等等）相比，他相貌清秀，言談之中還略帶羞澀。

他作為香港的首席詩人和作聯副會長，曾獲得多項國際殊榮。但每次聚會，都要最後才找到他。和我的特立獨行相反，他喜歡躲在角落裏觀察這個世界，享受著內心深處的那份孤獨。他的詩句中，也自然流淌著這種孤獨之美。

相交二〇一七

真正理解孤獨並和孤獨共處，是在我患帕金森和抑鬱症後。二〇一三年，我倒在宣讀論文的講台前。二〇一五年缺席，潘總來電：「甚憾」！二〇一七年，復歸。余秋雨看著我憔悴的臉龐說：「你的手很溫暖，說明很健康」。不斷擴大的研討會熱鬧起來。

我茫然四顧，看到陶然。感謝他沒有提起帕金森。其實我很想訴說：當我登上馬丘比丘之巔，觸摸著粗糙的石拱門時，胸中滾動著灼熱的詩句。但他顯得有些落落寡歡。好在我們是相知早於相識，在一起不說話也不尷尬的那類人。

再說追到環球郵輪的那一串電訊。陶然以夜班總編的急切，索要照片簽名，以配圖登刊我悼念余光中的一首小詩。我腦子裏馬上浮現出雜誌清雅唯美的封面，和連一首十四行詩都要做到極致的文字潔癖。

這在我進退兩難的糾結中，猶如不期而至的一縷清風。而那首長短句，雖是得知余光中去世，有感而發當即揮筆，開頭卻幾乎是白話：「一杯苦咖啡，／我們什麼都談，／就是不敢問鄉愁。」

但接著激越起伏，連韻腳都變了：「翻開史卷，大漠孤煙陽關路斷，／鐵馬冰河鎮雪山！／合上余詩，唯有一闋吳儂軟語／……鄉思淡淡。」

「說什麼，一統天下，平夷和番，／抵不過，半張舊船票，／票根在心裏，新娘／──在天邊。」

悼余詩如潮。為何選中她？更何況有這樣荒誕脫群、不拘格律句子。或許是因為對小詩關照的物件余光中的深刻理解？

相別二〇一九

　　我給陶然寫了一封信，感謝採用拙稿，但更希望得到批評。建議和最早評介的林家驪教授，以此詩為案例，開展一場以編者、讀者、作者三合一的文學批評。沒有得到回信。整整一年沒有音訊。

　　其實我是一個「最有資格被批判」的人。即使為這次理事會的應景發言，我報的題目《退中求進──網路文學的前景和實踐》，也讓秘書處嚇了一跳，提示我每人只有三分鐘。實際我講了五分鐘，感覺到輪值主席張雙慶站在背後不忍心打斷我。

　　我以轉型實踐中的種種疑惑提出：我們處在一個咨嗇文字、全民點「讚」的網路時代。也是一個最需要文學批評的轉型期。世界旅遊文學聯合會學者雲集，《香港文學》版面靈活……我要再寫一封信給陶然。

　　我打開電腦，看到的卻是陶公去世的消息。從相識四十五年的陳浩泉，到兩天前還共進午餐的潘總，無不震撼。

　　讓他靜靜地走吧！帶著如訴的詩歌和如詩的夢想──

　　　　　　　　　　　　　　　二〇一九年三月九日──清明初稿

端午是紀念詩人的日子。謹以此獻給天國裏的陶然先生。

相識方十載，相知十三年。

相交淡如許，相別亦陶然。

　　　　　　　　　　　　　　　二〇一九年六月六日──端午縮寫

閻陽生簡介

一九四七年十一月十四日生。祖籍山西磧口。獨立撰稿人和文史研究者。一九八二年畢業於北京建築大學市政系。一九八六年至一九八八年赴聯邦德國研修城市生態和環境工程。曾任北京科技研究院業務處長，全國工商聯執委、宣教部副部長，《中國工商》總編輯。教授職稱。一九七七年恢復高考，被譽為「十年一屆的文章狀元」。退休後「帶著帕金森」環遊世界。著有《清華附中紅衛兵一百天》、《中國高考史上的兩次重要變革（手稿中博館藏）》、《觀星斷想──瞬間的永恆》、《我的兩次大串聯》、《一個知青偶像的沉浮》，另有中央台《冬天裏的春天》、《魯豫有約》等專題片。二〇〇九年當選為世界華文旅遊文學聯會理事。二〇二〇年《財新週刊》聘為專欄作家。

大澳花燈夜

林馥

　　十月初適逢中秋佳節再加國慶假期，因連續假期加四人限聚令下，與三位朋友在酒店西餐廳吃個豐富的午餐，在 COVID 19 的陰霾之下，外出用餐有感染病毒風險，但留在家中太久又感覺疲勞，在全城 COVID-19 的抗疫中也要出來透透氣舒展身心！

　　吃過午餐後，友人提議去大澳看花燈，因從網上得知，一連多天大澳有花燈展，今次花燈的特色是由人手繪畫出不同圖案，很有本土特色。

　　從尖沙咀坐地鐵去荔景站轉東涌線，在東涌地鐵站外轉乘十一號巴士去大澳。我向站務員說是去大澳看花燈，站務員說大澳的花燈並不多，站務員可能是大澳居民，否則怎會知道大澳的花燈情況，無論如何，我們有了心理準備，沒有太大期望，就不會有太大失望！

　　我們來到大澳，天朗氣清真是郊遊時刻，在大澳市集已經聚集很多人，在限聚令下已分不清是幾多人一組，疫情下人群個個戴上口罩，在大澳的街中小巷行走。店舖門前掛上幾盞花燈。我們來到街尾，發現有些人從一個鐵絲網缺口走出外灘，我們也跟隨走出去看，外灘的堤道沒有人工修飾，走上去有很多凹凸不平的石頭，所以要步步為營免得被石頭絆倒，來到前灘發現大澳原來有如此美麗的景色，橘紅色的落日餘暉美景真是如詩如畫！大家趕快舉起手機在太陽西下前捕捉美麗的一刻。

　　來到一間門口有幾個人排隊的豆漿店，這間可能是江湖傳聞好味的豆漿店。店舖老闆很快安排我們入坐，我們全選擇這裏招牌豆腐花及三色糕，吃完豆腐花天色已暗，也是花燈展的開始吧！正想找路人問花燈展在那裏，就被我們發現原來在我們吃豆腐花店舖後方一條街，這條街叫吉慶街，聽起來有喜洋洋的氣氛。

　　進入吉慶街已經看到各式各類的燈籠高高掛而且已聚集着一大群賞燈人，眾人似乎熱切期待亮燈儀式，而坐在店舖門口的原居民就戲謔說：「今晚不開燈了！」

　　我們知道他是講笑，所以向他一笑置之。若然是真的恐怕令一眾呆等

多時的賞燈客立刻失望而鼓譟！原本說是六點半亮燈，但未到預期時間，花燈霎時亮起，一條長長燈海在眼前，眾人一齊歡呼喝采。在限聚令下，各人互不相識，但似乎有共同動作，就是立刻舉起手機拍攝。有在場的原居民說這些花燈是民間自發掛上去的，而且每盞花燈也是人手親自繪畫出來，每個花燈都是獨一無二圖案，每年中秋大澳花燈展，但今次特別多人，可能今年疫情令很多香港人無法出外旅遊，香港人的活動只局限於在香港九龍新界離島，大澳的一年一度的花燈節，吸引四方八面市民前往，不是沒有道理。我們沿着掛滿花燈的吉慶街拍攝，燈籠由人手繪畫的圖案有節日字句，有狗有貓有人像圖案，可能是人手繪畫，觀賞起來有種暖意！幸好這幾天沒有下雨，否則浪費了一班為節日增添氣氛的有心人士。

因只有一條巴士線出入東涌，在回程時發現巴士站已有一條長長人龍，當天晚上風和月麗，天朗氣清等巴士並不辛苦。一邊排隊一邊觀賞中秋的月亮，當晚的月亮特別圓，想用手機拍攝這一刻的月光，但拍攝出來的月亮總是不清晰，總沒有用肉眼睇般真實，所以放棄拍攝。最後我們用了一個多小時才上到巴士，總括來說在月亮的陪伴下再加上清風送爽，雖然候車時間長，在眾人守秩序下，一邊行一邊觀星望月談笑風生，感覺排隊也是一種樂事！

林馥簡介

香港女作家，香港作家聯會會員、鑪峰文藝社會員、華文微型小說學會會員及香港小說學會會長。作品有長篇小說《偷心野丫頭》、《宇宙傳說》、《網路巡邏隊長》等。

口罩下的面容

　　走進麥當勞，在麥咖啡的櫃台買了一杯黑咖啡，然後在一個我平時坐慣的臨窗的位置坐下。窗外，冬日的陽光靜靜地流淌。路上行人也靜靜地走着，看不見臉上的表情，喜怒哀樂都蒙在口罩裏。

　　一對年輕的男女推門而入，女的個子高高、體態豐滿，男的也十分高大魁梧。兩人都戴着口罩，看不到他們的長相。新冠肺炎正在世界各地蔓延，受感染的人數不斷上升。香港人心惶惶，每個人上街都戴着口罩。口罩十分短缺，商店一有貨旋即就被搶購一空。一聽說某商店第二天將有口罩供應，許多人甚至通宵在店門口排隊，只求能買到供應量本來就不多的口罩。我取出最新一期的詩歌刊物，一邊呷著苦澀的咖啡，一邊品味晦澀的詩作。

　　「阿伯，阿伯，您沒有口罩！我送您一個。」一個女性的聲音將我從詩歌的語言泥淖中拉拔出來。抬起頭來，看到一個沒戴口罩的老伯正朝著門口走去，剛才那位高大豐滿的女子從後面追了上來，手裏拿著一包裝著口罩的膠袋，讓老伯從中取走一個。我不禁端詳一下這個女子，無法完全看到她的長相，只看到口罩外細嫩的皮膚和一雙柔情的眼睛。

　　這位女子送口罩的舉動令我想起了幾天前的親身經歷。那天，我在一個商場裏走着，沒戴口罩。有兩個一男一女年約二十歲的年輕人走上前來，也是拿出一個裝有口罩的膠袋，說要送我一個口罩。我一時反應不過來，猶疑地看著那一疊口罩。「乾淨的」，男孩似乎看穿我的心思。我歉意地笑笑，告訴他們其實我也有口罩，要他們將口罩送給真正有需要的人。望著他們離去的背影，我為自己剛才的反應感到羞愧。或許是因為沒有想到在口罩如此短缺的情況下，有人會在街上分享他們自己的存量可能也不多的口罩。

　　呷一口咖啡，麥咖啡的黑咖啡其實挺不錯，苦澀中含著濃濃的餘香。但並非所有晦澀的詩歌，在語法錯亂的文字下都含有濃郁的詩意。艱難地讀了幾首，我又想起一些往事。不知何故，我常遇到一些想幫我的好心人。莫非我的外表看起來像一個落魄潦倒的失業漢，格外惹人同情？

大約兩、三年前，有一天我在中文大學講完課後，在一個餐廳裏喝咖啡看書。那天，正是一年中最冷的幾天。中大座落在山上，氣溫大概只有五、六度，又下著小雨，濕冷濕冷的。我跟平時一樣，只穿一件短袖 T 恤。沒坐多久，一位年約五十多歲的女士走過來，看模樣像是中大的教授。她遞給我兩片暖身貼，叫我貼在背上，說會非常暖和。我愣了一下，立刻感謝她的好意，然後解釋說我不是忘了帶衣服，而是一年四季都這樣穿，鍛煉身體。

又有一次，也是在中大，也是一年中最冷的幾天，也是下著毛毛細雨，也是穿著一件短袖 T 恤。我沒帶雨傘，在校園中冒雨走著。一位中年女士從後面趕上我，看樣子像是中大的職工。她遞了一條不知是披肩還是圍巾給我，說披在身上會暖和一些，聊勝於無。我又要對她解釋一番，說十幾年來，我從未穿過長袖，從未穿過兩件衣服，無論氣溫多少度，都只穿一件短袖 T 恤，並且洗冷水澡，因此習慣了。那天，儘管下着淒風苦雨，冰冷的雨絲落在我的臉上，落在我裸露的手臂上，我只覺得涼快。走著走著，突然想到很久以前讀過的一首詩，內容忘了，只記得詩名：校園下着太陽雨。

今年冬天特別暖和，窗外陽光明媚。我又讀了幾首詩，每一期發表在文學刊物上的詩歌，大多味同嚼……劣質咖啡豆。但偶而也會讀到一些詩意濃郁、意境雋永的作品。每遇到這樣的作品，我總會一讀再讀、細細品味。

一個熟悉的身影在我眼角晃過，那一對高個子的年輕男女正離開麥當勞。他們依然戴着口罩，無法看到他們的容貌。我只能依靠想像力，想像著口罩下面所遮蔽的兩張俊美的面容。透過窗玻璃，我目送他們離去，女的親昵地挽著男的手臂，慢慢地消失。久久，我仍在細細品味女子微微擺動的腰身和男子堅實沉穩的步履。

張海澎簡介

香港中文大學哲學系文學士及哲學碩士，香港大學哲學博士，目前在香港中文大學任兼職講師，教授邏輯學、思考方法等。

二訪沈從文

胡少璋

移居澳洲已有五年，從香港托運來的二十個大紙皮箱，裝衣物及生活用品的箱子都打開取物了，只有一些紙箱從來沒有開箱動過。在此次新冠肺炎瘟疫期間，我一箱一箱地打開處理無用的廢物，不覺間發現幾袋書稿、文件及照片。其中一張紙上有沈從文寫的東歪西倒的字，由此，我的腦子裏即浮現出一九八四年八月一日及九日下午四點兩次訪問沈從文的情景：

開門的是沈夫人張兆和老師，門一開，我就看到八十高齡的沈從文老先生斜坐在一張有扶手的藤椅上，頭頂上即是一塊長方形的大木板吊在牆上面。張老師即發現我注目著這塊大木板，即對我解釋道，這是我孫女睡的吊床。又指著沈老說，他剛從醫院回來不久，你不要與他談太久，最多半個鐘頭，越快越好，況且今天來訪的人多。

沈夫人又說，因為房子太小，給來訪的人帶來許多不便，十分對不起，上次他生病，要住醫院因為樓梯太窄，又是在四樓，擔架床不能轉彎，只好叫人背下樓去。

因為，沈老患有腦溢血、偏癱，不能行走。不能多說話，口齒又極為含糊不清。再是他說的話不連貫，斷斷續續的，我根本聽不懂，所以，每句話都要張老師翻譯。

張老師問我，你要問他什麼，你講給我聽，我說我是胡也頻的侄兒胡少璋，是從福建福州來的，要問沈老以前與胡也頻交往的事情。她即問我在北京的時間有多久，如果可以就下星期再來。因為，我要預先對他說，好讓他作好準備。這時剛好外面有人敲門，張老師一打開門，我就看見幾個人手裏拿著綢緞的古服飾。他們是從浙江來的，是要沈老鑑定真偽。

當我正要離開時，突然沈老又依依呀呀地說了些什麼，夫人即在我的耳旁說「他要你不要對你伯母丁玲說你來過這裏。」我點頭承諾。於是，張老師即告訴我，拍下照片就先走吧，下星期再來。

走出沈家後，我在想，社科院的宿舍就是這樣的嗎？原來世界著名的作家也只住這樣的呢？不是說《中國古代衣飾研究》一書出版後轟動了國

內外，沈氏成了國寶，怎麼還是住在這裏？怕丁玲知道我去他那裏，可能是因為他寫的《記丁玲》一書引發起兩人反目，不願再因我來訪又惹來麻煩。

沈老原是賣馬草出身的將軍沈宏富（投軍曾國藩門下，因英勇善戰被提升為將校）的後裔，他也是行伍出身的，沒有讀過多少書，竟然成了著名的作家。後來不願再操筆杆子了，就被分配到故宮博物館工作。接觸了古代的紡織品，經其專注、鑽研後，竟然成了古代服飾的鑑定專家。而那些拿著古代服飾來要他做鑑定的人，以現在來說，可能不是博士也是碩士，最起碼也是大學歷史系考古專業畢業的專業人員。

可見一個人的成就不是靠一張文憑，靠學什麼專業，而是靠自學、靠努力鑽研、靠才能智慧，甚至可以說靠天才。

當今世界時興「士」，什麼院士、博士、碩士等等。可是沈從文卻什麼「士」也沒有，如果要說「士」，他可是「士」中的一個兵，士兵。

我第二次去沈老家，是八月九日下午。這天沈老精神很好，與我握手說歡迎之後，第一句話是問我，上次你來這裏，你沒有告訴丁玲吧。我說沒有，他笑了，放心了。於是，他對我說起當時在北京時與胡也頻認識後相處的一些情況。

每當他說一個人物，如孫伏園、項拙、李劫人等時，他就在放在藤籮椅的扶手上的紙上寫了名字。在談到胡氏讀的書的書名如《馬丹波娃利》、《人心》、《小人物》等時，他又寫出了書名。雖然沈老談的內容不多，但對後人研究胡也頻卻是很珍貴的資料。談話間，他也問了我們胡氏家族現在的情況及我的工作等。

今天談話的時間比較長，內容也比較多，沈老的精神比較好，心情也比較愉快，所以張老師翻譯得也比較輕鬆。

沈老在談了他所記憶中的胡也頻之後，問我在福州是住機關宿舍，還是住祖屋？我回答說，我們是向國家租房子住的，已經沒有祖屋了。三十年代，你們三人在上海辦紅黑出版社時，我祖父賣了祖屋拿出一千塊銀元，你不記得了嗎？

接著我說，以後有機會我想去參觀你渡過童年時光的祖屋。他無言以

對，沒有任何表情，我當時覺得其中必有內情。後來我才知道，因為他的上代是封建官僚，所以房子被國家改造沒收了。

　　談話到此，沈夫人笑著開門送客，門一開，外面又有好幾個人在等候，並且大包、小包的放在地上，原來他們聽到屋裏有談話的聲音不敢敲門。他們是從西安等地來的，也是要沈老做鑑定的。事情真巧，事隔二十年後，我應邀到湖南開會，會議結束後，我即赴沈從文的故鄉鳳凰古城去旅遊，參觀了坐落在中營街二十四號的「沈從文故居」。這座湘西木質結構的四合院共有十個房間，佔地六百平方米，於同治五年建成。聞名世界的文學家沈從文，就在這裏渡過童年的時光。走出故居，我就去拜謁在聽濤山上的沈從文墓地。它給我最深刻的印象是，在花叢中有一塊天然的摺扇形的五彩石，石上刻有四行題詞：

　　「照我思索 能理解我 照我思索 可認識人」下面署：沈從文

　　如今，我在思索著一個問題，鑑定文物也應當鑑定人物，沈從文生前有沒有鑑定過自己複雜的一生？石上這四行題詞不是分明要後人去理解他，去認識他嗎。

胡少璋簡介

一九四一年生，福建省福州市人，六十年代畢業於福建師範大學中文系，一九八七年加入福建省作家協會，一九八九年定居香港，曾任《香港文學》雜誌編輯、《大公報》編輯、《統一報》總編輯及港英政府、香港特區政府藝術發展局審批員。歷任香港書評家協會創會會長。著有《胡也頻的生活與創作》、《胡也頻的少年時代》、《胡少璋雜文選》、《香港的風》、《香港的腦和手》等。曾在前蘇聯莫斯科大學出版社出版過由莫斯科大學東方語言學院教授馬特柯夫翻譯的兩本書。現定居澳大利亞。一九九一年寫的《香港的風》獲《人民日報》等海內外「共愛中華」徵文比賽金牌獎，二○二一年六月在澳洲悉尼出版《胡少璋散文選》。

七十歲壽辰漫筆

凌鼎年

今天是二〇二〇年六月十日，我的生日，七十歲生日。

唐代杜甫《曲江》詩中就有「人生七十古來稀」的名句，可見這說法一千二百多年前就有了，就流傳開了。

兒時，覺得七十歲是個很老很老的年紀，對自己來說，是個很遙遠很遙遠的事。沒想到，一晃，似乎也就是眨眼的工夫，自己竟邁入古來稀的年紀了。真快，快得都不敢相信。

孔子嘗言：「三十而立，四十而不惑，五十而知天命，六十而耳順，七十而從心所欲，不逾矩。」所以七十亦可言不逾矩之年。在中國古代，若在朝廷為官，通常七十歲交還官職，回家恩養，稱之為致仕。也有稱為致事、致政、休致的。最早源於周代，大約到漢，逐漸形成制度。古代沒有汽車，官員出行乘轎，辭官退休就意味著把平時坐的的車收起來，懸起來，故也叫懸車之年。因為老了，要用拐杖，也有稱杖國之年，或致事之年、致政之年的。

在中國民間，六十歲之前，一般叫過生日，到了六十歲，滿了一花甲，才可以稱之為做壽。我七十年代在微山湖畔的煤礦工作過，那裏的本地老人，到了六十歲，兒女們就做件大紅棉襖孝敬老人。也就是說，凡穿紅棉襖的就是老人了。若活到六十一歲，碰到有人問：今年高齡？答曰：一歲。因為當地風俗，活到六十歲，就活夠本了，過了六十歲，就是新生，每一年都是賺的。

有的地方，民間有禁忌，四十歲、五十歲不過生日，怕閻王惦記。如今生活條件好了，醫療條件好了，壽命長了，有的地方六十歲也不做壽，以免被黑白無常帶走，還是怕折壽。而到七十歲，就算是大壽了，無顧忌了，就可熱熱鬧鬧地賀壽祝壽了。

不過，民間還有「做九不做十」的習俗，或叫「慶九不慶十」。因為「九」是數中之極，為最大數，「九」與「久」諧音，解讀為「天長地久」，好口彩。故民間向來有「慶九」說法。也有一說，「男做九，女做十」。

七十歲，在民間為「大壽」，八十為「上壽」，九十歲為「老壽」，

百歲為「期頤壽」。還有七十七歲稱「喜壽」，八十歲稱「傘壽」，八十一歲稱「半壽」，八十八歲稱「米壽」，九十九歲稱「白壽」，一百零八歲稱「茶壽」等。

我這人，連節假日都沒有什麼概念，生日、做壽更是無所謂，幾乎從來不關注，最多老婆下碗麵，或兒子買個蛋糕來。

有學生、朋友在我快六十歲時就說要給為做壽，我謝絕了。今年七十歲了，兒子知道我臭脾氣，來徵求我意見，要不要設宴賀壽做一下？我說：不做。一家子聚一下，吃碗麵就可以了。連兄弟姐姐也沒驚動。

沒人知道，一身輕鬆，七十歲生日這天，我像往常一樣騎車去工作室，安安靜靜地寫下了這篇〈七十壽辰漫筆〉。

意外的是，今天還是接連收到多位文友的微信，祝我生日快樂！

我給我自己的生日禮物是在六月八日完成了整理出《凌鼎年文學創作大事記》，與《凌鼎年文學創作目錄》。前前後後，花了一個多月時間呢。

進入四月，疫情控制，好事漸來，有教授的國家級課題《世界華文微型小說綜合研究》中，有《微型小說名家年譜》一項，說要為我做《凌鼎年文學創作年譜》；還有文友要為我出版《凌鼎年評傳》。這都需要做不少基礎性的準備，我不能拂了朋友的美意，就放下手頭創作，開始整理自己的文學創作大事記，這還不算費力，因為我從二〇〇〇年開始寫年度個人盤點，期間也寫過個人文學創作大事記，只是不夠詳細，不夠規範而已，只要補充、完善即可。

關於文學原創目錄，早就想整理，但考慮到微型小說與長篇小說、中短篇小說不同，零零散散，很龐雜，就視為畏途，遲遲沒有動手，並一拖再拖。我知道，沒有創作目錄，寫評傳的研究者就無法全面了解我，巧媳婦難為無米之炊嘛。這次算是個動力，加之疫情關係，宅在家不出門，也有時間，就下決心整理。原以為十天八天，最多半個月就能搞定，結果一上手才發現是個不小的工程，竟從四月份弄到六月份，才大功告成。

整理創作目錄，一九九〇年後還好，我自煤礦調回太倉後，就開始每年做台賬，有三本，按年記錄，一本哪天創作了什麼作品，一本哪天投稿給哪家報刊，一本哪天有什麼作品發表在哪家報刊上了，隨時記錄，清清

楚楚，變成電子版花點時間罷了。但一九八〇至一九八九年這十年只有發表作品的記錄，但好在每一篇發表的作品，我同時記錄了何年何月何日投稿的，這樣基本上能查出作品是哪一年那月寫的。但還是有差錯與遺漏，後來乾脆翻看了這十年的日記，一日日查，總算基本查清，只是有的日記太簡單，諸如「爬格子一天」，沒有記寫了什麼，或記了「寫詩歌五首」，只寫了一首題目，其餘四首只能憑記憶了，而記憶有時是靠不住的，好記性不如爛筆頭，太對了。

最麻煩的是一九七〇年到一九七九年這十年，日記已不在了，也沒有其他什麼文字記錄，只能根據能找到的底稿來查核寫於何年何月何日，麻煩的是，不是每份底稿上都有日期。這樣，年份或許有所保證，日月就一筆糊塗賬了。

還有，我從太倉到微山湖煤礦打工，從煤礦住集體宿舍，到結婚搬離集體宿舍，再到分到單位新房，再搬家，調回家鄉太倉遠途搬家，市政府分到房子又搬家，我自己買了新房再搬家，前前後後搬了六次。加之我辦公室、工作室也搬了三次，搬來搬去，處理雜物，有些底稿就搬沒了。有些書稿應該在，但不知塞在哪個文件袋，或放在哪個紙板箱了，哪個抽斗裏，一時找不見也正常，只能找到多少整理多少，但也算不錯，翻箱倒櫃，整理出七千四百多篇（首），我看了一下，主要是七十年代、八十年代的稿子不全，有的雖然找到了底稿，但沒有日期，只能推斷大概是哪一年寫的，不過好在大部分底稿上有日期。

我分了小說、散文、詩歌三個文檔，按年月排列目錄。其中，中篇小說九篇，短篇小說一百一十三篇，微型小說一七百二十七篇；散文、隨筆、雜文、報告文學三千三百四十三篇，評論七百三十六篇，詩歌一千一百九十首，代序三百二十三篇。開始，散文、評論是歸一起的，為了不雜糅，乾脆把評論獨立出來，再把代序也分了出來，雖然增加了工作量，但看上去更一目了然。

還有一件好事是有搞出版的朋友要為我出版《凌鼎年文集》，估計是館配，館配需要量，二三十本划不來，只有達到四五十本，書商才會有興趣。而作家中，能一下子出版四五十本的畢竟不多。微型小說作家中，更是鳳

毛麟角。按我一千萬以上的字數，出版四五十本應該沒有問題。如果能出，也算是對自己最好的賀壽之禮。但問題來了，七八十年代的基本沒有電子版，一九九〇年到二〇〇四年的稿，有電子版，但都在磁盤裏，電腦菜鳥級的我，沒有本事轉化為沃特版，如果全部打印出來，工作量實在太大，只能一步步來。

但還是很高興，一則身體尚可，健身健飯。用我自己總結的，吃得下，拉得出，睡得著，走得動；二則還沒有江郎才盡，還有創作熱情、激情，有寫不完的題材。

小小的遺憾是，本來江西教育出版社有小說集一本、內蒙古教育出版社有隨筆集一本、中國民族文化出版社有散文集一本都要在上半年出版，正好權當七十壽辰的禮物，因了疫情，都要拖到下半年出版。

《康熙王朝》片頭曲《我真的還想再活五百年》，那是帝王的夢想。我輩小民，能再寫三十年就是上天最大的眷顧，天大的福分嘍，就比獲諾貝爾文學獎還高興呢。

二〇二〇年六月十日十八時三十分於太倉先飛齋

凌鼎年簡介

中國作協會員、世界華文微型小說研究會會長、作家網副總編。曾獲「世界華文微型小說大賽最高獎」、「冰心兒童圖書獎」、「紫金山文學獎」、「吳承恩文學獎」等兩百多個獎項；更被上海世博會聯合國館 UNITAR 周論壇組委會授予「世界華文微型小說創新發展領軍人物金獎」、全美中國作家聯誼會授予「世界華文微型小說大師」獎。

雞足山，徐霞客萬里遐征的最後身影

孫重貴

我決定去雞足山——我魂牽夢縈的雞足山。

雞足山的赫赫名聲，我早已知曉。因為我極為崇拜的一位古人——明朝地理學家、旅行家和文學家徐霞客，就是在雞足山寫下了千古奇書《徐霞客遊記》的最後篇章。

徐霞客（一五八七－一六四一），畢生獻身於地理考察和旅遊探險事業，足跡遍佈明代設治的兩京十三布政司，留下六十餘萬字的《徐霞客遊記》，描繪了中華大地的自然之美和人文之美。雲南雞足山是徐霞客晚年「萬里遐征」西遊的終點，也是他一生壯遊的終點，在他的旅遊生涯中佔有極其特殊的地位，雞足山也因為《徐霞客遊記》而聲名遠播。

那是一個炎炎夏日，驕陽似火，我由香港飛赴雲南昆明，風塵僕僕，一波三折，終於經大理古城乘車來到雞足山南麓山門。此處為一座牌樓式建築，中坊上懸掛全國佛教協會主席趙樸初撰題「靈山一會坊」匾額，左右兩坊匾額分別是「天開佛國」及「地湧化城」。穿過「靈山一會坊」，我尋找徐霞客萬里遐征的最後身影策劃，就從這裏開始了。

歷史並不如煙。西元一六三六年，徐霞客從錦繡江南的家鄉江蘇江陰出發，踏上了前往大西南的旅程，這一去就是四年多的漫長日子，留下了一個偉大旅行家的崇高身影。徐霞客歷經千難萬險，風餐露宿，足跡經由浙江、江西、湖北，湖南、廣西、貴州進入雲南，於崇禎十一年（一六三八年）十二月二十二日到達了雞足山悉檀寺。他將與其同行而不幸在途中遇難的靜聞和尚骨灰安葬在此，然後用了一個月的時間遊覽雞足山勝景。後徐霞客受麗江土官木增所託，在考察雲南西部地區後，於崇禎十二年（一六三九年）八月二十三日，重返雞足山並逗留近半年，期間編撰了《雞足山志》、《雞足山十景》等著作。

徐霞客久涉瘴氣之地又長年艱辛跋涉，終於積勞成疾，行走困難。崇禎十三年（一六四〇年）正月，徐霞客戀戀不捨地告別雞足山，踏上「萬里遐征」的歸途。木增派滑竿護送他前行，輾轉半年，經湖北黃岡乘船回

到家鄉。徐霞客「既歸，不能肅客，惟置怪石於榻前，摩挲相對，不問家事」，半年後與世長辭。從天台山開篇，到雞足山終篇，中華遊聖用《徐霞客遊記》，為自己的一生畫上了濃墨重彩的句號。

我興沖沖沿著蜿蜒山路繼續行車十公里，至石鐘寺停車場，在香會街用了午餐，便急切切沿著山中石階徒步登山。想當年，徐霞客便曾經在這「巍崖高鞏白雲端，翠壁蒼屏路幾盤」的雞足山渡過半年時光，這裏的每級台階，每處山水，每片森林，每座寺廟，幾乎都留下了他的身影他的足跡。

雞足山雄峙於雲貴高原滇西北大理白族自治州賓川縣境內，最高峰天柱峰三千二百四十八米，總面積二千八百二十二公頃。因山勢「前列三峰，後拖一嶺，儼然雞足」而得名。全山有四觀（東日、西海、南雲、北雪）、八景（天柱佛光、華首晴雷、蒼山積雪、洱海回嵐、飛瀑穿雲、萬壑松濤、重崖返照、塔院秋月），號稱「寰首海內」的奇絕景觀。

形成雞足山「芙蓉萬仞削中天」的奇絕景觀，乃是得於它得天獨厚的地學構造。雞足山地處橫斷山脈塊斷帶頭邊緣，屬剝蝕中山地貌，被三條較大型的斷裂所切割，構成了雞足山懸崖陡壁和重巒疊嶂的特色。自華首門、羅漢壁、天池山、九重崖到文筆山，橫空出世呈現出長達五公里、高五百米蔚為大觀的構造斷塊山中高山地貌景觀。而這正是符合徐霞客「萬里遐征，矢志名山」的探索志向，讓他深深迷戀雞足山而流連忘返。

雞足山吸引徐霞客的不僅是奇絕的景觀，還有一個重要原因，乃是它在佛教名山中擁有的顯赫身世——它是大名鼎鼎的中國佛教五大名山之一，曾與峨眉山、五台山、九華山、普陀山齊名而享譽天下。雞足山是佛教禪宗的發源地，傳說兩千多年前釋迦牟尼大弟子飲光迦葉入定雞足山華首門，奠定了它在佛教界的崇高地位。明、清兩代鼎盛時期，發展到以迦葉殿為主的三十六寺七十二庵，「琳宮紺宇不知數，浮圖寶剎凌蒼蒼」。歷代高僧輩出，遂以「天開佛國」、「靈山佛都」聞名於世。

山中石階蜿蜒曲折，引領我來到天柱峰東側半山腰的迦葉殿。徐霞客在雞足山居住時，曾經多次拜訪此寺。西元一六三九年正月，徐霞客在《滇遊日記》中曾多次提到迦葉殿和迦葉寺。當時迦葉殿曾被遷移到天柱峰頂，原來的遺址上建了迦葉寺，後來迦葉殿又遷回原來遺址。

　　傳說雞足山的開山祖師迦葉尊者在殿內的盤陀石上守衣入定而得名，故迦葉殿在雞足山眾多廟宇中佔有極其崇高的地位，被稱為「山中第一寺」和「山中諸寺之祖庭」。據史料記載，迦葉殿所在位置於明朝永樂年間修建茅庵，嘉靖年間庵廢後僧人圓慶募化建寺，後多次重修，到萬曆王子（一六一二年）時，迦葉殿已頗具規模，至清朝順治年間，形成山中第一寺的氣派。

　　一九九四年重建的迦葉殿為四重殿，迦葉殿宇上方高懸「迦葉道場」橫匾，殿內供奉雞足山開山祖師迦葉尊者像，身披袈裟，跏趺於蓮座上，神態端莊安詳。環顧殿內的壁畫，為「靈山會」場面，乃釋迦牟尼在靈鷲山為眾弟子講經道場的情景，我彷彿置身於靈山會之中，隱約聽到悠揚的梵鐘頌詠，和徐霞客一起領略當年「拈花一笑」的盛況。

　　當我繼續攀登山道之時，忽然聽見山上傳來一陣陣誦經之聲，我根據聲音的方向，沿著曲折險峭的山路，來到了華首門。華首門前的平台上，一位高僧正率領一群僧人和居士席地打坐誦讀經文，在悠揚的經文聲中，華首門格外顯得不同凡響。相傳它是迦葉守衣入定的地方，所以它在整個雞足山享有舉足輕重的地位，被佛教稱為「中華第一門」。

　　我仰望這座天柱峰西南的天然絕壁，果然筆直如削，下臨萬丈深淵，中間有一道垂直下裂的石縫，把石壁分為兩扇，門的中縫懸掛著仿若石鎖的石塊，其簷口、門楣依稀可辨，酷似一扇巧奪天工的巨大石門。

　　徐霞客遊覽後讚歎這裏「雙闕高懸，一九中塞，仰之彌高，望之不盡」。並賦詩《華首重門》：「巍崖高鞏白雲端，翠壁蒼屏路幾盤。重闕春藏天地老，雙扉晝扃日星寒。金襴浩劫還依定，錦砌當空孰為攢。何必拈花問迦葉，岩岩直作破顏看。」

　　時近黃昏，我隻身穿越驚險萬狀的束身峽，終於登上位於雞足山的最高峰——天柱峰的金頂寺，海拔三千二百四十八米，為雞足山中最高寺廟。明代弘治年間建庵，崇禎年間黔國公沐天波移昆明太和宮銅殿至此，今院內銅殿為二〇〇七年重置。寺內原有光明塔一座，一九二九年，時任雲南省政府主席龍雲應僧人請求出資重修，易名楞嚴塔，為空心方形密簷磚塔。塔高四十二米，十三級，抗日戰爭時期，成為外援物資飛越駝峰航線的航

標。

　　我來到金頂寺門前的睹光台，憑欄遠眺雞足山的「四觀」壯麗景色。所謂四觀即：東看日出，南觀祥雲，西望洱海，北眺玉龍。徐霞客當年對此驚呼：「東日、西海、南雲、北雪，四之中，海內得其一，已為奇絕，而天柱峰一頂一萃天下之四觀，此不特首雞山，實首海內矣！」並且寫詩點讚：「芙蓉萬仞削中天，搏捖乾坤面面懸。勢壓東溟日半夜，天連北極雪千年。晴光西洱搖金鏡，瑞色南雲列彩筵。奇觀盡收今古勝，帝庭呼吸獨為偏。」

　　山風陣陣，白雲悠悠，我站在天柱山頂放眼天際，縱覽雲飛，千山萬峰在夕陽的照耀下，彷彿化成了一個個輝煌的徐霞客身影，化成了徐霞客萬里遐征的最後身影。

　　此情此景，讓我心潮澎湃，思緒萬千，「大丈夫當朝遊碧海而暮宿蒼梧」——徐霞客的人生追求是多麼令人敬仰！我情不自禁聯想到徐霞客的首遊地、開篇地浙江天台山，當年意氣風發的徐霞客，在那裏邁開了萬里遐征的步伐，彈指間幾十年過去了，他的身影在神州大地不斷行走，不斷開闢地理學上系統觀察自然、描述自然的新方向。時下站在徐霞客的終遊地、收篇地雲南雞足山，讓我體悟到徐霞客精神的無上崇高、《徐霞客遊記》的無比價值。「千古奇人」徐霞客的人生，就是豐盛的人生，精彩的人生，不忘初心的人生，砥礪前行的人生！

孫重貴簡介

客座教授，香港作家聯會理事、香港中華文化總會副理事長、香港文化和旅遊協會會長、香港徐霞客學會會長、中國作家第一村成員。創作出版著作三十餘部，作品入選眾多中外選集及教材，曾四次獲得冰心兒童文學獎等若干獎項。

大海擁抱的西貢

劉憲

　　秋天，是一年四季中和暖的日子，特別是微風習習的清晨，太陽在東方徐徐升起時，大地上的動植物都露出笑臉，隨著太陽轉，那些碧綠如地毯般的綠草、寶石般的紅花，以及各種高矮參差不齊的樹木，如紫荊花、木棉樹等，都相互爭妍鬥艷，花香四溢，襯托出城市的美麗多姿，使香港島像花的城市。

　　九月十四日，在家人的提議下，我們一家四口，帶上些零食，穿上保暖衣，高高興興地一路說笑著，向開往西貢鹽田梓的大巴站走去。大巴站已經有一條長長的人龍，上車後，我們的車沿著彎彎曲曲的林蔭路，來到了空氣清新的西貢。我們又排了長長的隊，買了進園的船票。來到公園門口，那些男女老少，說說笑笑的人群，都急著買票進園。當我們來到公園門口時，樹上那些五顏六色的鳥兒，像在歡迎我們一樣，朝著進園的人群，伸長脖子，放開喉嚨，開心地吱吱喳喳叫個不停，特別是那隻黑羽毛、白脖子的喜鵲，飛來飛去叫得更起勁。遊園的一位五十多歲、濃眉大眼、穿花衣的俊女人，臉上笑得花兒一樣，說：「喜鵲叫、好事到！哈哈！遊園回家我們離好事近了！」她身邊一位十八歲大的長頭髮女子說：「媽，什麼好事呀？我猜是你買的六合彩中大獎了吧。」

　　母親笑說：「我想好了，如果中了六合彩，我就撥出一部分捐給慈善機構，分給社會上那些有需要的窮人，其餘的我們買套海邊的洋樓自己享受。」女兒開心地拉著母親的手說：「要是中了六合彩大獎，就把我們住的公屋交回政府，自己買海邊的洋樓，媽你說好嗎？」「我和你爸奮鬥到今天，有一間自己的海邊洋樓就安樂開心了。」母親說。父親張大忠聽了不耐煩地說：「你們女人就會發白日夢，買房的錢會自動來？張力，你要下功夫把學習搞上去，這麼大人了，學習還要花錢請補習。」張力說：「放心吧爸媽，學習上我在努力，我的目標是學醫，掙了錢孝敬父母。」母親開心地：「哇，原來我的乖女兒不聲不響自己私下在努力。好，我們的寶貝女，努力爭取實現自己的願望，我們會全力支持你，今天我們要玩得開心一些。」父親也眉開眼笑地說：「今天開心，我們先去吃海鮮，然後再

213

坐船海上遊。」他們一家三口說笑著隨很多遊客來到一間餐廳，張大忠說：「你們要吃什麼自己點吧。」張力說：「吃海鮮，吃完後我們坐船海上遊。」他們以茶代酒，說笑著邊吃邊乾杯。

　　酒足飯飽後，他們往外走，張力笑著問：「爸媽，你們說西貢有多少旅遊景點呀？」母親說：「哎呀，這個問題很難回答。」張力說：「這個問題很簡單，我們走走看看就清楚了。」父親說：「還是我女兒聰明，要走走看看才知道。給，你拿《西貢鹽田梓的景點推介》去看吧，今天一天夠你玩的了。」張力說：「爸，給我錢，我先去排隊買船票吧。」父親說：「走，我們一起去買票上船。」

　　他們四口手拿景點推介圖，隨遊人說笑著，張大忠說：「我就按景點推介圖向你們介紹吧。這是『客家村屋』，以複式為主，大多面向南方，環山包圍，方便曬禾，亦不易受颱風吹襲。還有『百年老樹』——村民種植的樟樹，表示該戶有女嬰出生。為了村民的安全，該村設有村公所，並於零八年前重新修葺過……」

　　曬鹽是鹽田梓村民的傳統生產活動，可惜在一百多年前就已經停止了。近年，經過熱心村民、天主教會和善心捐款者的共同努力，成功重修了一個實驗性鹽田，讓遊客可以親身體驗傳統的曬鹽活動。「是的，那天我們在西貢旅遊時，親眼目睹了工人們曬鹽的現場，純白色的鹽，在地下曬好就可以食用或賣錢了，我們都感到很驚喜：原來西貢也出鹽？這真是一處集遊玩、健體、娛樂的好地方。」張大忠說。

　　後來，我們又隨遊人來到，這座建築建於一八九〇年，是鹽田梓村的地標。教堂建築十分簡單，只有聖壇和簡單的神父房舍。二〇〇五年「聖若瑟小堂」獲聯合國教科文組織（亞太地區）文化遺產保護優異獎。

　　我們又來到「澄波小學」（文物室），校舍創建於一八四六年，直至一九九七年結束。現在校舍的其中一間為村內文物陳列室，另一間為多用途展覽室。

　　鹽田梓村內還有一口「活泉井」——六十年代前村民飲用的水井。現在井水還保持清澈。「玉帶橋」——連接鹽田梓與滘西洲的橋，早於一九五六年前已有。現存的於二〇〇〇年由政務署重修。島上茶座由村公

所改建而成，除提供各式麵食凍飲外，更有自製豆漿及豆腐花，臨走前亦可購買特式自製茶果及柴火燒雞作手信。島上的客家人特產——茶果有四種口味：雞屎藤、南瓜、杏仁、蕃薯，潤肺止咳，排毒去濕。全部新鮮自家製作。此外，島上還特設喜樂有機菜園，親子樂悠悠等。

西貢是廣大中外遊客心目中的樂園。你遊玩過以上這麼多景點後，還可以品嚐——下島上自製的各種新鮮可口的美食及飲品，並可以買些精品送給親朋好友嚐嚐。茶飯過後，你還可以購票坐船海上遊。浪濤湧動的藍色大海，在金色陽光照耀下，顯得更加廣闊美麗。

排在人前買票的張大忠說：「我二十多年前來過這公園玩，當時我想買張船票在海上玩玩，被你爺爺罵了一通說：『帶你來公園玩，車費就花了好幾十塊，你還不滿足？快長大自己掙錢，坐飛機火箭上天都沒人管你。』老人家生活在舊社會，吃過不少苦。但是他老人家人窮志大，省吃儉用，默默奮鬥多年，才為我們創下今天的家業。好了，快要輪到我們買船票了，我們先上船玩吧，家史以後再講。」

他們一家四口有說有笑的相互照顧著坐在一個已坐了二十幾人的船上。一位三十來歲、濃眉細眼、後腦勺分扎著一個小刷的女士，看了一眼船上的客人，坐上駕駛座，兩眼看著大海的前方，手抓方向盤，船便「突、突、突……」在大海中向前開進了。

海面微風颯颯拂面而來，霎時讓你感覺全身的汗漬、心緒的鬱悶都隨之而消失了，整個人的身心都感到特別輕鬆快樂。

這時，有位站在船中間穿花衣的十二、三歲的俊秀青年，手指大海吃驚地喊：「奶奶，你看，海裏有兩條大魚跑了！」奶奶有點不耐煩地：「嘿呀大軍，海裏當然有魚，你這一喊，把我嚇一跳，好像有什麼事發生呢。」男孩笑說：「對不起奶奶，這兒太好玩了，我真想每天坐船遊大海……」奶奶生氣地說：「你呀，就知道玩，回家先把功課做好，以後有的是時間玩。」

上午十點多鐘，在明媚的陽光照耀下，浩瀚的大海像遼闊潔淨的大地。人在海邊，使人感到視野開闊，胸懷寬廣，心境舒展。各種煩惱、榮辱得失，都在大海面前顯得渺小而消失了……

船上約坐著二十多人，男女老少，個個都望著大海周圍開心地說笑。大海上有大小不同的貨船、遊輪和私人遊艇等。大海和西貢花園相依相連，它是港人休閑的好去處，是各地來賓必選的旅遊勝地。

　　長年累月，無論是春風拂面、細雨連綿，也無論是寒風刺骨、烈日當空，無論白天夜晚，不同膚色、語言的遊人，人頭湧湧地穿梭在西貢公園。來自四面八方的遊客，像人海、似人潮，人們視西貢公園為健身、談心、散步、遊玩的樂土及仙境。

　　在疫情漫延全世界的今天，人人心中都感到不安。然而，在疫情危害人類的同時，也有無數令我們尊敬的醫學工作者在奮力拼搏，研發疫苗，相信人類終將戰勝病毒，重現快樂時光。

　　西貢公園以它優美的自然風光折射出香港的旅遊面貌，吸引著各地的遊客。它帶給人們歡樂，又為香港增加旅遊收入，是香港聯接世界友誼的橋樑。

　　西貢是香港的後花園，生活在繁忙大都市的香港人，有空多去我們的後花園觀光遊覽吧，它會給你的生活增添無窮樂趣，使你身心愉悅、健康長壽……

劉憲簡介
香港作家聯會永久會員。

懷念住在太子站附近的好

劉素儀

　　太子站是香港地鐵網路觀塘線和荃灣線的交匯點，住在這個站很方便，假如你是白領階級，或是服務性行業人員，又或者是藍領工友，要前往中環、尖沙咀、觀塘、油麻地、旺角的地點上班，交通都很方便。上那兒返工都好，半小時左右必到。

　　住在太子站，其實好幸福，我是指吃的方面。光是一條砵蘭街就有不少食肆，永字頭燒臘店出售的脆皮燒肉遠近聞名，過時過節的時候，要排隊才可以買到，又有出名的火鍋店，又有吃蛇羹的小店，我最愛在冬天裏吃一碗「熱辣辣」的蛇羹，美味又暖身。當然要吃快餐也行，出名的茶餐廳也有不少。如果想吃外賣中式點心，米芝蓮級數的也可在福華街找到。如果你要省錢，想上市場買菜回家自己動手煮，也有白楊街街市，以及許多蔬果店和凍肉店可以選擇。

　　如果你對生活有要求，喜愛插花，那麼住在太子站附近，就可以隔日步行去花墟花市買鮮花。花墟的花既平又多選擇，由於價廉物美，我自己又多心，萬紫千紅難以取捨之下，我總是「超買」，連累自己一雙手臂。這個花市世界聞名，我就常常指導來自日本和歐美的遊客，如何從地鐵站出口步行過去。

　　太子站附近有這麼多優點，自然吸引很多人聚居，人多，就顯得擁擠和複雜，少了一份寧靜，於是有了小缺點。物極必反，是個真理。我自己也曾住在太子站附近，雖現已搬離，但至今仍很懷念那舊居。

劉素儀簡介

在香港出生，並接受教育，畢業於香港中文大學，獲社會科學學士，後又獲香港大學公共行政管理碩士。劉曾在政府及公共機構任職。業餘積極寫作及繪畫。

平台花園的孩子

一

　　所謂平台花園，是由九棟住宅大廈圍住的三樓平台。管理公司將大廈四周的每塊空地都精心修整裝飾，建得科學實用，並有專業園藝人士打理。種植的花草樹木，讓住戶一年四季都可享受怡人的花香，看到養眼的翠綠。

　　平台一邊是兒童和成人的泳池，接著是兒童遊樂場，內有供長者運動的簡單器具；平台中間大塊空地上，由三層圓形圖案框出一塊地，給孩子們玩耍；相距幾米是人造水池，大大小小的龜在水中游爬。

　　平台另一邊小涼亭前，又有一個人造水池，五顏六色的魚兒在水池中嬉戲；四通八達的散步小徑，雀鳥在小徑兩邊的樹枝上鳴叫飛竄……

　　屋苑的三樓平台，確是一個鳥語花香美麗雅緻的花園，住戶休息、孩子玩耍遊戲的好地方。

　　屋苑的平台花園，每到下午五點後，住戶的孩子相繼出來玩耍，有父母抱著、帶著的，有家務助理陪同的……這些來自五湖四海的孩子，聚集在平台花園，他們都有各自國家的語言，但都能用英語溝通，就像孩子的小小聯合國。

　　孩子們一般會分三個區域玩耍：一是兒童遊樂場，場內除了一般孩童玩的滑梯、爬高設施等，還有類似高低杠、雙杠、單杠等設施，三歲左右的孩童在這裏玩耍的較多，間常也有年齡稍大一些的；二是中間三層圓形圖案框出的地方，都是較大的孩子玩耍，三三倆倆嘀嘀咕咕，一會推碰追跑，一會踢球劃拳，有的在不同層次的圓圈上玩滑輪；第三個區域的範圍就大了，除了四通八達的散步小徑外，還有九棟大廈朝平台的有簷走道，一群大小男女不同的孩子一會使勁往前跑，一會相互捕捉追趕，一會又躲躲藏藏……

　　孩子們除了自己玩耍外，遇到特殊情況，還會照顧弱小，在玩耍追跑過程中，有人跌倒，其他孩子會轉回來或跑上去扶起，如有哭叫，還會耐心安撫。

二

　　我，在孩子們的眼裏，除了是「婆婆」、「奶奶」外，還可能屬於「弱」的範圍。

　　有一次，我從魚池旁的小涼亭出來，要去龜池旁的空地，須經過一段小斜坡，正當我要邁入斜坡，看見前面一位八、九歲的男孩朝斜坡跑來，便停在原地等那孩子跑過去，沒想到男孩也停下來，略帶喘氣地說：「婆婆，需要我幫忙嗎？」

　　我知道，孩子是想扶我走下斜坡，我感謝地說：「謝謝，我自己能走過去，你快去追趕同伴吧！」

　　男孩懂事地說：「那，婆婆小心囉！」

　　等男孩走上斜坡，越過我，便小心翼翼地走下斜坡。到了平地又轉回身，看看男孩是否追上同伴，更沒料到，孩子竟停在我原來站立的地方，關切地看著我，見我平安站在地上回轉身，放心地：「婆婆慢慢行！」轉身跑走了。

三

　　我喜歡在魚池旁的小涼亭裏運動，因同時可欣賞水中魚兒嬉戲，或由微風送來的花香，鳥兒的鳴叫似運動的伴奏。特別是雨後清新空氣，令人心曠神怡！

　　一對四、五歲的姐妹，在涼亭的對面，沿著魚池旁的花圃朝涼亭走來。妹妹提著一個小竹籃，裏面躺著一個公仔娃娃，倆人看著美麗的花指指點點……

　　我看見姐姐指著花圃裏一朵耀眼的紅花，妹妹點點頭，姐姐朝紅花走去。糟了，孩子要去採摘鮮花，我正要出聲阻止時，發現孩子伸出的手，在花朵旁只做了一個模擬採摘的動作，花兒仍在枝幹上迎著微風擺動，好像在笑我無謂的擔心。接著，姐姐將想像中的紅花，放在妹妹伸出來的掌心中，妹妹將躺著娃娃的小竹籃交給姐姐，用空出來的手的拇指和食指捏住想像中的鮮花，放在鼻前嗅嗅，然後將花兒輕輕放在娃娃的枕邊……這一連串無實物的動作，做的那麼細膩真切。

無實物表演，是訓練演員的基本功的方法之一，那對小姐妹不可能學過表演，但做出的無實物摹擬動作卻很真實。因為他倆沒想到要表演給人看，只是想給公仔娃娃摘一朵鮮花，又不能真的去摘下花朵損壞公物，便假裝（想像）摘下鮮花放在公仔娃娃枕邊。小姐妹不是在表演，只是按生活中正常的方式去行動，所以假的跟真的一樣，真是天生的一對好演員！

四

　　香港的夏天，太陽很猛烈，我會在平台花園有簷走道運動。一天，將近黃昏，仍有太陽照射平台，我照例在走道運動，一位小男孩踩著滑輪好似朝我而來，嚇得我貼著牆大聲喊著：「STOP，STOP！」一眨眼從我身邊滑溜過去了。

　　豈料，小男孩轉身走回來，看我驚魂未定，急忙用普通話說：「嚇着奶奶了，對不起，對不起！」向停在大廈門外一位外籍婦女招手（應該是家務助理），小男孩從她手上拿來一瓶水，打開瓶蓋，遞給我：「奶奶，喝點水……」

　　看他一臉歉意的表情，我倒有點不安了，畢竟是孩子嘛，可能還沒上學，我也用普通話安慰他說：「沒事，沒事，不用喝水……沒見過你，新搬來的？」

　　「對，從北角那邊搬來的……」告訴我，他叫劉道富，快六歲了，明年上小學，說這邊學校多……就這樣，展開了我們這對「老人與小孩」的友誼。

　　以後，不管是在走道還是在平台花園，道富都會走過來叫聲：「奶奶好！」有時還會叮嚀我：「小心，別滑倒。」

　　夏天的一個傍晚，天已開始暗下來，我看見道富戴著墨鏡和小朋友在圓圈空地上玩耍。便走近圓圈，向他招手示意他過來，道富停止玩耍，走過了，懂事地問候：「奶奶好！有事嗎？」

　　我認真地說：「現在天都快黑了，快取下墨鏡，會看壞眼睛，影響視力。」

　　孩子聽話地取下墨鏡。

　　坐在圓圈邊上的一位女士，起身走過來，道富介紹說：「她是我媽咪，

這位是徐奶奶。」

我與道富的母親打過招呼,便告訴她,我剛才是要孩子取下墨鏡,以免看壞眼睛。

道富的母親笑笑說:「道富跟我們說起過您,說有位奶奶很慈祥,孩子說很喜歡您!」

孩子頗得意地對他母親說:「我沒說錯吧!」

我開心地笑了,說:「奶奶也很喜歡你!」又對他母親說:「道富很懂事,有禮貌,又有愛心。」

道富的母親也開心地笑了:「承您誇獎!我跟他說過好多次,天黑了不要戴墨鏡,就是不聽,您一說,孩子就自動取下墨鏡。看得出,孩子真的是很喜歡您。」 又對道富說 :「你沒說錯!」

一個陰雨天的下午,我在平台花園有簷走道上的一個角落運動,以免影響孩子們玩耍奔跑。道富拉著一位中年男士,從遠處朝我走來。

他們來到我面前,道富認真地說:「奶奶,他是我爸爸,是老師,教數學。」

我趕緊與道富的父親握手,笑著說:「很高興認識劉老師,怪不得道富這麼有教養。」

劉老師也笑著說:「孩子經常和我們說起您,說您不管颳風下雨,每天都堅持運動。」

我們討論了一些有關孩子教育的問題。與老師交談,獲益良多。

我喜愛孩子,愛他們說話的語氣、笑聲,甚至是哭、喊、叫,都那麼甜潤清新。孩子的純真,讓我們更加熱愛生活,使我們的心靈充滿美和愛!

二〇二〇年一月十三日

徐天俠簡介

電影編導,演員,作家。中國電影家協會會員,香港作家聯會會員。

海南掠影

一

　　太平洋彼岸花旗國飛來一隻候鳥，飛來香江。她是珠麗妹。她與我和老伴三人旅遊海南島。澄邁縣福山，這裏原是她出生之地，是父親一九三三年，從南洋爪哇島，歸國帶來的羅布斯塔的咖啡種子，建立的咖啡農場，她童年就在這錄陰遍天涯，雪白咖啡花飄香的美景中歡渡過。解放後父親被扣押入牢獄，她在這裏遭遇苦難的童年，福山的咖啡夢，夢境常縈繞已遠去的冰冷時光，誰能想像大悲與大喜之間，迂迴深邃的長廊？但她鄉音不改，情懷依舊。任然藏著海南浪花全部傳奇。而今她感嘆到時代的變遷。幾度春秋，海口市邊陲澄邁縣福山鎮，演變壯麗圖景。蒼蔥園林，椰樹筆挺，溶進濃濃的深綠，盡是綠色的詩篇。四處濃郁咖啡飄香，譯演著金色的夢，父親回國創立的熱帶農場，曾經在這裏卷起時代的浪花，父親曾受時代誤會，已平反昭雪在咖啡文化館立了銅像，我們家族同往朝拜。縷縷思念，隨著遠去的風暴，已漂流的好遠好遠，我們的前程繁花似錦。

二

　　秋風送爽，我們三人又乘環島高鐵奔往南沙市。兩條濤濤奔流大河，浪花吹奏純淨的藍色交響，彙集到大海構成奇特壯觀的景觀，氣像萬千，這是天邊，這是海角；再向南遠眺是海天一色，浩瀚湛藍的太平洋。一望無際的藍天碧海。綠樹銀沙，渾然天成，是詩情畫意的景觀。南沙市除了那湛藍清麗，遼闊的海天，還有纏繞不休的舒卷白雲，而千步綿長海岸，捲起白色的浪花，像一個長長的夢境。令人心曠神怡。

　　往昔三亞原是荒僻之港灣，南荒極境是歷代曾給三亞地區的評注，尚記否？這裏曾經是官宦貶官受難之天涯海角，才氣縱橫之蘇東波，哀怨纏綿傳說千古；但遠去的歷史，哀怨的詩，多少感慨，頓時化作一縷青煙，隨風飄遠。如今以海洋的博大胸襟容八方客，聚九州財富建自貿港。這裏已經遊客眼中的天堂，更被冠以東方夏威夷的美名。遠去的詩，多少感慨，頓時化作一縷青煙，隨風飄遠。三亞已換人間，是風光明媚的旅遊勝地。

更是東北富戶像候鳥展翅飛來棲身的樂園。飛躍山水心靈不變。

　　三亞的標誌，是令人神往，一百零八米高，金光閃閃，衝入雲雲霄的一尊披金帶玉觀音菩薩，珠光寶氣，光彩流麗的神彩照亮了海疆，她正全神貫注著南大洋風雲激變。遊客興致勃勃登電梯到安放觀音菩薩聖像的敬拜堂。並仰首向觀音膜拜，尋求心靈的舒暢和訴求多彩的情緣；我走出大堂觀景，俯視南海風光，悠然地觀看那妙趣橫生的雲彩霞蔚。令我深情眷戀著每一刻流動時光和無聲地凝睇蕩起思憶的漣漪。

陳茂相簡介

原籍廣東省台山縣，一九三二年出生於印尼，曾當過小學教師，一九五五年回國，入讀廈門集美中學，畢業後進廈門水泥廠工作，後來獲對調到廣州建材二廠。一九七三年移居香港，在南洋紗廠工作，過後到英基國際學校工作，退休後移民美國，兒子回香港科大當教授，就跟回香港。參加多個僑團，擔任過幾家僑團會刊編輯，並加入《香港作家聯會》成為永久會員和香港《散文詩學會》當副會長。著有兩本書：《走向晚晴》和《心底的琴弦》。

口罩下的香港

倘不是見到街上行人多數戴著口罩，單憑仍顯熙攘的人群和餐廳裏三三兩兩的集聚，難以相信香港正處於一場百年未見的疫情之中。我住炮台山，和家住鰂魚涌的好友已是近四個月未見，約好的酒局也從春天拖到了夏天。間隔不過數里之遠，但怯於那彷彿無處不在、無往不勝的看不見卻又令人膽寒的病毒，權且把這份思念藏於心底。不久前，在網上瞥見一則逗笑視頻，講的是有人透過聊天軟件隔空對酌。將視頻轉發給好友，皆哂然一笑。我倆一致認為，隔空對酌與其說是疫情阻隔下的折中之選，不若說是自我解嘲的詼諧之趣。這詼諧雖出自閉戶塞牖的無奈，卻也透著笑對人生困境的樂觀，那些不苛求對酌暢飲時的現場感和儀式感的酒友，大可參照試行，或許不失生活樂事一椿。

猶記得舊曆新年伊始，內地疫情正吃緊，因工作需要，我與妻子兒子一路提心吊膽地從內地飛返香港，並為與父母團聚日短、分別日長感到惆悵。但父母寬慰道：香港那裏疫情好一些，你們去，我們多少放心。不曾想沒過多久，疫情在內地已入窮途，在香港竟是越來越酣。每日和父母透過聊天軟件視頻連線，他們總是言露擔憂，此時便輪到我和妻寬慰他們：香港畢竟有國家作後盾，又有沙士時期積累的戰疫經驗，我們作為普通市民，減少出戶，亦不聚集，應當安全。妻還故作輕鬆地打趣道：我們盡量窩在家，不添亂即是做貢獻。可是，妻知道，我知道，街上行人流動一如往常，疫情再險，營生總還是要竭力維持，生病與生存，總有一件讓你畏懼，壓得你喘不過氣。看到一篇文章，描繪的是疫情中的香港社會眾生相，我本見識尚淺，不知文中內容是否全部屬實，卻著實為那些居住環境惡劣或奮戰在抗疫第一線的人士扼腕揪心。因應那篇文章的提醒，我每日外出皆於背包中多放置三至四隻一次性口罩，以備路遇清潔工或未戴口罩的老人，好贈上一隻，希望以自己微不足道的行動，為在疫情中瑟瑟發抖的城市增添一絲暖意。

但凡在香港居住過的人，想來都會認可，香港是一個富有運動激情的

城市。且不說各類場館內揮汗如雨的運動健兒們，球場跑道、海濱步道、郊野林道，甚而馬路與人行道上，總有一個個喘著粗氣、疾步如飛的運動者依次跑過。這次突來的疫情不但沒有嚇退他們的熱情，反而激勵更多的人加入跑步的行列。大家應當都想得清楚，吃什麼預防的藥，都不如自己的身板好，正像老話所講，「打鐵還需自身硬」。既然如此，原本熱愛跑步的我自然不願免俗，毅然一改往日搭乘公共交通上下班的習慣，堅持於下班後跑步返家。跑步中，沿途一覽維港的夜景，數著銅鑼灣避風塘停泊的船隻，偶爾還會同並不相識的跑友暗暗較量速度，回到家中已是大汗淋漓，那種享受青春和健康的快感是極為酣暢的，彷彿跑完一程就換了一副筋骨，得以百病不侵了。

除了自己跑步，我也盡可能帶動三歲的兒子到人少的區域活動一下，希望以此提高他的免疫力。經此一疫，兒子的健康意識陡然增強，已經能夠向其他不願戴口罩的小朋友「科普」所謂「室外有新冠病毒」，並親身示範般地不戴口罩絕不出門。在公共場所，他亦能夠較以往更加遵守公共秩序和衛生規則，努力做一名疫情中合格的小小市民。坦然說，他的這種努力中其實夾雜著我和妻的一點教育私心。自去年開始，香港經歷著艱難時世，說普通話的人群在這裏一下平添不少惶恐，惶恐又轉化為成倍增加的自覺與自律，大家希望憑藉盡可能多於他人的自覺與自律可以遠是非、保平安。可是，孩子哪懂得這些，像我兒子，他能意識到的，恐怕最多就是收斂一下小小的任性，免使自己不受別的小朋友歡迎。即使如此，還是出現一點小插曲。不久前我和兒子戴了口罩外出運動，在過馬路等紅綠燈時和一位年輕女士並排而立。彼此間相安無事，直到兒子和我突然用普通話一問一答，年輕女士猛然彈開，跳至距我們約兩米之外，幾乎站到車行道上，並不斷上下打量我倆，彷彿我倆是極為可疑的病毒攜帶者。兒子自然是繼續天真無邪地牽著我的手等紅綠燈，我則只好阿Q式地默默念叨：歧視就歧視吧，你躲避我們，我們其實倒也更安全了。

躲一個人，尚且躲得開，躲一場瘟疫，談何容易。一如眼下的香港，躲得開病毒，亦能躲得開初顯的頹敗嗎？一如疫情中蟄伏的我們，躲得開喧囂，亦能躲得開內心的寂寥嗎？一如街上那位跳開的年輕女士，躲得開

普通話，亦能躲得開黑頭髮黃皮膚的血緣嗎？在這樣鋪天蓋地、氣勢洶洶的疫情下，沒有人是一座孤島，我們除卻拉手成橋，還有別的方式渡過這時代的汪洋嗎？於我是無法忘記，衛生防護物資最緊缺的那段時日裏，在地鐵站中接過友人專程送來的一盒口罩，無法忘記另一友人專程送來的幾隻護目鏡，無法忘記鄰居意外購得並興沖沖送來的一瓶醫用酒精。若在以往，這些東西是不便作為禮物贈送的，而今時今日，它們已是重要的戰備物資和「奢侈品」，各家存量原本不多，再拿出來贈人，已不是用雪中送炭足以形容的了。森然的疫情讓過去的這個春天顯得格外凜冽，但因友人和鄰居慷慨的關愛，我未曾感覺自己是飄零的孤舟，香港也從不是難以靠岸的滄海。

　　曾遐想，恣意擁抱今年的春日暖陽是不可能了，總是還能縱情地沐浴夏晚清風吧。如今，香港仍處口罩之下，但連續多日的本地確診病例零增長，已使我們對未來多了一些期許，而我與好友的酒局，恐怕也要提上日程了。

蘇鄉簡介

原名蘇宇翔，一九八八年生，來自北京，現居香港。有小說、散文、隨筆發表於《朔方》、《清明》、《時代郵刊》等內地文學刊物及香港《香港作家》、《大公報》、《文匯報》。有作品發表於《香港作家》網路版。

震撼的山峰

邱婷婷

　　那年秋天，颱風來臨之際，急雨帶著煙濛於高聳的青山前如巨幅的雨屏一幕幕地拉開；由右向左；厚了薄了；薄了又厚了；直了斜了；斜了又直了，恍若又輕又重寬廣透明的帷幔在碧山前不斷的演釋清滌山林風塵、更新山峰的夢境。在颱風神奇的指揮與推動下樹林紛紛狂舞，邊欣然接受急雨善意的洗禮，邊盡力地抖掉身上的灰塵，鳥兒們驚叫著急忙逃竄、亂飛……

　　樹林的舞蹈猶如大海上奔騰的浪濤猛烈地讓初秋些許的枯葉掀起又落下，落下又掀起，旋轉了好幾回才落幕。然而整座山峰的樹林好像都不相信，秋天的狂風會讓它們退色及萎靡，因為它們經歷了春天的朝氣蓬勃與生長，夏天逐漸的茂密與旺盛，即使秋天的狂風暴雨的清濯及猛烈的狂摧，除了令它們更潔淨，新陳代謝更快外，經歷了狂風驟雨將會變得更清新，而且不到幾個月後就會變得更茂盛。這是去年的颱風留給山峰的經驗。然而，這次在超強的颱風的肆虐下整座山峰好像都在搖晃！雨幕浸著颱風，有時像雨屏有時如煙濛；厚厚的如雲煙從山峰前飛過，一忽兒是雨屏一忽兒是濃濃的煙濛；不斷在山峰前迅捷地演繹著……

　　有的平時異常耀眼突出高聳繁盛的樹，因站立的位置得天獨厚，無遮無掩幾乎都在陽光之下，枝繁葉茂特別翠綠興盛，樹幹異常粗壯。此時在猛烈瘋狂的颱風蹂躪下，高樹最茂盛的頂端的樹枝上簇簇盛葉猛烈地忽東忽西、瞬間落下又抬起、快捷如閃電般狂烈地晃動著！颱風的巨掌強猛地把簇簇旺枝茂葉迅速地抨擊；摔下壓下；令無數盛枝族葉迅猛快捷地彎腰作揖、鞠躬、頓首；不斷抬起、不斷按下、不斷強烈地東搖西擺……

　　面對此奇景，我不禁想起了暴風中大海的巨浪，雖然勢如滔天倒海，串起萬丈之高濤，摔向懸崖、海岸與沙灘，然而狂瀾不管怎樣瘋狂地瞬間聳立又即刻摔下去！不間斷地如此卻摔不碎，因為這邊湧來那邊退去，是迅猛的卻又是軟的（水）。　再看看山峰上不管是較高處或是半山腰，站於不顯眼處而與其他樹木緊緊相依的樹，只有較顯眼處的樹葉在晃動，不顯眼處的樹卻不見在晃動。密林中有些葉子被狂風吹起，有些竟然被吹上山峰頂端；紛紛揚揚地優如鳥兒在山峰上急速地飛舞，瞬間捲起又急速落下又吹起又落下；不間斷地有葉子在雨幕中翻旋、狂舞、落下；紛紛揚揚地異常迅速繁複……

狂風的呼嘯巨吼聲轟轟不息！一隻平時總在山峰前及山峰頂的上空飛翔的鷹，飛出密林幾米高，又迅速退回密林裏隱藏！距離山腳下幾百米幾棵樹站立的位置夠突出開闊，平時都活在風光中，且得天獨厚陽光雨露給予較多的滋養，它們雖是風頭樹，然而幸好早已扎根較深較穩，即使每一兩年都要經受風暴的摧殘，但打斷的掉下的都只是樹葉和樹枝。其中一株平時臨風獨立站著的大樹，已生長百年之久了，葉子依舊青翠密集，這大樹早已生長成十幾層樓高，但是因狂風十多小時的蹂躪，大樹最頂上的茂枝有三分之二的被折斷掉落在地上，有的折斷了但樹皮還幫它掛著，幸好這幾人抱極粗壯的樹幹平時深深地植根於土壤中，所以即便它經受過風濤雷暴狂雨無數的摧損，至今依然頑強地站立著，但是它那些長長地垂下的根鬚，有的雖然堅韌但是也有因乾枯而易碎。這一棵大樹及山腳下的幾棵高樹，風暴後還掛在樹機上未完全脫落掉在地上的葉子，由於樹殘，根部及樹幹已沒能量滋潤它們。風暴過後，風和日美之時，這幾株大樹大量的葉子不斷的飄落在地上，爾後幾天陽光越是強勁，葉子飄落的越多……我想，直到葉子掉落得差不多後，樹殘自會慢慢自療恢復、慢慢生長出翠綠嫩葉，但是要恢復到以前茂盛的樣子，還是須要比較長的時間的。

　　然而想不到的是這次大颱風過後，不到一年的時間，高樹及其他的植物大都重新繁茂如昔，有的樹木甚至更加的枝繁葉茂，大自然界的植物，有時是異常的堅韌的！因為樹壽百歲常有，甚而千歲乃固，是否跟有的樹木自癒及復生的能力很強有關？

　　風暴的翌日，我到山峰最底處的山腳下一看，大片青青的草地上，因處底而得益的一些植物，以及一大片無數翠綠的葉子襯著許多黃色美麗的小菊花，都好像沒有經歷過風暴似的完好無損。

邱婷婷簡介

筆名靜婷，現旅居香港。一九九一年長篇小說《殘夢》，由湖南文藝出版社向全國徵訂，正式出版向全國發行。《殘夢》榮獲椰風文藝獎。一九九四年初移居香港，任職香港新聞界。一九九七年底始至二〇一七年亦文亦商。二〇〇三年中短篇小說集《夢江南》由中國作家出版社出版，二〇一一年散文集《大海的恩賜》由北京大眾文藝出版社出版。二〇一八年長篇小說《甦生》由海峽文藝出版社出版，《甦生》榮獲泉州文學獎。邱婷婷現為中國作家協會會員、香港作家聯會永久會員。長篇小說《殘夢》、中篇小說《岑太太》曾在菲律賓《世界日報》文藝副刊連載。小說、散文、隨筆等文學作品常見於海內外報刊，有些文章被選入幾十部選集及被報刊轉載，並獲得多個獎項。

紅色康乃馨

常雨晴

　　冬天來了，桌上的水仙開始瘋長。媽媽摸著頭說，我想去北京檢查一下，三花說她去北京查了，腦袋裏有個瘤，我也想去查一下，我最近什麼都記不住了，高血壓藥早上吃了，下午不記得吃沒吃，就又吃一次，我怕我腦袋裏也長瘤。

　　我把電話支在桌子上，對著視頻說：「那就去查一下，先在市裏做個核磁，你八十歲了，忘東西也正常，我跟哥說。」「我才不讓他跟我去，我想去北京查，三花就是在北京查出來的！」「那讓丹帶你去，讓她從北京回去接你！」

　　「小姨，我在家呢，姥姥沒事的，做過核磁了，什麼事也沒有，就是年紀大了！」「去年沒有今年就沒有嗎？前半年沒有現在就沒有嗎？那為什麼我老是忘東西？」媽媽生氣地大聲斥責她，呵呵呵，電話裏傳過來丹的笑聲。

　　春節離開老家返港快一年了，香港的疫情一波三折，遲遲沒有結束。隔離政策來去要用掉一個月，自家公司的項目已在衝刺階段，實在耗不起一個月的時間，索性一年沒回老家看老媽了。父親前年走後，她像是折了翅膀，加上腿腳不靈便，人越發孤寂，日夜陪伴她的姐姐今年也不得已去西安工作了，媽拿起電話總是對她發脾氣：「你忙！你有多忙呢？你忙啥呢！你不是說半個月就回來嗎？這都十八天了！」姐姐說，媽總是氣沖沖地掛斷她的電話。可是奇怪，我每次打電話，媽都說：「我好著呢，不用擔心，照顧好娃，不用急著回來，家裏人多著呢！」

　　我問來問去，問不出一絲端倪，她永遠告訴我健康無恙，除了這次嚴重懷疑自己頭裏長瘤。掛了電話，莫名失落。是因為我離得太遠了，還是，媽媽心裏覺得我指望不上呢？

　　外甥女教會了老媽用微信，她興奮地加了我們大家庭每個人。早上四點，我被電話聲吵醒，睡眼朦朧中，拿過電話，是媽在給我發語音通話邀請，趕緊起來接通，媽，媽，我叫了半天，沒有回應，許是按錯了吧。我放下電話繼續睡。五點，電話又來了，還是老媽，我接起來，一樣沒有聲音，

我急了，連忙給住在隔壁的哥哥打電話，始終盲音，哥哥可能睡得太沉。提心吊膽想著發生了什麼事，靠在床頭竟又迷糊了，直到鬧鈴叫醒我，天已大亮，我想這時候打家裏電話媽不至於跑得絆倒，才撥通，「媽你好嗎？沒事吧？」「我好著呢，都吃了早飯了，你吃了嗎？」「我才剛起來，你半夜給我打電話有事嗎？」「我沒有給你電話呀！可能是看表吧，你怎麼這麼晚了還不吃飯，要好好吃飯，別減肥！瘦了一點都不好看！我跟你說，隔壁玲家女子太瘦了，像一把骨頭柴，看著就可憐！」「好好好，你沒事就好，我起來吃飯上班去了。」我笑著敷衍，掛了電話。呵呵，骨頭柴，醜得疼，喝水喝到淹胃，都是媽媽的形容詞，我估計我的一點語言天份可能來自媽媽，可我至今沒有發明過一個這麼精辟的詞。

媽媽八十歲生日前夕，哥哥鄭重地給我打來電話：「我們都安排好了，你要是回不來就讓你姐回來，總不能姐妹們都不在。」我算了一下時間，就算當天去深圳隔離，十五天過後，壽辰也過了。而且，女兒來回一個月的學業就荒廢了，還是很下心，決定不回去。幾夜睡不著，心中自責不已，有了父親的前車之鑒，深感一次錯過可能就是永遠。十歲女兒說，媽媽，姥姥能有幾個八十歲生日呀，你該回去，我也該回去！試探著跟先生打電話，他聲音沙啞，這兩個月，是關鍵時期啊，分秒必爭！我默默地扣了電話，回去的事隻字未提。

我在網上訂了鮮花給媽媽，八十支紅色康乃馨，店家好心送了兩支香水百合插在中間，在生日當天送去了宴請親朋的酒店。視頻裏，媽媽捧著花樂得像個孩子。

第二天上午，媽媽打視頻給我，我正在辦公室看十分鐘後的會議文件，「你看這花開了，昨天還是花骨朵，今天就開了，你看，開得多好！不知道能開多久呢？」媽媽在視頻裏笑得陽光明媚，窗子外照進的光打在她的臉上，皺紋清晰可見，陽光映得她一頭白髮泛著銀色的光澤，在紅色康乃馨的映襯下，媽媽的臉柔和而滿足。我突然發現，我很久沒有這麼好好地看著媽媽了，我默默地發信通知推遲了會議，把圖像開到全屏。我站起身，把攝像頭對著我，在辦公室走動，「媽，這花能開半個月呢！媽，你看，這是我的辦公室，這是櫃子，這是茶水間，你看，這是會議室，我就在這

開會，媽，你看，我這半年一直喝紅棗桂圓水，我現在戴口罩不化妝，你看，我的嘴唇都是紅的，媽，你也喝啊！媽，小夭長得好高啊，快一米六了，你看，這是我的電腦我的文件……」這個陽光明媚的清晨，我在視頻裏帶著媽媽參觀了我的辦公室，我的公司，給她解釋她一直不太明白的我做的工作，不知道多久，我沒有跟她講過這麼長的電話了。明明要問候媽媽，可不知怎麼，說的全是自己，說到我眼睛模糊，在電話裏只看見媽媽身後那一大束康乃馨暈成一片紅色，才匆匆地掛了電話，坐在辦公桌前，淚流滿面。

　　媽媽，忘記吃藥，我們提醒你，忘記病痛，我們照顧你。如果有一天，你像大姨那樣，忘記了時間，忘記了世界，甚至，忘記了自己的兒女，沒關係的，因為，我們全記得。

（　二○二○年十一月七日常雨晴於香港）

常雨晴簡介

中國人民大學文學學士、藝術學碩士，香港公開大學文學碩士。香港作家聯會會員，人民藝術家聯合會副主席。曾在新華社《經濟參考報》工作。曾任《中國書畫家》雜誌主編、大雅藝術網總編。在報紙、雜誌發表多篇美術評論文章、專欄文章，2013 年出版美術評論文集《我心寫兮》。

卡薩布蘭卡的密碼

孫 瑜

　　黃昏，漫步在卡薩布蘭卡的邁阿密海濱大道。前方的大西洋激浪奔湧，夕霞，濃雲，此起彼落。近處的海港卻水波不興，帶著千帆過盡的滄桑，將無數波瀾夷為平面。

　　迎著海風，瞭望蔚藍的大西洋。夏季的燥熱被海風稀釋了，路邊開著大朵大朵紅色的花，我叫不出名字，濃密的橄欖樹那深綠色的樹葉，被風一吹，背面竟是銀色的。鴿子在腳邊散步，海鳥在半空飛翔。一抹大西洋的藍，在夕陽中幻化為七彩重影，瞬間傾覆我長及腳踝的白色裙裾。卡薩布蘭卡（西班牙語中白色房子的意思），這個藍色的音節，豐富，婉轉，沉澱著無數的如煙往事。

　　一種奇妙的安寧，自心頭鋪陳開來，彷彿穿越時空，逆流而上，回到了《卡薩布蘭卡》電影中那個亦幻亦真的卡薩布蘭卡。

　　如果心底沒存著點秘密，不用急著去卡薩布蘭卡。卡薩布蘭卡，一座虛擬的城，一所隱含秘密的他鄉，一個誕生於故事中的活的故事。那些故事裏的事，和故事裏的人，彷彿一個個活的種子，肆意生長著，或者，耐心隱藏著，等待著，等待另一個有故事的人，來開啟，來連接，偕同生長。

　　故事，並不僅僅是故事，它潛伏著記憶特有的鴻蒙之力，如同神秘的海市蜃樓，又像時光萬花筒，一些普通的生活片段不斷的被賦予合理的情節性，使其與命運相契合，來詮釋那些「命中註定」。那些秘密，那段歷史，彷彿被加了一層又一層的濾鏡，不斷在回憶中被修正、被改寫。

　　秘密，或許不僅僅是秘密。一次偶然加必然的相遇，一個對視超過三秒的眼神，一小片衣物無意間的摩擦，一種初見即熟悉的莫名信任，一絲瀰漫在空氣中的曖昧情愫，一種微顫的汗毛輕觸皮膚的緊張，一種躁動的血液奔湧至臉龐的潮紅，一種汗珠穿透皮膚角質層的劈啪作響，難道都來自於未知的命運？

　　是的，我們經常把那許多渺渺然不可知不可解的原因，歸咎於命運。

　　「全世界有這麼多城市，城市裏有這麼多酒吧，可她卻偏偏走進了我的。」這是電影《卡薩布蘭卡》中瑞克的獨白，是他的迷茫，他的糾結，

也是他的命運。

　　其實，瑞克的酒吧在那時的卡薩布蘭卡已經非常有名，只要來到這座城，就必然要來他的酒吧。但瑞克願意把這種因果必然看做是命運的偶然，因為這是他內心深處一種希望的呼喊。他甚至已經幻想過無數次她進入酒吧大門的那個場景，幻想過每一個細節，幻想過她和他的每句對話……他希望，自己深愛的那個女人是故意走進他的酒吧，他希望她是故意來尋找他的，他多麼希望——她還愛著他。

　　然而，她——伊麗莎，卻是與她的丈夫一起進來的。

　　瑞克叼著一根煙，冷漠而輕蔑，似乎沒把曾經深愛過的伊麗莎放在眼裏。為愛所傷的人，通常都會以這種方式面對所愛過的人，既是懲罰對方的方式，更是欺騙自己的手段。伊麗莎被瑞克的冷漠深深刺痛，甚至不惜用手槍對準瑞克，逼迫他拿出通行證以幫助丈夫逃走。但對瑞克的愛還是佔了上風，這對巴黎的愛侶終於舊情復燃。

　　原來伊麗莎的丈夫因為參加革命活動曾經被捕，很快便傳來被處死的消息，在這段孤獨的時間，她隱瞞已婚身份結識了瑞克，兩人墜入愛河。但在他們相約離開巴黎去馬賽的那一天，伊麗莎收到丈夫還活著的消息，因此放棄了在火車站苦苦等她的瑞克。

　　瑞克終於弄明白了自己當年被甩的原因，決定用手裏的兩張通行證幫助他們夫婦去美國避難。在大霧瀰漫的機場，伊麗莎凝視著瑞克的臉龐，那訣別的眼神黯然而深情。瑞克目送著自己心愛的女人與丈夫一起登上飛機。飛機逐漸消逝於無邊無際的大霧中，瑞克釋然的轉身離去……

　　很久以後的今天，在卡薩布蘭卡的街頭，在瑞克咖啡館的吧台前，在憂鬱輕緩的鋼琴聲中，在白色拱形穹頂的阿拉伯吊燈下，在老舊的木桌椅邊，在那個機靈的黑人酒保調酒的脆響中，在卡薩布蘭卡牌啤酒溢出酒杯的泡沫中，我才終於明白了瑞克的釋然。

　　原來，那場愛情就是個意外。哪怕曾經歡樂、曾經銘心刻骨。他之前的痛苦——所謂的愛情的痛苦，其實是被卡住了，被拋棄後的不甘心，是他求而不得的痛苦將她一刀一刀的塑造成一位女神。而再見之時，他發現她不過是個普通女人，一個美麗的普通女人，而已。所以，他不會留下她了。

他的愛情，在她與他舊情復燃，並答應留下來和他在一起的時候，就已經劃上了句號的那個最後的缺口。然後，結束了。一場意外的愛情終於正式拉上了帷幕。

這場亂世中的未了情緣，不僅初見即永別，再見亦是永別。

原來歡樂也是空的，裏面什麼也沒有。

原來，所有的愛情，都不是屬於「我的」。

原來，愛情結束了，深層的「我」才會破繭而出。如同破曉的瞬間，光明與陰翳迅速合二為一，一切都在復蘇，一切光，都會重新絢爛。

原來，慈悲，是懂得。

日本的茶道有一詞叫「一期一會」，出自江戶末期的茶人井伊弼所著《茶湯一會集》。「一期」，表示人的一生，「一會」，則意味著僅有一次相會，勸勉人們珍惜身邊的人，珍惜每個瞬間的機緣，並為此付出全部的心力。若因漫不經心輕忽了眼前的所有，那會是比擦身而過更為深刻的遺憾。

記住一座城，不僅是這座城擁有的所有，還是這座城與你連接的那些所有。旅途中的每一次相遇，都是「一期一會」，都值得感激。

因為，終將別離。

孫瑜簡介

女，生於上世紀七十年代，籍貫江蘇淮安，漢族，現居鄭州。中國作家協會會員。河南省文學院簽約作家，新浪網簽約作家，魯迅文學院高研班第二十期學員。曾獲河南省第四屆文學藝術優秀成果青年鼓勵獎，河南省「文鼎中原」——長篇小說精品工程優秀作品獎，河南省第二屆杜甫獎。從事過編輯、記者、期貨經紀人等多種職業。已在《中國作家》、《北京文學》、《小說月報原創版》等刊物發表長篇、中篇、短篇小說數十部，並數次被《中篇小說選刊》、《小說月報精品集》等選載。已出版長篇小說《空心床》、中篇小說集等作品。

童年往事（兩則）

盛祥蘭

戲劇

夏日傍晚，一場突如其來的暴雨襲擊了小鎮。

我坐在灶坑旁燒火，我要趕在天黑前將晚飯做好。

我偶爾抬起頭，望向門外。

剛才還是瓢潑大雨，現在變成了細長的雨絲，漫不經心地敲打著屋檐。天空被雨簾攪得昏昏欲睡，一點精神也沒有。

我想著還在地裏勞作的母親，這場雨一定將她澆成了落湯雞。

木頭在灶坑裏燒得熱烈，通紅的火苗躥上躥下，映照著慢慢暗下來的房間。

我一邊往灶坑裏添木頭，一邊拿著幾根小木棍玩兒。

這些長短不一、粗細不等的木棍，在我手裏活了起來。

我賦予它們每個新的生命，我為它們每個取一個好聽的名字。我讓那根細長的叫芨芨草，短小的叫蝴蝶；我讓那根表皮光滑的叫玉蘭，粗糙的叫蜻蜓。我還要為它們每個安排一個身份，芨芨草是我們的班長，蝴蝶是我同桌，玉蘭是那個愛哭的女孩，蜻蜓是勞動委員。

好了，現在，我要為它們編排一些故事了。

我讓蝴蝶和玉蘭跳了一會兒皮筋，讓芨芨草和蜻蜓彈了一會兒玻璃球。

我覺得這樣太枯燥，乏味。

我開始讓它們四個玩起了捉迷藏。

這樣玩了一會兒，也覺得沒勁。

要不，就讓芨芨草和蜻蜓玩打架的遊戲。

這樣，好像更沒意思。

還是來點別的吧，最好是有趣的事。

那麼，就讓芨芨草喜歡玉蘭吧，如果蜻蜓也同時喜歡玉蘭會更有趣。剩下一個蝴蝶，我該怎麼安排呢。我想了一下，乾脆就讓她喜歡蜻蜓算了。

235

我為它們編好了故事，現在開始表演了。

它們現在是有生命的人了，所以，我要用他、她和他們來稱呼。

我左手拿著玉蘭，右手拿著芨芨草，開始登場。

在教室的走廊裏，在日光照耀的地方，玉蘭依在斑駁的牆壁上，認真地看一本小人書。光影投在她白皙的臉上，她長長的睫毛扇子一樣忽閃著，每扇動一下，攪動得光影也跟著顫抖。

遠處，芨芨草正向玉蘭走來。他腳步輕盈，生怕踩碎了一地的光影。他一步一步，一點一點，在光影裏移動，慢慢向玉蘭靠攏。眼看就要接近了，這時，上課鈴聲響了。

玉蘭從小人書上抬起頭，光影也隨即閃去。

她沒有發現，那個踩著光影，正朝她走來的芨芨草。

她更沒有發現，走廊的盡頭，在光影照不到的地方，還有一雙眼睛，在注視著她。

當然，他們三個都沒有發現，在教室裏，一個女孩透過厚重的玻璃窗，透過耀眼的光影，一聲不響地望著他們三個。他們的一舉一動都收在女孩的眼裏……

我感覺眼睛發澀，實在太累了。我放下玉蘭和芨芨草，抬起頭來。

門外，雨絲還在淅淅瀝瀝。

暮色正在降臨。

偶爾有雷聲在天邊滾動。

母親還沒回來。

我望了一會兒昏迷的天空，聽了一會兒雨聲，就收回了目光。

我覺得，還是我的遊戲更有趣。

我接著剛才的故事，繼續往下演。

課堂上，語文老師正在朗讀一首愛情詩。我們的語文老師是位漂亮姑娘，她年輕又活潑，像詩一樣風情萬種。她讀得很動情，就像在講她自己

的愛情。讀到精彩處,會舞動手臂,伸長脖子,聲音都變了調。

玉蘭聽得入了迷。

蜻蜓的注意力不夠集中。

他的眼睛不時瞄向玉蘭,雖然他很喜歡愛情詩,但他覺得比愛情詩更美的,是玉蘭那優美而光潔的頸項。

蝴蝶的注意力也不能集中。

漂亮的女老師講的愛情詩與她無關,她心裏只想著蜻蜓。她覺得,自己也有類似愛情的東西,在心裏搖曳,像春天的芒草一樣,滋滋瘋長。她迷離地望著蜻蜓,她看見蜻蜓的目光裏全是玉蘭優美而光潔的頸項。而她自己,眼裏全是憂傷。

坐在後排的芨芨草,用不著刻意,只需目光平視,就能看見玉蘭肩頭上的兩條小辮子。他一邊聽著愛情詩,一邊望著那兩條小辮子,感到格外甜蜜。

在這出戲裏,最幸福的是玉蘭,因為她什麼也不知道。最傷感的是蝴蝶,因為她什麼都知道。

天黑了下來。

暮靄衝進了屋裏,東撞西竄,只一會兒功夫,屋裏就什麼也看不見了。

我不得不放下蝴蝶和蜻蜓,停止遊戲。

這四根木棍的故事,讓我疲憊不堪。

我收回思緒,抬起頭來。

門外,雨依舊淅淅瀝瀝,叮叮噹噹,不急不徐,敲打著門窗。

我聽見院子裏有腳步聲,看見雨霧裏有人影晃動。

我知道,是母親回來了。

我的遊戲也就結束了。

春逝

從我家窗口能望見小巷對面的那個花店。

夏天的時候,我推開窗子,就能聞到花的清香。有時濃烈,有時淡雅。時間久了,我可以識別出各種花的香氣。那淡雅的是百合,濃烈的是玫瑰,

而那若有若無的一定是茉莉。

　　我還能看見坐在花店門前的那個小男孩。他叫久久，六七歲的樣子，和我年齡差不多大。久久長得精瘦，因為瘦，他的腦袋顯得特別大。他的眼睛也大，但目光空洞無神。

　　他總是坐在一把板凳上，看著巷子裏的人走過去，又走過來。他就這樣看著，能看上一整天。

　　聽大人說，久久得了一種怪病。他父親帶他去縣醫院看了幾次，沒看好，後來就不看了。

　　每天，久久的父親打理著花店，剪枝、澆水、插花。五顏六色的花擺滿了半條巷子，那香氣會拐彎，隔壁的巷子也能聞到。

　　久久坐在花店前，看著行人走過去，又走過來。走過來，又走過去。如果長時間沒有行人，久久就望著空蕩蕩的巷口發呆，那裏什麼也沒有。

　　偶爾，有孩子在巷子裏嬉笑打鬧，捉著迷藏，彈著玻璃球。久久就認真地看著，像是看一場戲，不願意漏掉一個細節。不經意間，嘴角會流露出一絲孩子的笑，眼神也閃亮了一下。只一瞬間，那明亮的眼神又暗淡下去。

　　每天的午後時分，巷子裏格外靜。沒有行人，也沒有玩耍的孩子。

　　久久長久地望著巷子裏的那棵柳樹。

　　有風吹過，柳枝就甩起長袖，像是要抓住什麼。有幾次，久久看見一隻灰山雀安靜地站在柳枝上唱歌。它唱了很久，久久聽了很久，這期間，他們有過眼神的交流。

　　夏日悶熱而單調，我午睡醒來，推開窗子，看見久久仍然坐在板凳上，一動不動。他穿了一件月白色的確涼襯衫，一條藍色棉布短褲。風吹過來，他的頭髮向空中伸展了一下，又默然垂下。他的樣子是那麼孤單。

　　秋天的時候，久久穿上了棉秋衣。他坐在板凳上，看著枯黃的落葉被風吹著到處跑，尋找回家的路。

　　天越來越冷了，雪下了一場又一場。巷子裏的行人也少了。

　　更多的時候，久久望著光禿禿的柳樹發呆。冬天的柳樹也像個病人，

掉光了頭髮，穿上了厚厚的白棉袍。偶爾，有鳥兒站在白棉袍上唱歌，久久就安靜地聽著。　他覺得這只鳥兒就是夏天經常給他唱歌的那隻灰山雀。

當白棉袍上沒有鳥兒的時候，久久就望著天空。寂寞的雪花，還在替蝴蝶飛著。久久覺得雪花墜落的時候，是有知覺的，一定很疼。

冬天的早晨，窗玻璃上結滿了各種各樣的霜花，有森林、梅花鹿，也有牡丹。這些森林、梅花鹿、牡丹擋住了我的視線。我看不見外面，看不見花店，也看不見久久。

我開始用嘴哈氣，用手一點一點摳玻璃上的霜花。我摳掉了一片樹葉，又摳掉了一朵花瓣，終於摳出銅錢大小的一塊亮光。我將眼睛貼上去，我看見了飛舞的雪花，看見了花店，也看見了久久。久久坐在雪地裏，一動不動，成了一個雪人。

四月到了，積攢了一冬的雪開始融化。柳枝開始長頭髮了，冒出綠色的逗號。風一陣一陣吹著，逗號一點一點長著。從南方歸來的大雁呱呱叫著，發布了這個春天的流行色。

早晨醒來，窗子乾乾淨淨，不再結霜花。

我趴在窗子上，看見了逗號，看見了花店，卻沒有看見久久。

第二天、第三天，也是。久久再也沒有出現。

聽大人說，久久去了天堂，去了綠色的地方。

盛祥蘭簡介

女，出生於吉林撫松，現居住珠海，任珠海傳媒集團主任編輯。中國作家協會會員。作品先後發表於《人民文學》、《詩刊》、《上海文學》、《作家》、《散文》等刊物，著有詩集《偶然》、《我們都是宇宙的一撇》，長篇小說《愛的風景》，小說集《流放的情感》，散文集《彼得堡之戀》、《似水流年》、《童年春秋》等。作品被翻譯成世界語、日語，入選多種選本。，河南省「文鼎中原」──長篇小說精品工程優秀作品獎，河南省第二屆杜甫獎。從事過編輯、記者、期貨經紀人等多種職業。已在《中國作家》、《北京文學》、《小說月報原創版》等刊物發表長篇、中篇、短篇小說數十部，並數次被《中篇小說選刊》、《小說月報精品集》等選載。已出版長篇小說《空心床》、中篇小說集等作品。

青島人文之旅

張燕珠

　　夏至前，我到青島參加漢語國際教育學術會議。第一次來到青島大學，感受百年的學術氛圍和時代氣息，來到最新落成的學院，與各地志趣相同者分享最新的漢語教學成果，算是頭一回。為了更好感悟百年老城的風采，放棄了入住大學的賓館，選擇旅宿棧橋對面的飯店。飯店始建於一八九九年，由德國著名建築師設計，是中國最早歐陸風格的旅館。它位於太平路，面朝大海，大門外的巨大鳥籠是其標誌，內裏歐式迴旋樓梯，發亮的木質牆壁，典雅高貴。棧橋是青島的第一風景，也是最早的軍用碼頭，初建於一八九二年，全長四百四十米，寬八米。長長的堤岸迎來風聲、海浪聲、遊人的笑聲、腳步聲、拍照聲……有一種休閒的感覺。舉目可見，是弄潮兒，更多的是尋寶者：摸蜆、拾貝殼、撈海苔……走到橋的南端是回瀾閣，屬樓高兩層的八角樓，是百年晴雨歲月的見證者。

　　沿著太平路逛逛，紅磚屋簷、粗獷的外牆、精緻的雕飾，這些標記性的舊式德國建築群，引來無數旅客的神往。第一站是良友書坊，在郵局舊址內，即塔樓一九〇一，是百年哥德式雙塔建築物。我們沒有使用升降機，踏著吱呀斑駁的旋轉木樓梯，一口氣跑到四樓去。磨損的木樓梯隱約透著光澤，與滲入的點點陽光，爭逐光亮。書坊布局有序，左旁是用餐區，一桌一椅看來都是厚實的木材，點上咖啡、茶或蛋糕，隨意在一排排的書櫃裡挑選書本，就可以消磨時間。不怕你光看店內的書，只怕你沒有時間。右旁的布局有點不同，一板板活字印刷字粒，是最吸睛的布置，訴說智慧的誕生之源。沙發區是文人不定期聚會的好地方，讀書會、新書發布會、朗讀會等，都在這裏。書店增設多元化實用性的功能，是增加人流、收入的好辦法。青島書店也不例外。但，它比較新式，似乎在找尋自己的個性。

　　天主教堂矗立在廣場前，高低不一的兩個十字架，與藍天相輝映。廣場前的一大片空地，是拍拖的好勝地，也是一對對情侶拍攝婚妙的天堂。紅的、白的、黑的、紫的、粉紅的婚禮服，更加活現教堂的磚瓦。他們無懼猛烈的太陽，爭取分秒擺動姿勢，來一個彎腰，也來一個心形的肢體姿態。每一對情侶都以為自己拍出來的照片是全場總冠軍吧。祝福他們！順

著廣場走下去，是一排排的店舖，不外乎是吃的、喝的、買手信的。忽然，看到一群人擠在狹窄的燒烤店前，應該是名店吧。不然，怎會花上半小時排隊吃烤肉呢？我們也趁熱鬧，一人一串魷魚燒。味道不錯，魷魚沒有冰鮮味，醬油是香港人熟悉的。生平還是第一次在二十六度下吃串燒。

來到青島，自然不能錯過文化名人故居。第二天，彷彿時光回到三十年代，康有為故居、沈從文故居、老舍故居、梁實秋故居、蕭紅蕭軍故居……可惜很多故居已成為他人的住所了，貼上「謝絕參觀」。參觀了康有為故居（取名為「天遊園」），才知道康有為的書法藝術造詣很高。真的識淺啊！來到老舍故居，它比較破舊。三十年代中期，老舍在國立山東大學任教，居於此處，並創作了《駱駝祥子》。故居旁就是駱駝祥子博物館，是老舍兒子舒乙的構思。甫入大門，看到「祥子」辛勤地拉人力車的黑色雕塑，我隨即站在前面與「祥子」合照。想起二十多年前手捧《駱駝祥子》看得趣味盎然，對虎妞的行為嘖嘖稱奇，印象深刻。去年教授現代文學時，自然也有「祥子」的份兒。想不到祥子因為老舍而留名，老舍也因為祥子而奠定新文學的地位，我也因為老舍和祥子而打開現代文學之門。

沿著舊紅十字會遺址走了一圈，是長長的紅色高牆，圍繞紅牆繞一圈子，起碼要二十分鐘。紅牆外又是情侶拍照勝地，不限於婚禮服，也有情侶服。他們早已放好了工具，佔據有利的位置，又是一場表演秀。大學路與魚山路的交匯處聚集了一群年輕人，流輪拍照、「打卡」。這是網紅景點，被網友稱為「轉角遇到愛」，特別吸引文藝青年的眼球。我自然來一回藝（偽）文青演出。大學路是最早的現代化路，稱為「青島第一路」。魚山路則是充滿人文氣息的路，中國海洋大學在它的一側，大部分名人故居也聚於此處。我們一心一意前往聞一多故居探看。可惜，花了半小時的搜索，故居竟然在維修，只能在圍網外眺望聞一多的半身雕像。他的頭部微微向前下垂，彷彿「哭得太累了」。接著，我們登上小魚山公園，一覽老城的全貌，矮矮的紅白屋盡收眼簾，浴場（即海灘）上的泳客黑壓壓的一撮一堆，螞蟻般細小。仰望天空，看到遠處隨風飄揚的風箏，居然想起曹雪芹的風箏。於此，建構了一幅藍天、碧海、青山、綠樹、紅瓦、黃沙的青島圖畫。

第三天，我們來到八大關景區歷史文化景點。這裏原本由八條道路組

成，因以長城的著名關隘為名，又因參與建設的建築師來自英國、法國、德國、美國等，靈感源自當地的建築風格，故成為風景區。其實，這裏是別墅群，約三百餘棟。不同的道路種植特色的植物，如寧武關路兩旁海棠繽紛、韶關路種植碧桃、正陽關路則是紫薇，等等。春天群花競放，相信遊人也會爭相來賞花。它又是拍照、「打卡」的熱點。時值夏天，舉目所見都是蒼翠的樹木，置身其中，涼快無比。這裏又是拍攝婚紗照的好地方，潔白的一雙一對，在綠意盎然的樹群叢裏，更是純潔。加上，公主樓、蝴蝶樓、花石樓，這些名字，叫人期待。公主樓是童話式建築物，原定為丹麥公主到訪青島而建，至今墨綠色的外牆仍然讓人憧憬，故遊客往來不斷。蝴蝶樓是一九三五年《劫後桃花》的拍攝場地，是第一部以青島為題材的電影，也是電影文學劇本創作的先聲。中國第一位影后胡蝶曾居於此，故以此命名，引人遐思。它應該是老青島人的集體回憶點吧，偶然有零星的銀白族在樓外拍照。走到八大關的南端岬角，可以看到建於三十年代的花石樓。它是以花崗岩建造及滑石裝飾的城堡式建築物，三面臨海，環境優美。五十年代中期，陳毅曾下榻於此，並寫下長詩〈初遊青島〉。此詩現刻成碑文，立碑於五四廣場內，讓後人大致了解當年的青島風貌。「海市燈輝煌，海水漫無邊。群山海中峙，遠島似規圓。隱約尚可見，幢幢影相聯。巨艦泊海中，火樹花若燃。」這些詩句仍然是今日青島的寫照。

青島火車站是聞名中外的火車站，始建於一九〇〇年，於一九九一年拆除重建。它保留了原車站德國文藝復興的建築風格，龐大 U 字型的紅瓦花崗岩牆，好像伸開手臂迎接各地的旅客。火車站與地鐵站相連，坐上數個車站，就來到五四廣場。五四廣場，是因為青島是五四運動導火線而命名。廣場聳立巨大紅色螺旋向上的雕塑，名為「五月的風」，象徵騰空而起的勁風，有一種力量的感覺。它是全國最大的銅質城市雕塑，是今日青島現代性的地標。今年是五四運動一百年，看到這個雕塑，可以感受到當年五月的勁風。沿著海濱長廊步行，另一端就是奧林匹克帆船中心，是二〇〇八年奧運舉行帆船比賽的場地，保留了當年巨大的聖火火炬、五環標誌。這裡佔地面積約四十五公頃，所以備有穿梭無間的觀光小火車。我們漫步而行，向情人壩出發，以為目標在望，卻花了約一小時才到燈塔。情

人壩上的旗桿沒有飄揚的旗陣，光禿禿的旗桿分隔了天和海，傳來陣陣的風鈴聲，似是海鷗歌唱的韻律。盡頭處是巨大的白色燈塔，好像是世界的盡頭，卻原來有一個燃點希望的名字——祈福燈塔。由昔日照亮漁民回家的燈塔，搖身一變成為國際大型帆船賽事的定位，歲月悠悠啊！

其他的，如監獄、海軍俱樂部、總督官邸遺址等，都是一頁又一頁的歷史。說起歷史，不得不提中國最年輕的名剎——湛山寺。寺內免費供香，香火鼎盛，義工數量眾多，遊人平和自律，是難得的清淨地。那一頓結緣飯菜，貼上「惜福水」的大水壺，回甘依舊。若能一嚐青島花生，就是圓滿了。

後記：文章脫稿那天，驚悉林曼叔先生仙逝，詫異又傷感，願他抵達另一個世界展開另一次的人文之旅。

張燕珠簡介

曾獲城大文學創作獎、中文文學創作獎等。新近作品見於《香港作家》、《聲韻詩刊》、《香港文學》、《城市文藝》、《文學評論》（香港）等刊物。

至實至名歸的孩童節

段玉梅

　　這幾天恰逢趕上雙節，街上處處顯示歡樂的氣氛，因為正好趕上六一兒童節與端午節。當然在我的記憶裏，每逢端午節，這樣傳統的節日裏，我們家父母定然少不了包粽子，給子女們買新衣服，手腕上佩戴五彩線以及民間老藝人，用匠心獨特且祖傳精湛的技藝，手工製作而成的神態各異、繽紛多彩的布貼胖娃娃，它們作為一種吉祥物，賦予醇厚而美好的寓意裏辟邪驅災的。這些布貼胖娃娃，有童子坐蓮、手持金箍棒的孫悟空、八戒啃西瓜、哪吒鬧海以及十二屬相動物彩繪圖的布貼畫，經過民間老藝人精湛的技藝，栩栩如生的表達出來，專門擺在門前的攤位上，以便街上的行者圍攏觀賞著，只要看到中意的飾物，就會為自家的孩子購買回家，用紅絲線繫著布貼胖娃娃掛，作為一種美麗的掛飾，佩戴在孩子們頸項後背上，這是必不可少的生活環節。

　　每逢端午節來臨之際，母親不僅喜歡購買新衣服、布貼胖娃娃、五彩線給我們當節日禮物的。母親還喜歡購買蒲扇、梔子花、艾葉。那時家裏沒有電風扇，蒲扇是為了盛夏之夜驅暑乘涼的，梔子花是為了佩戴胸前的，艾葉是驅除驅趕蚊蟲的。母親還要購買粽葉、糯米、紅糖、紅棗、紅豆、蓮子、花生等備料，以便在端午節之前，專門用來包裹粽子之需。母親將粽子包好、蒸熟後，還要挨家挨戶將它們送一點給鄰友的孩子們品嘗一番，還順道帶上自製的五彩線，且一同分給鄰友們的孩子手腕上佩戴，雖說母親的悅美他人之舉，細微而平凡，可她卻甜美在心裏，送人玫瑰，手留餘香。其實，那種鄰里之間，你來我往的人情禮節，極為融合相處中，我深切感受到了淳樸至親的情意，無論哪一家鄰友，跟我們家人皆是非親非故，只是端午節時，鄰里之間，你一碗粽子，我一條五彩線，品嘗你家的粽子，食之香甜，佩戴上我家五彩線，在孩童之間嬉戲逗樂玩耍，以及鄰友之間互道吉祥安好的同時，也讓彼此之間連接上了深厚的情誼。

　　按理說，無論從文化傳統上的外觀表現形式，還是如常百姓飲食上的生活細枝末節，上至風土人情，下至節日習俗，我們從小耳濡目染，親歷

見證過童年時期的端午節，才是我們中國所有孩童時代，真正意義上的孩童節。每逢端午節時期，母親購買的蒲扇、梔子花、艾葉，只要房間裏隨處可見，馨香四溢，還有母親包的粽子，蒸熟只放在一隻瓦盆裏，用涼開水養護著，等待著我們放學回家時，隨需隨拿開口即食。我知道，端午節又要來了，那才是我們童年時期，一個真正的節日——至實至名歸的孩童節。而這個節日，吃喝玩樂融於一體，對孩子們來說，並不亞於過年時穿新衣戴新帽，歡欣愉悅的心情，難以言喻。那番濃郁的情意，亦如昨日歷歷在目，蘊藏在我兒時的記憶中，無論時光如何變化，都不會泯滅。在當今都市生活中，只要每每觸及這樣的畫面，都是溫馨與快樂的！

段玉梅簡介

自由撰稿人，從一九九六年開始發表作品，迄今為止，作品散見數百家報刊雜誌。二〇〇七年加入為河南省作家協會會員；二〇〇九年南下打工，僅為家人而謀生，有幸成為打工一族；二〇一二年至現今宜居東莞職業技術學院；二〇一七年被聘任為廣東省東莞市作家協會松山湖分會理事。

到皇宮欣賞藝術展

文浩

　　去年十一月中旬，我隻身前往澳門看藝術展。

　　二〇一九年藝文薈澳有多場藝術活動，但在香港營營役役的生活令我錯過了大半。秋涼時節，我趕上藝文薈澳尾班車，到氹仔永利皇宮觀賞《永利藝賞——人間樂園》展覽。

　　藝術我所知有限，但能遠離煩囂，在如此有氣派的五星酒店下欣賞藝術展覽，倒是新奇又獨特。展覽場地大，人極少，由下車處徒步來到展覽處入口，需要轉幾個彎，略具神秘感。

　　藝術作品曲高和寡，沒關係，看看入口處拉菲克·安納度（Refik Anadol）的《融化的記憶》（Melting Memories），以數據油畫、數據雕塑和光線投影呈現一個人正在流動的回憶。作品的外形會像腦電波一樣不斷變化，奇幻有趣。

▲ 展覽入口處拉菲克·安納度（Refik Anadol）的《融化的記憶》（Melting Memories）。（作者攝）

　　走進展覽廳深處幾乎空無一人。《光環》、《方陣》……一幅幅畫作在發呆等待知音時，我想起陳之藩〈寂寞的畫廊〉內一句：「一位哲人說的好，人類的聲音是死板的鈴聲，而人間的面孔是畫廊的肖像。每一個人，無例外的，在鈴聲中飄來，又在畫廊中飄去。」他將「畫廊」比喻為人類的歷史，每個人都只是畫廊裏的過客，來去匆匆。是的，其實除了要採訪交稿或者需要靈感的藝術創作者，多少人會駐足這個畫廊長時間呢？

　　但走往一樓另一個小展覽的途中我又想，很多偶然走進畫廊的人或許寂寞，但更多的是一心走進畫廊而接納寂寞的人。梵高說：「沒有什麼不

朽的,包括藝術本身。唯一不朽的,是藝術所傳遞出來的對人和世界的理解。」藝術創作的道路孤寂,知音者寡,但依然有這樣多人願意創作,足證明藝術本身自有不可抗拒的吸引力,令藝術家用創作呈現世界。

　　參觀《永利藝賞——後樂園紀》這個展覽令我感覺置身皇宮:門口有職員親手呈上關於展覽的簡介小冊子,踏上繡上龍鳳的華麗紅絨地毯,沿路經過不少中式古雅花瓶,再加上酒店斥資四十一億美元堆砌出來的金碧輝煌,整個體驗與去一般藝術展很不同。這個展覽融合三名當代藝術家的作品,其中包括澳門著名油畫家蔡樹榮展出近作《無題》系列,藝術家胡松偉的概念雕塑作品《思》系列,和 Rusty Fox 從未曝光的《黑色標本》系列。展覽以一系列當代藝術作品,探討現今社會生活中的變遷與景況。

　　離開展覽廳去吃自助餐,餐廳有落地玻璃,可以欣賞皇宮外的湖景音樂噴泉表演。一邊看躍動的噴泉一邊吃著美點,這種偶然的奢侈,就是生活的動力。

▲ 展覽現場。(作者攝)

文浩簡介

香港人,愛吃也愛寫作,紮根香港,熱愛濠江。

詩 路

關於詩人

萍兒

還是那把玄琴奏出今古的小令
一次次接受蒼鷹的貶低和誤傷
他們熱衷於說著往事互相讚美
雨季未臨 世事枯朽如幻
人人都故意不擅辭令
甚至嘲笑勇敢活下來的詩人
騎著黑駿馬的勇士早已庸俗地老去
國色天香的形容詞使人心慌
潰堤成一朵無香的艷麗的花
接受世人錯誤的膜拜
只是一個表達的困惑
母語的深重由一句話定義
熱烈的黃昏
在刀鋒上失血一次也就夠了

萍兒簡介

原名羅光萍,筆名萍兒、曉萍,中國作家協會會員,詩人。現為香港中通社副總編輯、香港作家聯會副會長、《香港作家》網絡版總編輯。祖籍福建省福州市,少時隨父母赴港定居。一九九六年畢業於香港樹仁大學中文系。目前還擔任香港新聞工作者聯會理事。多年來筆耕不輟,文學作品見於《人民日報》海外版、《香港文學》,香港《明報》、《文匯報》、《大公報》、《福建台港文學選刊》等海內外重要文學刊物及報紙副刊。出版詩集《萍兒短詩選》、《相信一場雪的天真》、多次獲邀參加兩岸三地大型詩會。二〇一七年十一月代表香港詩人獲邀參加廣東省中山市政協主辦的「二〇一七粵港澳大灣區新詩百年」海洋詩會,作品被選為誦材在大會上由知名朗誦家朗誦。曾發起創辦香港《當代文學》並出任創刊總編輯。

秋寒

宇秀

秋寒，來得這麼快？
一些春天的心事還沒來得及打開

風窸窣走過浣熊出沒的小路，漸次冷落
陽光一過午後就無力跨進門檻
將未及實踐的諾言打成行囊等在遠方

我躲在薄荷葉裏，體會流年至此的清涼
世間的炊煙暫且消停，不讓風在火中奔走呼號
它就婉轉成河流，載著月光徜徉
我看見歲月在夜間行走的模樣……多麼安詳

這安詳很輕很薄，像景德鎮瓷碗上的蛋清
不適宜五穀雜糧卻可以盛滿惆悵
我把手背上的月光和手掌裏的心事一併
放進秋寒，星辰以十字的方式在松針尖閃爍

潛伏在遠方鹿角上的靈魂豎起耳朵
落葉正與世界一一告別

　　　　（此詩發表於《草堂》詩刊，收錄於《2019 年中國新詩排行榜》）

宇秀簡介

海外知名詩人。

莫高窟（外二首）

詹澈

經緯線中看見阡陌裏一方方秋紅的麥田
薄霧的樹林上蛛網閃著陽光的經緯與孔洞
夜空間隔有序的星座如稻穗下垂，指向這裏
似鐘擺的杓柄以斧斤，以星光鑿開岩壁，用月光敷牆
白天在陽光中睜開骷髏空洞的眼窟，閃現佛光

我看見你了莫高窟，如蜜蜂與蒼蠅的複眼逐漸放大
逐漸放大，那一幕，是悲是喜，是哀是怒
道士王圓籙，鑿開藏經洞，驚見五萬卷書畫
上報朝廷，無緣愚癡頹敗的王朝啊，視如敝屣
你十年修行也修不息一個貪，廉價私賣經卷，王圓籙

被盜拓切割的菩薩與飛天，也回眸不捨
經變的圖影，善辯的文殊與維摩詰
說盡天上人間諸病諸妄，從洞窟空茫的眼裏
目送傳教士們席捲經卷壁畫
千年來的一次大劫掠

畫壁上另一個居士，背影形似張大千
臨摹拓印，他臨摹自己往後的名利財色
終究無法捨得，後代子孫弟子應惜福
變換為商品在拍賣場上高價所得，如何回填
拓陷與剝離的壁畫，流淚的菩薩已眼臉模糊

看不見，那株尋找寄生的水草與樹苗
看不見蒲公英與蘆芒散飛的種籽
看見的是漫天飛舞的飛天
衣袖牽繫著細細的絲路
壁畫上的絲路樞紐，今天的敦煌

我聞到海風，聞到鹽
聞到滄海桑田，這裏是遠古的海底
是湖，岩壁上殘留的貝殼，像佛的眼睛
像菩薩胸前臂膀上的寶石與染料
孔雀藍與黃金堅持一千年沒有變色

我看見米麥、芝麻、核桃的化石，我想起農民的子弟
跪拜，也是插秧蒔草的姿勢，佛菩薩
我們也是供養人，饑餓是最平等的，在肉體裏
在戰場上，戰敗的戰馬咬著破碎的旗幟
那不是糧草，那是前朝不散的冤魂

白骨倒豎如十字架，月光下長成仙人掌
目送廉價購買經卷的傳道士，這路上
再回頭，王圓籙道士的墓木已拱百年
是善緣還是惡緣，東傳的佛經，帝王的政經
藉此西傳避禍，彷彿已預見一個清王朝的沒落

百千窟裏的第一窟，樂傳和尚的塑像還坐在那裏
一千五百年了，反彈琵琶的飛天一直飛不下來
一個笑容換一個朝代，一個姿勢換一個朝代
一件衣服一個顏色，再換一個朝代
看不見千年爭戰在洞窟上奔騰過的千軍萬馬

抄經的和尚，鑿壁的役人
綿綿供應顏料與糧食的商賈，均田與稅賦
被一次次的書法寫在經卷畫冊裏的眾生
世界最大的歷史博物館，美術館，整座山
是世界書法的基因庫，醮著血汗，與淚

月牙泉・鳴沙山

這不是西遊的神話傳說，我就是來看見你沙悟淨
這世上的人都想煮沙成飯，以幻視幻
這裏看不見的菩薩與藥王能以沙為藥
以泉為月，以水為心，以心為光
他們是河，是水，是光，是你會出聲的毛孔

沙中有沙，沙粒內有孔，有風有聲
五色沙唱誦著五音，你的喜怒哀樂悔
紅黑黃綠白與宮商角徵羽，你的悲歡離合空
白天聽見仙樂如泉水蕩漾的漣漪
夜晚鬼哭狼嗥飛沙走石，沙幕如浪濤

卻能聽見你幽幽的哀泣，失去親人的旅人
二千年了，在鳴沙山的陰面，請節哀
我只是黏著海風，帶有農民子弟的土垢
想來此換一把五色沙，想治愈貪嗔癡的惡毒
如治愈這世界被欲望戳穿的殘破的身體

至悲的眼淚滴落在人間的月牙泉
沙漠中半閉的眼與微笑的唇
這牙還能咬住多少旅人的相思
這月還能照見多少今塵來世
鳴沙山裏有多少疑問在發聲

玉門關

城門已朽化為飛滾的沙塵，落日還那麼定圓鮮紅
城堞殘缺如骷髏臉上凹凸的牙槽
白骨製的劍柄插在土裏
風聲中傳來白骨孔簫的嗚咽，一夜征人盡望鄉
二千年來多少戰死的冤魂在這關口徘徊

李廣利，關外有人呼喊這個名字
有人不知不覺響應，我是李廣——
兩個名字，一來一回，就是二千年
李廣飛將軍，匈奴聞名夜遁逃
李廣利西征求和，皇帝怒斥過玉門關則，斬

三千隻汗血寶馬隨著張騫經過玉門關
在滾滾沙塵中兩尊佛像閃閃發光
向東走過敦煌走上咸陽走進漢武帝的夢裏
佛教與佛法逐漸東傳，至達摩從海而來
一葦渡江面壁九年一花開五葉

玉門關走過法顯玄奘鳩摩羅什與東西各族人馬
它像歷史鏡面上映現的眼睛
看見生與死在這個關口輪替
東西文化在這裏交織交融，和平共存
它開放包容並創新宗教與人文

它生根，深根如堅韌的駱駝草
根深十五米，吸吮地下雪水滲透的水氣
駱駝，這上天賜給人類的善良的坐騎
下跪讓你上坐，眼神疲倦睫毛防沙
駝峰可以支撐一星期不用喝水，馱運茶鹽絲綢

走向筆直寬廣的快速道路兩旁
寶馬車隊呼嘯而過，不看它們
這世界的速度，會比地球自轉還快嗎
駱駝的速度，在沙漠上前進，例如宇宙飛船
在空無一人的星際行走，永遠耐得住寂寞

詹澈簡介

台灣詩人，曾任《草根》、《春風》詩刊同仁、《夏潮》雜誌主編、《春風》
雜誌發行人、台灣藝文作家協會理事長。詩集《土地，請站起來說話》、《西
瓜寮詩輯》，散文集《海哭的聲音》等。

《詩行者》短詩精選（五首）

杜若鴻

一、細斟北斗

天的湛藍已染成幽黝
斑斕的彩虹幻化於雲端

心是小小的孤島
四岸的青山緊緊圍繞

秋天的季節不是褪色了嗎？
為什麼還有片片飛花
沾落在我的衣襟？

展望前路
去的征途正長
唯見浪遏扁舟
細弱的桅杆在風濤裏搖

駛向渺遠的洞天
細斟北斗
在星海的搖籃中
俯瞰人間……

二、風中曲

此情未許成追憶
有你的起舞
有我的共振
在風尖上……

三、嗨！小朋友

風兒啊在吹
鳥兒啊在飛
人兒啊在做些什麼？
坐在那裏多浪費！

魂兒啊
何妨被風兒吹吹
魂兒啊
何妨陪鳥兒飛飛

四、文武志

什麼時候
也放下筆桿子
做一回震懾威儀。

平生文武志
讓天地豪情
為我匯聚。
吞風吐雷。

然後高喊一聲：
　　書劍江山
　　在我腳下……

五、獨行

臨風獨上

孤傲中的淒

入心地品嚐

獨行夢

杜若鴻簡介

香港學者詩人、作家。香港大學法律學士、浙江大學文學碩士、香港大學哲學博士。翩婉詩派奠基人及開拓者，其詩樹立「翩若驚鴻，婉若游龍」的翩婉風格。郭鶴年先生的國學導師。2018年新加坡國立大學訪問學人。現任教於香港大學中文學院。歷任香港大學漢語中心副研究總監、香港國際漢詩總會會長、香港新詩學會會長、香港音樂文學學會副會長、世界華文文學聯會副秘書長及香港作家聯會學術部副主任。作品逾二十種，代表作有雙語集《詩行者——若鴻名作選集》及「西湖三部曲」《西湖之夢》（攝影）、《夢斷西湖》（小說）、《詩緣西子湖》（詩歌）。

記住冬天——朝天門不說話

蒲俊傑

朝天門
兩江對飲，失了滔滔
清濁互映，默默逍遙

磁器口
石板路上石板橋
萬家燈火萬家曜
一跫踏破兩溪口
無人回首無人朝

長江索道
空中走廊
走廊中空

洪崖洞
錯山錯水錯古道
無風無雨無人擾

渣滓洞
英魂沉睡
沉睡英魂

解放碑
兀自獨立，靜待飛鳥
滿城飄絮，無處喧囂

南山一棵樹
南
山
只
有
一
棵
樹

蒲俊傑簡介

詩人、作家、哲學博士，現為重慶大學新聞學院副教授、重慶大學新聞傳播與社會發展研究院研究員、碩士生導師，已出版詩集《2月30日的雨》、長篇小說《逐影》、學術專著《政治性、自由主義、顛倒極權主義：謝爾登·沃林政治學研究》等。

極短詩十首

張海澎

一、沿着大廈的外牆爬了上來

窗口將風景的笑臉探進我的書房

二、苦苦支撐了一生

高傲的頭顱終於舉起了明明白白的旗幟

三、張開手掌

命運撲棱撲棱地破繭而出
如一雙從掌紋掙脫的翅膀

四、月亮是斷線的風箏

那一幻童年的視線久久牽動過的好奇
仍擱在群星日漸疏落的梢頭

五、當思想的石片掠過事物的湖面

一圈圈漣漪滔滔不絕地盪開
卻無關水的深淺

六、徜徉在回憶的小徑

我一路撿拾你遺落的影子

七、你沒有如約到來

當黃昏如桃花般凋萎在熙來攘往的街頭

八、當時光的響鞭高高懸起

揉去星星的殘夢
蒼白的晨曦從地平線上慢慢坐起身來

九、商場女廁門口

大大小小老老少少漠然地等待着大大小小的解放
隔壁男廁敞着沒有拉上拉鏈的大門
悠閒地看熱鬧

十、當下

世界溫順地伏在我的腳邊
如一隻從黑箱中逃脫的貓
滿月的瞳孔開啟着一線陽光的明媚

張海澎簡介

香港中文大學哲學系文學士及哲學碩士，香港大學哲學博士，目前在香港中文
大學任兼職講師，教授邏輯學、思考方法等。

時代（外一首）

度姆洛妃

她以卑微的名字重新喚醒一場風
一場風，讓這些磐石都開花結果，結果，開花
傷痕太多，龜裂的地方只能引用省略號，
省略號！
像億年的光景被撢成紙張一樣的紋路
所有的疼，都很薄。所有的夢，都很薄。

狂想者

比浪花更恆久的是海的澎湃
它沒有嚇人的分貝，一波一波地互相接應
它是上帝的臉呈現人的原罪
那些高高在上的貧窮者更是罪加一等
噓！你看嘛我一說就錯
兩隻海鳥飛過頭頂。一隻說，我是飛翔的海。
另一隻說，我是時間的肉身經過你的荒蕪。

雨來了，它們嘻嘻哈哈地遠去
你們才是天生的詩人啊
我只是一個狂想者
試圖把這操蛋的棋局掀翻。

度母洛妃簡介

本名何佳霖。女，現居香港。華聲晨報社副總編輯、華星詩壇主編。榮獲第
十六屆國際詩人筆會中國當代詩人傑出貢獻金獎、第五屆中國當代詩人貢獻獎、
兩岸三地詩歌高峰論壇詩歌大使榮譽稱號、金紫荊愛情詩歌最高榮譽獎等。出
版多本詩集。作品被譯成多種文字。

雨岸連思六首

朔氣濃陰降，寒鋒一夜摧。
闌邊觀落葉，不覺滿園堆。

水火星霜旅，關津順逆行。
流暉成異彩，風雨韌纖莖。

連根依父母，願得永相陪。
半路萍蹤逝，孤清挽淚杯。

歸真循直道，曲折換長征。
百轉單車往，雲間白鶴聲。

春秋本天運，往事不思回。
笑指平生夢，明心已近灰。

濟世安驚患，先賢早作朋。
同舟當協力，破浪捲千層。

鄺龑子簡介

學者、詩人、散文家、翻譯家。畢業於香港大學、牛津大學、耶魯大學，兼治中西文學、比較詩學及思想史，尤專詩詞及韻律學。曾執教於美國，回港後任嶺南大學中文系教授、翻譯系教授、哲學系客席教授。屢獲嶺大優異教學獎、研究獎，又獲「大學教育資助委員會傑出教學獎」。著有《廿一世紀香港詩詞：古典詩詞美學的前瞻與透視》、*Tao Qian and the Chinese Poetic Tradition* 等等。創作有詩詞集二十六種（二千六百首）；散文集三種；亦工英文散文。編譯有《皇仁書院校史》。南溟詩社社長兼主席。

卡布奇諾（外一首）

安靜

把滿腹心事與芬芳小豆一同碾碎，溶於水
便有了一杯深色的液體
素白的奶漿慢慢澆入
冬日寒冰和胸中塊壘也隨之融化

攪拌，打泡，拉花
浪漫主義的迷霧從杯中冉冉升起
映襯著塞納河左岸雪國中的橘色霞光
吹開綿密氣泡上的橄欖枝和心形圖案
躁動的靈魂就可安放進去
滿室氤氳細碎的溫情
這是每日晨起不可或缺的救贖盛典

古老橡木桌子紋理上的漬痕若隱若現
猶然可見
埃塞俄比亞高原煙塵滾滾
阿拉伯大地金戈鐵戟
兵荒馬亂送來了咖香陣陣
抿一口，便穿越萬里千年
西方文化史在唇齒間苦澀綿延

咖啡館飄滿繆斯的飛吻
普希金磨劍霍霍，準備決鬥
海頓驚愕的表情僵在曲中
薩特和波伏娃躲於一隅
情意綿綿，闊論高談
海明威一腳踢開了門檻
弗洛伊德的潛意識伺機而出
撲面而來的，是克林姆特的華麗金粉

一勺砂糖投入波濤暗湧的杯盞
引發了隆重的棕色討論
蒸騰出哲學思辨複雜的泡沫
如星星沉浮於暗夜的起落高低
在宇宙的脊背上璀璨生輝

但這古銅的光芒
卻讓我想起一個叫陸羽的東方聖人
他氣定神閑，始終引領著深褐的風尚

巴黎之殤

輕輕拎起盧浮宮
晶瑩的鑽石滑落手心
多棱鏡折射出那個黑色的夜
策蘭在左岸咖啡館
摔碎酒杯
奮然投入水中
將整條塞納河
一飲而盡

穹窿之下
死亡賦格紛紛揚揚
啟示之星奇異閃光

安靜簡介

本名顏向紅，女，華東師大文藝學碩士（小說美學專業）「歐華文學」主編。
歷任大學教師、記者編輯，現居奧地利，從事文學編輯、評論和寫作。

寧靜小城

王瑞

夜幕降臨
亮起盞盞街燈
璀璨燈光拖長誰的背影

萬人空巷，高樓靜默
河水無波
橋上閃爍道道迷人的霓虹
滾滾車流哪裏去了

空氣中不聞一絲清風
不見星月，夜色濃重
長長的河堤曼妙著無限詩情
該是青年男女堤上卿卿我我
該是少男少女壩下蕩起歡樂的笑聲
一切靜的美麗
靜的出奇，靜的荒涼
靜得讓人心神難寧

本是熱鬧歡樂的春節
本該禮尚往來敘說友誼親情
一場疫情侵襲了武漢
襲遍了中國，震驚了世界
為了打贏疫情防控阻擊戰
多少人克制欲望
收下夢想宅守家中
與原本的生活背道而馳
小城之夜
才如此純粹寧靜

王瑞簡介

中國散文學會會員，安徽省作協會員，安徽僧文藝評論家協會會員，阜陽市作協副主席，界首市作協主席。出版文集四部。

「璞社」網上視像（Zoom）詩會後有感二首

董就雄

困居如此我何堪，幸有詩盟接二南。
輕點光屏開妙室，坐邀群像縱雄談。
更逢俊侶英倫遠，來共微言錦句參。
風雅不為瘟癘阻，驪珠且在網中探。

愁雲何日復天藍，且閉陳門覓句耽。
怊悵切情摹漢魏，幽深寄遠步鍾譚。
論詩更得彩屏裏，困屋無妨孤港南。
最喜自云篇意後，賢師映眼笑微頷。

董就雄簡介

香港大學中文學院哲學博士，現任香港珠海學院中國文學系教授。為「璞社」資深成員、全國中華詩詞學會理事。著有《聽車廬詩草》（一、二、三集）、《聽車廬評點璞社詩》、《梁佩蘭集校注》等創作與學術專書十五種，並發表學術論文多篇。

詠荷三首

林律光

荷珠
細雨臨塘六月天，珍珠柄下藕絲穿。綠裙贏得詩人頌，締造今生好佛緣。

賞荷
無極池中漾碧波，幾回珠淚落花河。斜陽夕照銀橋下，翠羽芳洲味韻多。

秋荷
野艇穿河不畏風，褰衣對飲畫樓東。梯山葉亂蓮花謝，翠蓋凋零落水中。

林律光簡介
字無涯，號維摩居士，祖籍廣東番禺，誕於香港。畢業於廣州暨南大學及香港科技大學，文哲雙博士，從事教育工作凡廿餘年，著作包括《荷塘詩影百詠》、《維摩詩作三百首》、《蘇曼殊之文藝特色研究》等二十四本。並擔任香港東坡詩社會長、《雪泥鴻爪》雜誌主編、四川什邡馬祖禪文化研究會顧問、四川眉山市東坡詩社副社長兼理事、《香港詩詞》顧問等，詩聯文作品散見於中、港、台、馬來西亞、美國等各地刊物及網頁。

黃葉（外二首）

宣希

黃葉

我在陽光下
看見屬於自己的黃
雙臂緊扣
擁抱著遊走全身的
思念

一片黃葉
是一個荒誕的世界
溜走的歲月
無情像那次相聚
沉重了四季

秋葉掀開
那份傷痛
撒過的泥塵
戴著鐐銬起舞

萬物歸於寂靜
滿地憂傷
伴隨
重重疊疊的黃

慵

慵懶的日子
在沙發的詩集中
揮發著

無邊的頹廢
依附著
陰晴不定的天氣

陽光
早已隱藏
那個清晨
那條
發不出的信息

念

又沉醉在黃昏
一個人
一本詩集
一杯香茶

夕陽跳過紗簾
一縷風
一個影子
一頭秀髮

在文字中暢遊書海
茶香中
和著
你的味道

宣希簡介

教師，喜歡旅遊，更喜歡文學及創作。

路燈下（外五首）

張伯偉

編按：福建詩人張伯偉，對詩歌創作充滿熱情，作品韻味深長，可惜罹患惡疾，五十五歲英年早逝。據言，張伯偉為人善良正直，深受友朋後學所愛戴，雖經歷不同變故，仍堅強生活。生前心願盼能完成詩集出版，與更多讀者分享，故本刊特選登張伯偉詩作六首，以茲共賞並作懷念。

路燈下

那光線像雨水
落在身上的卻是冰冷的碎片

夜的濃度
如掉進墨水的誓言
躺著的影子
更顯沉重

一顆浸染思愁的心
貼著燈架喘息
就像床前那發黃的照片
對著台燈，低吟

牆角的藤蔓

一陣風言風語，把你
逼進了牆角
從此
「高攀」成了你的枷鎖
委屈的眼淚
長伴無言的黑夜

你如同落單的螞蟻
沿著微弱的星光默默爬行
站到最高處
沐浴星野的光芒

原來
晝夜瘋長的你
正洗去那份不屑和惡語

走過的，都有痕跡

人在路上
深一腳，淺一腳
意念卻與大鵬同向
長在石頭上的讖語
砸在心上
痛，只在一杯酒裏稀釋
看透隔夜的人，不與悲傷同道
遠方成了唯一的設置
歲月的隱形筆
用沉默寫出無形的文字
等待一起痛過的人看懂
蹉跎歲月，擦去
肩上的疤紋
卻留下了飛過的痕跡

生命詠嘆

假如你不路過黃昏
你不會對夕陽如此留戀
假如你不經歷黑夜
你不會對星火如此渴望

過往的青春
帶著浪漫和嘆息
躲到相冊的泛黃裏
如那朵將淒美熬成湯的曇花
短暫而無返

一隻螞蟻奮力於把夕陽托起
吶喊著生命的頑強
夜鶯幻想把黑夜洗白
讓天永不發黑
可天上之河依然流血
魔法如期猖獗
也許，生命就像
一尊埋了一半身軀的石像
任寒風，沒過高傲的頭顱

等待黎明

沉重的黑幕，乘
太陽轉場的時候
蓄意吞噬夜的詩意
水中月亮望著天上流雲
呢喃著
千年不變的詩篇
萬物染月，晚風浪漫
披上銀裝的古橋、大樹、水草
與月作伴
等待黎明，與太陽交接

想你的時候

打開相冊
窗外的黃葉就落滿地

風中的樹丫
鈎不住行走的月亮
想起北方的雪
汽笛聲便是嚮往和思戀

月落烏啼，雪花飄去
思緒，藏在夢裏
融在雪裏

張伯偉簡介

筆名張東紅，福建晉江市人，中國詩歌報抒情詩創作室榮譽主編，中華文藝詩
歌學院高研班學習。作品見於《中國詩歌報》、《中國詩歌文學精品》及《中
華文藝》、《參花》、《北極光》、《四川人文》、《廣州詩詞》、《齊魯文學》、
《長江詩歌》、《鳳凰詩刊》、《嶺南作家》、《大西北詩人》、現代散文網、
《福建海峽都市報》等。有作品編入團結出版社出版的《新詩百年‧中國當代
詩人佳作選》。

271

哀歌兩首

哀歌第一
——給 C.JZ 先生

我想用一首詩向她致敬，還有你

她的愛人

你告訴我她的陪伴　你已淚成行

不再思量

原來我的世界裏　很滿

滿得不可能再會容納她

有人說　每一個記憶都是注定的

那天黃昏，我用最後的一絲信念撕碎我的無能

我用最初的淚

填滿了誓言

隨後的日子　我和你一直在等待

白天黑夜　你給我關於她

我竟然習慣你　你說你就是要告訴我

你問我　相信花開麼

我沉默著

但不是山

又一天的下午　你來告訴我

你說　我是清風　我是明月

我說　沒有吹走你的憂鬱　沒有照亮夜的黑暗

你說　你尊重我，先生

那天的下午　後來　我看見了不一樣的黃昏

原來她給你的

你給了我

我想用一首歌給你　給她　你的愛人

想在門檻前為你留住她

你說　先生　我尊敬你

但這個凌晨　不是你的

哀歌第二

我的朋友，這個清晨，我想為你唱首歌，
還有你的她
我知道你想告訴我
看著你，你的眼神，我就知道
你眷念的她，就要離你遠去
你的眼神，在期待著我
你沒有看我，你慣有的眼神
你知道，我願意幫你拉住她
告訴我，我的朋友
你落寞的眼神，游離我之外，
親愛的，我的朋友，你是想拉住她的
你是眷念的
我知道
我就是知道，你游離的眼神
你在告訴我，讓她走吧，她要遺棄你
你的不捨
為了下一世的不離不棄，讓她走吧
為了今生的沒有期待，你要放手
我的遲疑
你的落寞
我的朋友，我的歌聲是嗚咽
那天我沒有向你告別
聲音已經暗啞的我
默默凝視遺棄你的她
原來沒有期待　　也好

一韋簡介

醫學博士，感悟人生。

燈荷

印　象

婷婷淨植的白蓮
穿透象牙肉體
旋昇一盞不寐的青燈

眾荷喧嘩
那一株是你呢
有一句沒一句的宋詞之間
是周敦頤的經典

蜘蛛在水中央
在頹敗的荷葉上
被生鏽的水珠　幽禁

冷香湧動
風乾的墨蹟
──回潮

印象簡介

原名楊夢茹，另有筆名夢如。現居香港。一九八六年開始寫作。著有詩集《季節的錯誤》、《穿越》，散文集《她穿行於清醒的迷茫》。詩畫合集「心象‧意境」。印象夢如在八十年代入選《中國當代文學家辭典》，二〇〇九年入選《二十世紀中國新詩史》，台灣、上海、湖南廣播電台均介紹過其作品，作品收入各種選本、辭典，以及小、中、大學教材。二〇一七年，停筆十八年後，以新筆名「印象」，跨入其寫作人生的第二篇章。

題內子夢如手製白瓷杯「飲荷」

眾木成林

記得當年坎坷多，不知困苦愛研磨。
扶搖百卉無顏色，只見心中一朵荷。

眾木成林

原名林祥麟，福建泉州人，已退休，現定居香港。著有散文集《雪泥鴻爪》，
古詩詞上千首。

巨河以北（組詩四首選一）

蒼耳

何以縹碧——致劉大櫆

你在二百六十年前的冬天
寫下「縹碧」這個詞。軒左的芭蕉
已死。一掌園的游魚已死。
而青鳥活轉過來。在浮山我見過它。
梅雨穿過天井和破瓦，把你棲留的氣息
散布到六月縹碧的大地和河流中。
但康熙河早乾了，或者改道。
風很冷。你的雪仍堆積在那兒
像石頭，更像喉嚨。
軒右的桐樹也蕩為清風。
你終身未娶。你想一個女人
或者你愛過一個女人。
是什麼導致我們隱藏各自的傷口
用指甲死掐也掐不醒那個夢？
蝴蝶，擊築，詞，病豬，或者
一群蟑螂。那是怎樣的生存鏈條
那是誰在分解冬夜沉澱的色素？
有些井發出回聲。有些天井
把星星捏碎了。
至於你在灰屋子裏叫喊出的雪
如今長成了青碧的羊齒植物
介於老架子床、舊櫃子和一個闖入者之間
——那是我借助暮春的光線
試圖回到那個冬天的冰雹中間。

蒼耳簡介

本名李凱霆，祖籍安徽無為，學者、作家，著有大量散文、隨筆、小說、詩歌和理論批評文字。著有散文隨筆集《紙人筆記》、《內心的斑馬》，文論專著《陌生化理論新探》，長篇小說《舟城》等。

她

王慧娟

鍋鏟上被煎炒的是歲月
和她的青春
由綠變黃
由青翠到枯萎
生命被牙齒咬在嘴裏吞下
那裏有肉與血的醇香
無數女人的肩膀上有山有淚有傷
在黎明到來的時候
抬起頭向著太陽歌唱
在夜幕降臨的時候
低下頭把苦澀留在喉嚨裏久嘗
她們說苦難是用愛鑄成的鎧甲
在冰冷和熱忱裏反覆捶打
當靈魂太重
肉體卻愈加渺小
當心太清醒
世界卻愈加悲涼
循著無數背脊連成的弧線
卻見到一張巨口吞掉了時光和她的名字

王慧娟簡介
文學博士、自由撰稿人。

晨曦之前

李浩

雨禦秋風，而歌。泡桐順從樹葉，
在顫動中，敞開天空，而歌。
無數雙手，如同無數冰涼的水虺，
纏住我的大腿，吮吸膝蓋中的

刺：而歌。城市裏，十字相交的
馬路，腳手架，關節上的接頭扣
與螺絲扣，以及送人通往
即將消失的古鎮街心，而歌。

橋洞裏金黃的車燈，和一隻翠山中的鸓鳥，
在前方　斷交的京畿坦途上，
強忍著彩色的石頭，與完結的里程：
斜傾獄門　默禱　交談雲月

和 PM2.5，維多利亞的，

以及星辰。薔薇上愈合的花粉，
從溟蒙的霧氣裏，返回到
太陽的掌心。我和你俯身，將手伸進刺林，
收拾裂開的山丘　暴露的武丁。

（為紀念詩人于賡虞而作）

李浩簡介

詩人，一九八四年六月生，河南省息縣人。曾獲宇龍詩歌獎、北大未名詩歌獎、第十五屆華語文學傳媒大獎「最具潛力新人獎」提名等獎項。出版有詩集《還鄉》、《風暴》等，部分作品被譯成英文、波蘭文、亞美尼亞文等多種文字。現居北京。

路——悼王茵老師

曾家傑

路
有安全的路
也有危險的路
路
有平坦暢順的路
也有迂迴曲折的路
路
有霞光普照
可以昂首闊步的路
也有方向不明
需要摸索而行的路
路
有大夥一起勇往直前的路
也有孤身隻影踽踽獨行的路
路
有志同道合的伴侶陪著走的路
也有自己一人繼續走下去的路

路
王茵老師啊
妳已經
歡樂地或悲傷地
雀躍地或苦惱地
堅決地或迷茫地
沸騰地或安靜地
走過了各種各樣的路

妳
在端華學校那段日子
日夜勞碌
負起管理圖書館的任務
那些蘊藏著優秀文化與文明的書
啟發引導過師生
反思歷史
品味人生
嚮往未來
妳
同時拿起過粉筆
在課堂提點年輕一代
如何走路
走什麼路

王茵老師啊
妳
已經走了九十年的路
最終
不在別有況味的海外
是在欣欣向榮的祖國大地上
走到了人生路的盡頭
我們
曾經在這個那個歷史時期
與妳並肩走過路的人
誠心祝願妳
穩健平安地走上
通往另一時空的忘憂之路
我們
永遠懷念妳
正揮著淚向妳叩首

曾家傑簡介

文學藝術愛好者，資深攝影人，撰寫攝影評論，曾從事翻譯工作，近年愛寫詩。

蒲窩青少年中心「藝行行者」港台藝術交流團後感

鍾世傑

一、蒲窩藝行

蒲衣臨此處，窩聚少年人。

藝創青雲路，行來出俗塵。

二、美濃窯陶壁公共藝術

朱公始創美濃窯，冶煉天工甘寂寥。

藝學文心重糅合，陶成壁立逼雲霄。

註：

朱公：即朱邦雄博士（一九四五－），陶壁藝術家。

天工：即《天工開物》，為朱邦雄博士陶壁創作。此陶壁寬九公尺、高十二公尺，擺放於高雄捷運橋頭火車站。

三、衛武營國家藝術文化中心

昔時軍事營，今夕再無兵。

改造重光日，藝壇因此傾。

四、高雄市立美術館辦「太陽雨——從一九八〇年代至今的東南亞當代藝術特展」

晴空灑冷雨，匯注成騰湧。

遺恨豈能淹？餘波凝旅冢。

五、國立高雄師範大學——跨領域藝術研究所，與所長吳瑪悧教授交流

學藝莫嫌貧，思維隨日新。

時空終突破，跨域育全人。

註：吳瑪悧老師（一九五七－）於講座上提及國立高雄師範大學跨領域藝術研究所以「創新」、

「突破」和「培育」為三個主要導向。

六、駁二藝術特區

哈瑪星環港,登樓尋月光。
蓬萊居眼底,渾化更相忘。

註:
哈瑪星:可指「哈瑪星台灣鐵道」,亦可偽作星名。
港:指高雄港。
月光:指月光劇場,位於南部獨立樂團發聲舞台。
蓬萊:一指蓬萊倉庫區,二指景觀如蓬萊山仙境。

七、衛武營彩繪村

街里始塗鴉,繁開遍地花。
笑紋隨處見,共繪好年華。

八、阿卜極老師

書畫貫中西,知行破執迷,
筆飛無定法,養性滌心溪。

註:阿卜極,原名為詹獻坤(一九六五-),現為國立高雄師範大學美術學系所專任副教授,
重視藝術、理論和實踐合一,並主張把藝術創作的注意力放在心性提升上。

鍾世傑簡介

璞社社員,雅好詩文,編有《璞社青年社員評點集》。

彼岸花的自殺——致太宰治（外二首）

張肇麟

彼岸初生懸半空，挺胸不懼迎寒風。
少年一躍從天落，半刻枯黃恆久紅。

憶秦娥・末班車——致未來的我

流離苦，追思舊宅三花樹。三花樹，枯黃逝去，再無歸路。
重重落葉翩翩雨，笛聲嗚呃隨煙霧。隨煙霧，朦朧霞曙，漸藍思緒。

憶王孫・觀大英博物館所藏項聖謨
《秋林讀書圖》立體卷軸影像

小橋楓樹水悠悠，歸雁梧桐林壑幽。禪悟天經寂靜修。散仙遊，不問
清風幾許愁。

張肇麟簡介
香港珠海學院中國文學系四年級生。

漁家傲・疫情爆發宿舍隔離後有感（外一首）

簡金瓶

畫夜遙遙春牖裏，夢長不覺韶光逝。困絮愁絲浮暖翠，佳日冀，輕妝遠步尋芳卉。

卻憶江城紅蕚媚，狂風忽搗春心碎。百里杏林成固壘，人憔悴，紅痕淚潸望災退。

早霧

氤氳漫起青雲道，遙喚朋儕欲探幽。
魚隱池塘雙戲耍，煙縈菡萏半遮羞。
素風輕拂峰巒立，紅日東升曉霧收。
鴻鵠悠然霄極去，羨其攬盡五湖秋。

簡金瓶簡介
香港珠海學院中國文學系四年級生。

寬宏

水盈

沙灘的沙給你踏過
為你一度低窪
不怨尤

彷彿不痛不癢
其實又痛又癢

低迷過
卑微過
只默默等待
風或海的正念
靜靜把它撫平如初
光復一個冷靜的沙灘

波瀾壯闊之前
我唸著海水撫岸的水清沙幼
芸芸海灘跟前
忘記人心叵測

只看見無聲細沙
在海嘯前自重

你的鞋和足踝
帶走一些沙礫
跟你昨日蒙上俗塵
沒有兩樣

水盈簡介

香港詩人。

清明，冷冷雨落下

房小鈴

夕陽漫不經心蹭下屋簷
倒掛在漏窗上賴著不走
還記得那一年火龍很長
戲台上杜麗娘有婉轉唱腔
奶奶聽著崑劇給我塊米花糖

晚風穿堂作序年月成詩行
時光慢溯音容宛在人已作古
你種的梅樹長了枝椏還結了果
我卻不敢靠近韶華翩躚的那一剎
黃土之下，有多少骨魂啊
穿過時間穿過風沙穿過青煙隔界

鶯飛草長又是一年春夏
將墳前所有悲歡離合都抹去
授以青春鮮活肢體奔忙
驅以老朽深沉靈魂冥想
流螢四散殤歌安詳飛花杳
誰的思念在石碑上生根發芽

今年清明無雨，眼前卻冷冷雨落下
來年開春，煮一壺茶折一枝白梅花
唱你教會的童謠，唱你留下的
那些過往

房小鈴簡介

香港公開大學中國文學專業二〇一九年全日制研究生。

這樣的洋河，我不曾夢見

王長征

在洋河，黃河故道
頎長的手臂伏於曠野
抱住復活的繁星春水
漫步零碎泛金的時光
走進古老傳統也走進現代經典

腳步是輕快的
逝水溯源
柔嫩枝條被楊柳風甩到岸上
鮮花眉目傳情笑意點點
詩句於喉頭滾動
遠道而來的客人
丟了多少魂魄

置身於漫無邊際的夢幻
眺望洋河
目之所及，迎接一次次酒香的洗禮
我只有屈從於她的艷香
醉意若鐵錘，對我迎頭痛擊
在暈眩的幻境中逍遙
輕輕呼喚
提著一籃春光的姑娘
向她表白、傾訴
這樣的洋河
並非我夢中所見

王長征簡介

安徽省作家協會會員，中國詩歌學會委員，《中國漢詩》主編。作品見於《詩刊》、《中國作家》、《揚子江詩刊》、《星星》等刊物，入選數十種選本，已出版《漂在北京》、《心向未來》、《鹿鳴》、《幸福不期而遇》、《北京西城老字號故事》等多部，榮獲第二屆中國長詩獎、全國十佳新銳詩人獎、海峽兩岸文化交流貢獻獎等多個獎項，作品被譯成英、法、俄、日、韓等語種。

世說

燕燕

王璞

正躺床上為今晚吃不吃安眠藥糾結，手機響了，來電者圖像是個笑笑的女孩，哦，是燕燕。她已經好幾個月沒信息了。下面是我們的對話紀實，我只作了些刪節，加了些說明。

「璞姨你好！你的傷好了嗎？」

「好了一些，還剩一些。唉，這輩子都可能好不了。唉別說我了，你怎麼樣？還在飯堂幹著？」

「還在。另外還幫兩家人作鐘點工，每天三小時，能拿到差不多一千元，加上飯堂的工資每月有四千多呢。」

「但你這麼累，一天作十幾個小時，還要作家務，還種了菜養了雞，身體怎麼吃得消？」

「沒事。累點好，累了往床上一倒就睡著了，就不會想傷心事了。」

燕燕今年三十八歲，她十七歲從老家甘南鄉下獨自出門到北京，保姆中介所介紹她到我家照顧我年過八十的老媽，一作就是七年。後來我把老媽接到深圳，她也跟著來了，不過不在我家作了，而是找了份飯店服務員的工作。然後結了婚，生了女兒。一度回了丈夫的老家廣西鄉下。我後來去了惠陽，就把她夫妻倆也叫到那邊打工，先是在鞋廠，後來到我住的小區作保潔。燕燕到北京時幾乎一字不識，我媽和我妹妹教她學了初小語文算術。不僅能寫家信了，還能背好些首唐詩宋詞。她聰明又大方，在北京有次獨自出門去遊了天安門、故宮和天壇，還照了整整一卷膠卷，裏面有五六張還是跟老外的合影。

「天吶！」當時我驚呼，「你是怎麼跟他們溝通的？」

「奶奶不是教了我四句英文嗎？」燕燕輕描淡寫地說，「我只用了三句他們就懂了。我先揮手微笑說 Hello，然後指指相機指指我自己說 Please，然後指指他們和我表示大家一起，再說 Please，照完了說 Thank you。」

燕燕心靈手巧，性格溫柔、勤快、樂天，人也長得清純周正，見面先說「你好」，隨口即是「謝謝」，所以到哪都討人喜歡。我常感嘆，若不

是文化程度太低，不知發達成甚麼樣。好幾位朋友在我家看到她就要給她介紹對象，介紹的都是有文化有正經工作的好男孩，有個男孩還是大學生。可一聽說她只有初小文化就只好算了。結果，燕燕便跟現在的丈夫結了婚。這男孩人倒是老實本分，但老實得太過份了，變成木納愚笨，連快遞工作都搞不定，只好一直作保安。兩人有時發生矛盾，燕燕就來找我投訴，都是因為對方太呆她太聰明。「算了吧」，我總是勸她，「退一步看，他要是太聰明你也吃不消。至少他不會搞黃賭毒。」

現在一聽燕燕說不想想傷心事，我心裏一抖：「莫非連那小子也……」

但燕燕下面的話來了：「我媽沒了。」

「沒了？你意思是……」

「死了。出車禍死了。」

「啊！甚麼時候？」

「就跟你出車禍差不多的時候。我聽說你傷得那麼厲害，怕你著急就沒跟你說。」

「怎麼撞的？」

「她幫鄉政府運垃圾，垃圾車翻了，她就死了。」

「誰開的車？找他！」

「我爸。」

「你爸？！」

「我爸。他沒死，他好好的。」口氣到這兒急轉憤怒，「我恨死他了！我不理他了！我沒爸了。」

我愣了一下，忙道：「那，那也別這樣。他又不是故意的……」

「他……我妹妹就是他害死的。我媽那麼好，我媽才五十八歲。」她的聲音嗚咽了，跟著哭了起來。泣不成聲。

她妹妹的事我知道，那還是在北京時。她妹妹本來被燕燕帶出來在北京作服務員，幹了一年就被他爸叫回老家結婚，為了幾千塊彩禮把她嫁給一個殘疾人，那人還老打她，她就喝農藥死了，死時才十八歲。

我不知說甚麼好了，只好胡亂安慰她：

「燕燕別哭，你回去送了你媽吧？還好你一直對她那麼好，賺了錢一

直都寄給她。」

「她也沒有用多少，都給了我弟弟和他⋯⋯我媽說過死了要埋在我家旁邊的那塊地，連這個願望也沒能滿足⋯⋯」

「為甚麼？」

「地讓給旁邊那家人了，那個寡婦，我爸他⋯⋯他跟那女的⋯⋯」

「甚麼！！！那⋯⋯這⋯⋯」

「我好難過，我好⋯⋯好想有人說一說⋯⋯可我現在沒媽也沒爸了，只有你和小姨是親人了。」

我心中突地湧起契訶夫小說〈萬卡〉裏的句子：「爺爺我在給你寫信，我沒爹沒媽，只剩下你一個親人了。」我心一酸，忍不住也哭了。

話筒裏的哭聲停了，過了會兒，燕燕的聲音又響起來：

「璞姨你也別太難過⋯⋯我還是⋯⋯還是算好的，現在疫情好多人都找不到工，我還有三份工在打，比起他們我應當算⋯⋯算好的了。」

我眼淚更是止也止不住。趕緊吃安眠藥。

王璞簡介

一九五〇年生於香港，一九五一年隨父母回到中國。上海華東師大文學博士。一九八九年定居香港。先後作過報社編輯和大學教師。二〇〇五年辭去大學教職，專事寫作。主要作品有：小說集：《女人的故事》、《雨又悄悄》、《知更鳥》、《嘉年華會》；長篇小說：《送父親回故鄉》、《家事》；散文集：《呢喃細語》、《整理抽屜》、《別人的窗口》、《香港女人》、《圖書館怪獸》、《小屋大夢》。長篇傳記：《項美麗在上海》。文學評論：《一個孤獨的講故事人──徐訏小說研究》、《我看文學》、《散文十二講》、《小說寫作十二講》。教學參考書《現代傳媒寫作教程》等。長篇小說《補充記憶》獲香港天地圖書第一屆長篇小說獎季軍，長篇小說《么舅傳奇》獲天地圖書第二屆長篇小說獎冠軍、第六屆香港中文文學雙年獎小說獎。

紙皮婆婆

東瑞

十一點後，紅區菜市場依然熱鬧。人聲嘈雜、到處響著街坊左鄰右舍熱情的問候聲：

食咗飯未？紙皮婆婆。

食咗飯未，紙皮婆婆？

中午十二點，人流開始疏落的時候，小巷口街坊辦事處一側的轉角小店舖門口漸漸形成蜿蜿蜒蜒的一條長龍，每個站位都相隔約一米遠，大都是一些七老八十的長者，且以老婆婆為主，每一個人都戴著口罩。

店舖門口，三個戴著口罩的女義工在忙碌著，海綿飯盒整齊堆得如山高。今天派的是肉餅鹹蛋飯，飯上還配兩條菜心。

一對婆婆在隊伍中說話：

甲婆婆：我們天天相見，有緣！

乙婆婆：有免費午餐，誰都要。

店舖兩個派飯的義工也在議論。

義工姐姐芊怡：好久沒見那位紙皮婆婆了！最近一個禮拜怎麼沒見她來呀？

義工妹妹小慈：咦！今天早晨我還看到她拉著紙皮在附近過馬路哩。

我在這裏呀！小姐姐！我在這裏呀！

隊伍中有人走出來，一邊大聲喊，一邊向義工倆揮手。車仔我靠在你們舖頭左邊。

前面排隊的長者們都回過頭來望著這個那麼大聲講話的婆婆。

啊！紙皮婆婆！怎麼差不多有一個禮拜沒見妳來排隊呀？義工姐妹齊聲問。

輪到紙皮婆婆了，義工姐姐們交談幾句，就將兩盒飯盒裝在白色膠袋裏遞給她，但她取出一盒退回。

一盒就夠！有免費午餐已經很難得！一盒足夠！留給其他人吧。

紙皮婆婆！留番夜晚食！做嘢辛苦！義工芊怡說，又將那盒要硬塞回

291

給紙皮婆婆。

不用呀！你們看！紙皮婆婆指著舖頭門邊的小推車，車上疊滿了大大小小形狀不一的紙皮和廢紙、舊書，約有紙皮婆婆的身高。

哇！義工姐姐芊怡點點頭恭喜她，也發出會心的微笑，明白紙皮婆婆的意思，今天執拾紙皮有比較好的收穫，可以自食其力，晚飯靠雙手搞掂。她幾次來排隊，都只是領一盒，還三四次地感謝，才慢慢推著小車走。

義工姐姐芊怡目送著紙皮婆婆佝僂蒼老的背影消失在小巷盡頭。

疫情當下，各行生意都一落千丈，不少舖頭關門，即使開門的，也很少顧客買東西；居家令下，大家少出門，生意既然不好，入貨少，廢紙箱也少了百分之七十，加上僧多粥少，撿拾廢紙皮的婆婆們這一區就有好幾個，唉！義工姐姐芊怡輕輕長嘆一口氣。疫情三個多月了，可是仍舊未有過止的跡象，念及有些底層貧窮的孤獨婆婆溫飽受影響，她所屬的慈善機構就撥出一筆善款，交個她們幾個義工姐妹，一個月前每天負責製作五十到一百盒的簡餐飯盒，免費供應需要者。獲得長者們的歡迎。當然其中也有一些有子女的，然而分開住了，婆婆們圖方便，省得自己動手煮食而來排隊，也有的真正開不了飯，多領了一盒。姐妹們念及大家年紀那麼大了，再說數量也足夠，也就不願意太嚴格把關。

唯獨紙皮婆婆很特別，要一盒而已，而且不是天天中午來。

下午三四點鐘光景，義工芊怡約了小慈到一棟至少八十年樓齡的殘舊唐樓探望紙皮婆婆。

見到芊怡她們來，小狗搖著尾巴，小貓喵喵地叫。

這些狗貓，是蝦婆走前，囑咐我接她手的「遺產」！

紙皮婆婆迎進她們讓坐。

蝦婆？

芊怡她們坐下，兩張可折疊木圓凳已經很爛了。

蝦婆是我撿紙皮的伴，撿了二十年，撿到八十歲走了。

義工看到紙皮婆婆家徒四壁，簡陋的屋子約僅二十平方米，除了一隻小狗和一隻小貓外，空蕩蕩的什麼都無。她的衣物藏在一個骯髒不堪的五格塑膠衣櫃。她們感到一陣心酸。

紙皮婆婆獨居，老伴早就在三十年前逝世，沒有子嗣。

了解了紙皮婆婆的情況，義工姐妹心裏難受，最後問她是否有一些存款。

除了棺材本……婆婆搖搖頭。

這樣好不好，我們幫妳申請綜援。妳這樣下去不行的！

紙皮婆婆笑道，錢那麼多幹什麼？我不要！我今年才七十七，蝦婆做到八十上天，我絕對比她健康，再做個五六年絕對沒問題！要不是一場疫情，世道那麼慘，我完全可以自食其力，不用排隊去你們那裏領飯盒。

聽到這裏，芊怡和小慈已經淚奔，兩人輕輕一前一後將紙皮婆婆擁住。

每天十一點後，紙皮婆婆出現在紅區菜市場時，到處都會響著街坊熟人熱情問候聲：

食咗飯未？紙皮婆婆。

食咗飯未，紙皮婆婆？

東瑞簡介

原名黃東濤，香港作家。一九九一年與蔡瑞芬一起創辦獲益出版事業有限公司迄今，任董事總編輯。代表作有《雪夜翻牆說愛你》、《暗角》、《迷城》、《小站》、《轉角照相館》、《風雨甲政第》、《落番長歌》等一百四十五種，獲得過第六屆小小說金麻雀獎、小小說創作終身成就獎、世界華文微型小說傑出貢獻獎、全球華文散文徵文大賽優秀獎、連續兩屆台灣金門「浯島文學獎」長篇小說優等獎等二十餘個獎項。曾任海內外文學獎評審近百次。目前任香港華文微型小說學會會長、世界華文微型小說研究會副會長、國立華僑大學香港校友會名譽會長、香港兒童文藝協會名譽會長等。

藿香正氣丸

編劇 曹柱國

人物：程景灝，程耀祖，張氏（耀祖妻），李婆婆，裕庚，李鴻章，翁同龢，容格格，馬太醫，胡太醫，老太監，小太監二人，衙役四人，戈什哈四人。

第一場

景：程記正氣堂國藥號店堂。

（前奏曲中幕漸啟，張氏上）

張氏（唱）： 祖傳岐黃稱聖手，廬州城有正氣堂。炎夏忽傳發瘟疫，夫君隨爹去西鄉。明堂無塵勤拂拭，醫德留芳日月長。

（以手絹擦拭藥櫃，李婆婆挎竹籃上。）

李婆婆（唱）： 小兒病好身子壯，全賴程記正氣堂。贈我藿香回正氣，救命之恩不能忘。

（白）：大少奶，你前天贈我的藿香正氣丸，昨天我兒子服了，他身體已康復，今早已下地幹活去了。你們正氣堂憐貧惜老，施醫送藥，救了好多鄉親，老婦家中別無長物，只有這一籃雞蛋，送給程老先生，表謝他救命之恩。

張氏（白）：李婆婆，救死扶傷是我們醫家的本份，你的雞蛋我不能收，你兒子大病初癒，還是留給他補補身子吧。

李婆婆（白）：少奶奶，街坊們都說，現在有些醫生，手術刀就如殺人刀，謀財害命，醫德喪盡。唯有你們正氣堂，秉承祖訓，醫德雙馨。這雞蛋你一定要收下，不然我回去晚上睡不著，白天沒精神。

（李婆婆硬央張氏收下，張氏堅決不收，二人正在推讓之時，忽然後台三聲鑼響，廬州知府率四衙役上）

裕庚（唱）： 太后聖躬久欠安，御醫無計挽狂瀾。皇上下詔宣國手，中堂舉薦程景灝。前面衙役速開道，正氣堂上把旨宣。

（白）：下官廬州知府裕庚是也，太后聖躬違和，皇上下旨宣合肥正氣堂程景灝進宮供奉。說著，這已來到正氣堂。呔！堂上有人嗎？

聖旨到,程景灝接旨!

(張氏聽到,忙從櫃後出來朝知府跪下)

張氏(白):正氣堂程門張氏接旨。

裕庚(扶了扶眼鏡端詳一番張氏,白):怎麼只有一個女人?程家的男人都去哪了?

張氏(白):回府台大人,肥西瘟疫流行,已經病倒二百多口,民婦公公和夫君全到西鄉救人去了。

裕庚(白):肥西瘟疫流行,已病倒二百多口,正是,救命如救火,那就救吧。沒事本官就回衙陪姨太太去了。(轉身,把聖旨一背欲走,忽覺不妥,袖回聖旨一看,驚得倒退兩步。)慢著,我這手裏也有一把大火,這火不救成嗎?除非老夫這頭上的官帽不想戴了,項上的腦袋不想要了。噯!大膽程門張氏,宮中老佛爺聖躬違和已三個月了,太醫院的太醫全都沒轍,皇上下詔宣天下國手,李中堂舉薦你公公進宮給太后把脈,如不接旨進京,便是藐視皇家,大逆不道,本官手中這把火(舉手中聖旨示張)不但燒得你家正氣堂片瓦無存,本官頭上的頂戴花翎都難保。眾衙役!

眾衙役(白):喳!

裕庚(白):立即趕赴西鄉,追回程景灝父子來接旨!

眾衙役:喳(下)

裕庚(唱): 西鄉瘟疫在流行,宮中太后生了病。雖說是君命民命都是命,我只能兩害相權取其輕。違旨抗命斷不能,今日裏只能夠罔顧百姓。

(眾衙役押程景灝、程耀祖上)

眾衙役(白):啟稟大人,程氏父子帶到。

裕庚(白):程景灝父子接旨!

程景灝、程耀祖(跪白):草民接旨。

裕庚(捧旨宣)奉天承運,皇帝詔曰:大學士直隸總督,一等肅毅伯李鴻章,現慈禧端佑康頤昭豫莊誠皇太后聖躬欠安,已逾數月,經太醫院進方調理,尚未大安,外省講求岐黃脈理精細者,諒不乏人。著該督詳細延訪醫理可靠者,無論官紳士民,即刻徵召進京。欣聞李督舉薦同鄉國醫程景灝堪此大任,朕心甚慰,著即派員伴送來京,由內務府大臣率同太醫

院堂官詳加查看。欽此。

程景灝、程耀祖（叩拜白）：領旨謝恩！

程景灝（唱）：一封詔旨頒龍廷，宣我進京救聖命。西鄉瘟疫勢正猛，何能撇下眾鄉親。

（白）：知府大人，西鄉瘟疫流行，已經病倒二百多口，我不能見死不救呀！

裕庚（白）：大膽程景灝！這次是李中堂舉薦你進京給太后看病，你若抗旨，不但你這正氣堂程氏一門遭殃，就連中堂也會因你抗旨，而惹禍上身，休得囉嗦，快快啟程進京。

程景灝、程耀祖（相視無奈）：咳！這如何是好。

張氏（白）：爹爹，西鄉瘟疫雖猛，你已有驗方在此，家中尚有祖傳藿香正氣丸可以救急，西鄉病人就由我們夫婦前去治理，你就放心進京吧。

程耀祖（白）：爹爹，兒自幼跟你各處行醫，問聞切脈均是你耳提面教，前輩的醫案典籍兒都熟讀牢記，自問已能獨當一面，救治西鄉病人，撲滅這次瘟疫。爹爹你就放心進京，別辜負了中堂一番好意。

程景灝（看著兒子和媳婦，白）：今日只好如此了，兒子媳婦呀！

（唱）：從來世事兩難全，西鄉疫情怎釋念。劑劑精製戒疏怠，按我醫案查病源。一丸一湯勤呵護，一枝一葉俱關連。勿忘祖訓守醫德，勿重錢財輕性命。欺天喪德切莫為，但留正氣在乾坤。

（白）：兒呀，為父走了。

（張氏將褡褳掛到公公肩上，裕庚四衙役押程景灝下。暗場）

第二場

景：長春宮，慈禧寢宮前配殿。天幕前正中為一寬闊雕鏤精緻的垂花門，門後顧繡仕女屏風，門兩旁二太監侍立守衛。台前右側置一几一凳。

（音樂中全台燈光漸顯，李鴻章率程景灝自台左側黃幔中上。）

李鴻章（唱）：太后欠安滿朝驚，舉薦賢才到京城。

程景灝（唱）：一封詔旨千里行，伴君如虎倍小心。

李鴻章（白）：景灝先生，此處是紫禁城中長春宮，乃太后寢宮，俗

話說伴君如伴虎，你我小心侍候了。

程景灝（白）：中堂大人，學生鄉野之人，宮中禮儀繁瑣，進退之間還望大人多多教誨。

李鴻章（白）：景灝先生，你我鄉里鄉親，上下一切本督自當加意呵護，你放心好了。

（他走到垂花門前向兩位太監招呼）

二位公公，煩請通報太后，李鴻章舉薦的國醫程景灝前來請脈侍候。

（一太監持拂塵退入屏風後。）

（音樂起）

李鴻章（唱）：東瀛倭寇犯朝鮮，沙俄西垂動刀兵。帝王家事即國事，裏外均令臣操心。

程景灝（接唱）：國事蝴蝶多風雨，全賴中堂一柱撐。沙俄倭寇起邊隙，聖躬違和大事情。

（翁同龢率馬胡二太醫上）

翁同龢（唱）：大事情耶大事情，太后欠安三月整。皇上無心理朝政，為臣只得多擔承。

（白）：少荃，你今天來的恁早。

李鴻章（白）：翁師傅，我剛到，你也不遲呀。（對程）景灝，快來見過翁相國。

程景灝（白）：晚生見過翁相國。（施禮）

翁同龢（還禮，白）：諒這位就是皖江名醫程景灝先生了，很好。我來介紹一下，（指馬）這位是馬太醫。

（程馬二人相揖見禮）

翁同龢（白）：這位是胡太醫。

（程胡二人相揖見禮）

（音樂起，小太監引容格格自垂花門上。）

容格格（唱）：太后欠安三月整，床邊待奉倍辛勤。代嚐湯藥澀又苦，巾沐侍浴試水溫。我本英倫裕容齡，今作婢女奉君親。

（白）：李中堂，你舉薦的國醫程景灝來了嗎？

李鴻章（白）：容格格，我們在此等候多時了。 （對程）景灝，快來見過御前女官裕容齡容格格。

程景灝（白）：學生程景灝見過容格格。

容格格（白）：免禮，太后問你籍隸何處？可有功名？授何官銜？現居何職？

程景灝（白）：回容格格轉稟太后，學生籍隸廬州府合肥縣，白身，無有功名，也未授過官銜。世代業醫，鄉中經營正氣堂國藥號，服務鄉梓，救治百姓。

容格格（白）：皇上說了：不論官紳士民，不計學歷，只要有真才實學就好。如今學風頹敗，假博士，假學歷，假論文，多了去了。好，程先生隨我來，給太后請脈。

（容格格領程景灝進垂花門內。）

翁同龢（白）：少荃，這位程景灝先生你是怎麼認識的？

李鴻章（白）：翁師傅，去歲仲夏，家母在合肥得了時疫，病情十分凶險，幸得程先生一劑湯藥，又服了他家祖傳的藿香正氣丸，兩個時辰後，病情頓時好轉，第二天便痊癒康復了。

翁同龢（白）：果然藥到病除，竟有這樣的神奇？

李鴻章（白）是呀，如今皖江兩岸誰不知國醫聖手程景灝和正氣堂呀。

（一戈什哈自台左急上）

戈什哈（跪）：參見中堂，內務府堂官請大人移步堂署，有急事相告。

李鴻章（白）：什麼急事？

戈什哈：啟稟大人，威海丁軍門來一急電，請大人回覆。

李鴻章（白）：翁師傅，威海來了急電，晚生去去就來。

翁同龢（白）：軍國大事耽擱不得，請便。

（李鴻章向翁一揖，隨戈什哈下。馬胡二太醫目送李鴻章下，然後急轉身站翁同龢兩側。）

馬太醫（白）相國大人：中堂久歷官場，這次舉薦醫生之事甚是糊塗。

胡太醫（白）相國大人，中堂舉薦的這個程景灝，身穿一襲土布長衫，肩背褡褳，活脫脫一個走方郎中，土得掉渣兒，太醫院同仁都在喧笑。

翁同龢（白）：你們認為中堂此次奉旨舉薦之事，辦的不妥？

馬太醫（白）：相國大人，豈止不妥，不妥大了。大人，你可看到滿朝上下，各省督撫，包括湖廣總督張之洞，兩江總督劉坤一，山西巡撫曾國荃，可有一人舉薦醫生給太后看病嗎？

翁同龢（白）：二位說得不錯，至今除了李中堂，還真沒有一個封疆大吏奉旨舉薦，這是什麼緣故呀？

胡太醫（白）：相國大人，我等帝輦之下，儕身廟堂為官，最忌強出頭，爭風頭，應與左右同僚進退一致，同聲共氣呀。

馬太醫（白）：相國大人，中堂此次舉薦，不同於往日的打長毛，剿捻子，軍功保舉。而是舉薦醫師給太后治病，太后萬金之體，看好了是應該的，臣子的本份。萬一有個差池，舉薦的醫生進方有誤，太后有個好歹，中堂難辭其咎，那就大禍臨頭了。

胡太醫（白）：相國大人，舉朝上下，各省督撫，全都裝聾作啞。為何如此？就是不求有功，但求無過。明哲保身就是為官作宦的最高境界，現在，滿朝的官員不都是這樣嗎？看來李中堂作官的火候，比之於相國大人差遠了。

翁同龢（白）：看來李二這次舉薦，是動了你們太醫院的奶酪。好了，不要妄議大臣，到此為止。

馬太醫、胡太醫（白）：大人說的是。

（李鴻章手持一紙上）

翁同龢：少荃，看你這樣急匆匆，氣沖沖，丁汝昌來急電什麼事呀？

李鴻章（白）：翁相，丁汝昌急電說，北洋水師在英國訂購的鐵甲快艦，已經竣工，英國要我大清即匯銀子一百五十萬兩，結清貨款。否則，就要將此艦賣給倭寇了。

翁同龢（白）：不就一條軍艦嗎？賣給日本，由他賣去。你們北洋水師已有鐵甲砲艦定遠、鎮遠、濟遠、經遠，大小二十餘艘，何必與倭寇爭奪這一條艦呢！

李鴻章（白）：翁相國！（唱）：一艦雖微關國運，天下興亡利弊深。世界今臨大變局，你我當國豈可輕。

翁同龢（白）：李中堂！ （唱）：一艦價款百萬銀，糜費公帑實難忍。蕞爾小邦何足懼，休將危言聳視聽。

李鴻章（白）：翁相國！此次北洋訂購的鐵甲快艦，是當前最厲害的兵艦，時速二十三節，砲速每分鐘十發，現有水師諸艦，都無法與之匹敵。一旦此艦為倭寇買去，對我大清將構成極大的危害。

（容格格率程景灝上）

容格格（白）：翁相國，李中堂，你們又再爭什麼快艦呀，快砲呀，我不愛聽。要爭，你們去養心殿皇上那兒去爭。這兒是長春宮，當下是給太后治病要緊。

李鴻章、翁同龢（同白）容格格说的是。

容格格（白）：程先生給太后請過脈了，太后懿旨：著程景灝擬出方子來，翁相國，李中堂會同二位太醫仔細切磋，盡快把方子定下來，誏內務府照方撿藥，煎來供太后服用。

眾人（同白）：遵旨。

（容格格退回屏風後）

李鴻章（白）：景灝先生，你給太后請脈如何？

程景灝（白）：中堂，相國，二位大人：太后果然病得不輕，面色萎黃，口乾舌燥，肩重腰酸，痰帶血絲，小便赤黃，大便不通，聲音嘶啞，行走乏力，不思飲食，夜不成寢。聖躬脈息：左寸數，左關弦，右寸平，右關弱，兩尺不旺，氣弱脈虛，當因鬱怒傷肝，思慮傷脾所致。

翁同龢（白）：程先生，你說的這些病理，中堂和我均不甚明白，你開出方子和馬胡二太醫研磋商定吧。

李鴻章（白）：景灝，翁相說的對，你先把方子擬出來吧。

程景灝（白）：遵命。（走到几邊，鋪開箋紙，坐凳子上提筆寫方）

（唱）： 開路四君子，去穢二陳湯，藿香正氣任主帥，怯邪扶正培元陽。

（他把一錦盒和藥方交給翁同龢）

（白）：此方三劑，每劑配服藿香正氣丸一粒，太后服藥後，定會康復大安。

翁同龢：程先生，我和中堂都不懂醫道，你還是請二位太醫看看吧。

李鴻章（白）：景灝，你把方子給二位太醫斟酌斟酌，審議審議。

程景灝（白）：二位太醫，晚生擬的方子請審議審議。（把藥方交給馬太醫，馬，胡二人接過方子共同觀看，二人對方子指指點點，兩人又相互擠眉弄眼，神情詭異。）

馬太醫（將方子還給程景灝，白）：程世兄，方子我看過了，甚好。

胡太醫（白）：方子我也看過了，很好。

程景灝（將藥方和一錦盒交與李鴻章，白）：中堂大人，藥方和藿香正氣丸請你交於容格格，諏內務府撿藥進太后服用。

李鴻章（拿著藥方和錦盒，對二太監）：二位公公，請告知容格格前來接方。

（一太監退屏風後，稍時，容格格與小太監自屏風後上）

容格格（白）：李中堂，方子在哪兒？

李鴻章（將方子與錦盒交與容格格）：容格格，這是程先生開的方子和藿香正氣丸。

容格格（接過，看了一眼方子，白）：程先生，按宮中的規矩，方子上必須簽署姓名和時間。

程景灝（白）：遵命。（把方子拿到几上簽名後，又交給容格格）

容格格（白）：各位大人，我去侍候太后服藥。太后吩咐各位大人就在配殿休息，以備太后召見。

眾人（白）：遵命。

容格格（白）：來人呀！

（四戈什哈上，垂手侍立）

容格格（白）：你們搬四隻凳子來，供各位大人休息。

四戈什哈（齊白）：喳！（下）

（四戈什哈搬四隻凳子上，兩隻放在台左靠天幕處，供李鴻章和程景灝坐。另兩隻放在台右前，供翁同龢和二太醫坐）

容格格（白）：各位大人辛苦了，休息一下吧。（退回屏風後）

（眾人歸座，燈光漸暗，只有一支光柱射在翁同龢及二太醫身上）

馬太醫（神色詭秘地白）：相國大人，下官適才看到那方子上，用上了柴胡、桔梗和芒硝，這都是大寒之藥，太后服了甚是不妥。

胡太醫（亦詭秘地白）：相國大人，程醫生的方子雖不是虎狼之方，但藥性太猛，太后久病，可能承受不了。

翁同龢（沉思片刻，兩眼轉了一圈白）：你們噤聲！此事千萬不可外洩，尤其不可讓李二知曉，眼下咱們都裝不知道，靜觀其變！

馬太醫、胡太醫（連連點頭，同白）相國說的妙，咱們就靜觀其變！

（三人相視，詭譎一笑，光柱突暗，二場完）

第三場

景：同第二場。

（燈光漸顯，音樂中台上眾人皆凳上假寢。屏風後忽傳來容格格驚呼：「老佛爺！老佛爺！」

慈禧的聲音：「容兒呀！安徽那個走方郎中開的什麼方子。本宮服了痢瀉不止，大汗淋漓，你快去將那姓程的拿下，交內務府勘問！」

容格格：「老佛爺，奴才就去宣懿旨，拿了那個走方郎中！」

（台上眾人大驚，容格格率二太監上）

容格格（白）：大膽程景灝！太后服了你的方子，腹瀉不止，大汗淋漓，懿旨下：遊醫程景灝所進藥方，貽害太后，大逆不道！著內務府拿下，嚴加勘問，拷送寧古塔與披甲人為奴！來人呀！

（四戈什哈上，押程景灝。）

程景灝（白）：冤枉呀，冤枉！

（唱）：懿旨一聲震九天，平地忽然起狂瀾。方藥自問皆常式，為何赫然生禍端。其中定是那有蹊蹺，太后她未服正氣丸。柴胡桔梗尋常藥，自有回春至寶丹。

（白）：容格格，同進的藿香正氣丸，可呈太后服了？

容格格（白）：沒有。

程景灝（白）：為何未將正氣丸與煎藥供太后同服？

容格格（白）宮外帶進的藥物，未經嘗試官嘗試，不得進呈太后服用。

翁同龢（上前插白）：這是大清祖制，宮中常規，何人都不可逾越。

馬太醫、胡太醫（插白）：是呀，我們在宮中三十年，誰也不敢私帶藥物，呈給太后皇上服用。

容格格（白）：戈什哈，將犯民程景灝押下去！

程景灝（白）：中堂大人，快請太后服下正氣丸啊！（從褡褳中拿出一錦盒，塞到李鴻章手中。四戈什哈押程景灝下）

李鴻章（驚見程被押下，手持錦盒唱）：正氣不張邪氣生，官場險惡太驚心。托詞祖制來掣肘，不計天下變危城。不顧太后萬金體，不惜陷害名醫生。奮將一身擔道義，為救景灝出奇兵。

（白）：既然嘗試官不願嘗試，那本官，文華殿大學士、一等肅毅伯、北洋大臣、直隸總督李鴻章，就給太后當一回嘗試官吧！

（他剝開臘丸，吞丸口內，左手托錦盒，右手撩袍，撞開二太監，闖進垂花門內。容格格緊跟下。）

（音樂驟急，翁同龢與二太醫在台上隨著音樂，搓手徘徊。）

翁同龢（無奈地看著二太醫，搖搖頭，唱）：處心積慮一場空，惱了李二去闖宮。回春丹丸太后服，瞬間病去身輕鬆。時不利兮奈若何，只盼下回能成功。

（垂花門內屏風後傳來太后的聲音。）

（後台慈禧（白）：中堂呀！（唱）：一粒寶丹口中吞，頓覺氣勻兩目清。脾肺舒暢心不悶，四肢活絡溫如春。還是老臣知我心，闖宮救我久病身。忙命容兒再頒旨，追回安徽好醫生。

（後台容格格（白）：老佛爺，容兒遵旨。）

（音樂中李鴻章，容格格上，全台大明）

李鴻章（面呈喜色，唱）：祖傳丹丸建奇功，

容格格（接唱）：柳暗花明又一重。

李鴻章（接唱）：聖躬大安天賜福，

容格格（接唱）：再宣懿旨長春宮。

（白）：內務府堂官聽了，太后有旨，李中堂所薦廬州國醫程景灝，

303

進呈藿香正氣丸極好！藥到病除，著內務府派員快速追回程景灝，俟皇上按功敍獎。

（後台聲：遵旨。四戈什哈送程景灝上）

程景灝（見李鴻章上前擁抱大慟）：中堂大人！

李鴻章（撫其肩亦大慟。）：景灝先生！

程景灝（唱）：滿天烏雲風吹散，

李鴻章（接唱）：生死禍福須臾間。

程景灝（接唱）：廟堂之上多風雨，

李鴻章（接唱）：明槍暗箭日日見。

程景灝（接唱）：鄉野之人鄉野去，竹籬茅舍自心甘。

（老太監持聖旨上）

老太監（白）：程景灝接旨。

（程景灝伏地，李鴻章，翁同龢，二太醫，容格格均跪下。）

老太監（白）：奉天承運，皇帝詔曰：廬州國醫程景灝，精研岐黃，通透脈理，醫德雙馨，所擬方劑均能敬慎謹臻，今次貢呈祖傳寶丹，為太后藥到病除，經多方調理，聖躬大安。論功獎敍，乃朝廷體制，今特賞程景灝三品頂戴，授太醫院掌院堂官，並記名徽寧太廣道，遇缺即補。欽此。

程景灝（白）：領旨，謝恩。回公公，小民程景灝年老力衰，不堪宮廷行走，但乞萬歲恩准返鄉為民，若有差遣，隨叫隨到，免得虛糜公帑，貽害國家。

老太監（白）：程先生，宣頒聖旨是我的事，奉不奉旨是你的事，聖旨我已宣過了，你看著辦吧。（背白）這世道奇了，賞官賜爵還有不要的，真是天下第一個大傻瓜。（轉對李，翁，二太醫，容格格。）李中堂，翁相國，容格格，二位太醫，你們快起來吧。

（眾人皆起立）

老太監（白）：容格格，老奴既然來到長春宮，你就帶老奴去給老佛爺叩個頭，請個安吧。

容格格（白）：公公，你隨我來。

（容格格，老太監進垂花門內。）

　　程景灝（將褡褳一肩，向眾人深深一揖）李中堂，翁相國，二位太醫：晚生告辭了。

　　（李鴻章，翁同龢在他後面相送）

　　程景灝（唱）：辭別中堂回鄉去，長袖一拂不帶雲。鐘鳴鼎食非我願，一片丹心為黎民。治瘟疫，救百姓，民安才是國根本哪哈。

　　（一揮長袖，昂揚大步下）

　　（李鴻章，翁同龢送到台口）

　　李鴻章（目送程下，感慨萬千，白）：賢士在野呀！

　　翁同龢（鬍鬚顫抖，白）：宰相之過啊！

　　李鴻章（唱）：常言說，不為良相為良醫，

　　翁同龢（接唱）：良醫治百病啊！

　　李鴻章（接唱）：良相振朝綱！

　　翁同龢（接唱）：良醫怯穢氣，

　　李鴻章（接唱）：良相除貪贓。

　　翁同龢（接唱）：怯穢氣，除貪贓。

　　李鴻章（接唱）：朗朗乾坤正氣揚。

　　翁同龢、李鴻章（合唱）：正氣揚，國運昌，好一個中華錦家邦。哎——好一個中華錦家邦。

　　（全台漸暗，幕落劇終）

二〇一九年十二月七日初稿

曹柱國簡介

黃梅短劇《藿香正氣丸》編劇、香港作家聯會會員。

東堤阿黃的胡思亂想

唐凌

她好像昨天搬走了，或許是前天。我會想她的。

我還是會準時回到我的礁石上，在潮漲的時候享受海上的孤月和睡眠。時刻擔心生計的我們，睡眠都很淺，要隨時等待著同伴們的長嚎。我的身後是一排矮房，裏面的人大多來來去去，好像誰都不曾真正屬於這裏——長洲東堤。

其實之前我們是跟人一起在這片海上游泳的。但傳說九五年那年夏天，港島那邊的海域有三個人被鯊魚吃了，之後有一群人用網在海裏圍了個大圈，跟西岸的海水養殖場差不多，就是面積更大一點。然後人們都只在這個小圈裏游泳，彷彿把自己圈養起來的魚。從建房子到游泳，人類似乎就是喜歡用直觀而 tangible 的方法彰顯自己的領地。媽呀，在這地方住久了，連我阿黃都說起了胡亂結合的狗語。

其實我也不想的，但是畢竟在這條街上混，總要懂個兩文三語，有時候甚至要加上些其他語言。真的不太懂人類這個動物。顏色和大小不同的狗們都可以很輕鬆的通過嗅覺和聽覺知道對方想表達什麼、要什麼，而人類之間的交流嘛，有時，好像就是為了製造隔閡。

在這裏佔多數的人類（暫且稱他們為本地人吧）似乎對於死亡有著別樣的熱衷。據說在我出生前，不少人來這裏燒炭自殺，然後就會依次出現藍衣的警察，紅衣的道士，白衣的人群，一堆祭壇上剩下的食物和流傳開的故事。我的老母親會記得這些，大概是因為在本地人自殺的高峰期留下的好吃的實在是太多了（雖然人類的口味偏鹹）——整隻整隻的乳豬、燒鴨、烤鵝。等最後一個白衣人哭完走了，這些食物就基本都歸我們了。據說食物多得夠我們族群大吃大喝上幾個日夜。後來，這些流傳開的故事讓本地人對我們這條街心生畏懼。但這也讓租金變得異常便宜，於是我們獲得的食物口味也豐富了起來。

街口的老伯長得跟大多本地人沒有什麼區別，就算每日相見，我還是會在島上時常把別人誤認成他。他養了兩隻花貓。我們跟這兩隻貓處於視而不見的關係。首先貓和狗玩在一起就不常見，其次我們這些野生的，就是不太瞧得起那些被圈養的。他們看似舒適，不愁吃、也不愁冷暖，但正因為這

些個不愁，我想他們也永遠沒有快樂過，更不了解山和海的一萬種姿態。

老伯門口的三個大垃圾桶是我們最重要的覓食基地。但街尾的一對老年夫婦的飯菜才最合我的口味。他們一個比本地人淺色一點，一個比本地人膚色深色一點，溝通起來用同一種語言。每當週日上午，膚色淺的人會穿上黑色白領的長袍出門，膚色深的人會小步在他身後尾隨。有時他們會帶回來一堆深膚色的人。這時候膚色深的人會跟其他人一起講另一種語言。我在海灘上都能聞到他們在家中聚餐的食物香味，也能遠遠地聽見膚色淺的人的高談闊論。他的每一次發言，都像是一場講座。

我習慣在礁石上邊聞食物的香味，邊遠遠觀察大網附近的人。平日裏多是本地人在玩耍，但週日卻能看到大批深膚色人聚集在海灘上。本地人對他們總是不理不睬，正如我們對老伯家的貓。似乎只有這對夫婦出現的時候，深膚色的人群才會獲得一絲歸屬。我可以理解為什麼深膚色的人把淺膚色的人看做族群領袖。但是我不太能理解的是，為什麼就連本地人也對他尊敬萬分？平日跟他打招呼也就算了，就連深膚色的人跟他出門的時候，都會忽然間獲得本地人的愛戴。

而她又是誰呢？她是個長得像本地人，但卻總是獨來獨往的少年。她極少開口。但每每開口的時候，又總要看別人的臉色。特別是跟一起辦詩歌節的本地人說話時候，她尤其緊張。要不是有一天我聽見她流暢地用自己的語言為度假村裏的人講長洲美食，我可能以為她就是個結巴。其實這種語言跟本地人的語言挺像的，就是沒有那麼輕快。她做飯不怎麼樣，但是卻總是會想著我們。我記得她，因為她是唯一會把食物和垃圾分開的人。如果每個人都跟她一樣，我就不會有這麼多朋友翻垃圾時被玻璃劃傷了。她一週要丟三次垃圾。每次都會把食物規整的放在大垃圾桶邊上。不丟垃圾的時候，她也會放一些食物在那兒。

我們一開始不確定她的動機，總是在她走後好一會兒才出動。但有一次發現她在遠處用手機記錄我們進食的樣子。她的神態非常滿足，完全沒有了平日厚厚的毛髮也藏不住的焦慮。她看我們發現了她，便伸出手，示意要和我們做朋友。我上去聞了聞她的手指，味道有些酸辣，和她做的食物一樣。從那以後，我們就是朋友了。

有次她摸我，我用餘光瞄到了她的手機屏幕。分成小格子的圖片裏有

過半都是我們的樣子，剩下的是些分成短行的文字。聽說人類把這些個文字叫做詩。平時在海邊散步的時候，總會有幾個看似做作的人在讀，或是寫這些東西。有時候，他們會忽而淚流滿面。我的同伴們覺得這種浪費體力又不討好的事情很傻。但或許是因為慢慢了解了她，我認為正是這樣的時刻，這些人才沒有這麼做作了。

她也會坐在海邊寫這些分行文字。偶爾她會打電話給她不知身在何方的牽掛。記得有一次她還沒有開始打電話就已經泣不成聲。等對方接了電話，她也是過了許久才用自己的語言說了幾句簡短的話。我想，這大概是孤獨吧。其實我非常理解她。畢竟和貓科動物不同，我們狗類和人類都是群居動物。而群居動物是不可能真正享受獨處的。或許我們的區別就是，當其他生物給我們投餵食物的時候，不管好吃與否，我們都會真誠相待，並且把對方視作朋友——正如我和她。但這兩年來，我多次見證了她對本地人「熱臉貼冷屁股」（人類的用詞太有趣了！當我們貼別的狗屁股的時候，不過是為了獲取更多諮詢）。詩歌節過後，她是唯一沒被邀請去吃飯的。真不知道為什麼這些人要在她念詩的時候，故作認真的聽，甚至還鼓掌和給出什麼鑑賞意見。我看見她給這群人送吃的，而他們卻丟在垃圾桶裏，還說她領土上的食物大多有毒。可我嚐過發現那居然比給我做的還要好吃，真是又喜又憂。後來這群人似乎形成了一個族群，時常一起覓食、尋歡。只有她一個人，還形單影隻。這樣的冷漠在我們的世界裏，只有在求偶時才會發生，但是在人類間卻似乎非常常見且有規律。以前觀察那對夫婦，我以為，膚色越深的人越被人排擠。但是自從了解了她，我發現膚色相近的人之間似乎也有巨大的隔閡。

她最終還是走了。聽說她走的時候把房子打掃的一塵不染，卻故意留下了一些分行文字。在迅速忘記她之前，我想我還有一個不懂的地方：為什麼跟她講一樣話的人都沒有報名詩歌節呢？明明我也在島上看到過不少呢。如果他們也去的話，她就不會這麼孤單了。

或許他們沒有這麼愛分行文字吧。正如也只有我，堅持的在礁石上，靜靜等候每一天的日出。

唐凌簡介

以社會學為藝術，反之亦然。英國牛津大學博士，香港大學博士後。

戀城

吟光

　　雖然只待了短短數月，但曬成黝黑膚色大概無法避免。南台灣總是依戀光線。

　　遇見你之前，也從旁人口中聽到點滴。本以為最多會萌發喜愛，沒想到，最終幻化成了這台南六月陽光般的依戀。

　　剛抵達這座小島時沒見到你。在高雄機場匆忙下飛機，穿著冬衣的我幾近被熱暈。和同伴有一搭沒一搭閒聊，轉車抵達台南火車站後茫然等待，那時我什麼都不懂，滿心想著，這是一個多麼炎熱的地方！

　　第二天我就遇到了你。新生迷路，你走上來和善地打招呼，領我們探索校園。

　　系館藏在溪水深處。櫻花、垂柳、小橋、噴泉，古樸的木質閣樓和庭院，裹著歲月打磨的溫潤。都說台灣保留古典傳統的根脈，從審美意蘊可見一斑。

　　望著眼前的風景，也透過漫天紛飛的花瓣望向你。二月陽光暖軟，穿過細細密密的枝條打下來，在你臉上留下紋路斑駁。

　　後來我漸漸明白，這裏天氣炎熱，更有著不同與大都市的熱情好客。而這份熱度，才真正源於古老東方人民的淳樸滋養。

　　當晚是我第一次去著名的夜市。蚵仔煎、擔仔麵、木瓜牛奶，夜市承載了台灣普羅大眾最真實的百態，食物的香味與熱氣瀰漫中，浮現出一張張笑臉和心跳溫熱。那些喧鬧匯聚成生活的依戀，整條街融在橘黃燈火通明裏鼎沸。

　　叼一根燒烤，我正專心調整鏡頭的焦距，你忽然從後面出現叫了一聲。我失手按下快門，照出一張夜色中虛焦傾斜的畫面。

　　你抱歉笑笑，遞過一杯奶茶說歡迎到來。又點了點幾間舖頭，介紹這間蛤仔煎有特色，轉個彎那家炸魷魚最酥嫩。

　　臨走前你看一眼我的相機：「虛焦的風景也別有味道。」

　　幾天後我整理電腦照片，忽然發覺你的話很有道理。燈光璀璨的夜市，在視野模糊中倒給人翩翩想像。

　　只逗留一個學期的留學生，選什麼課程並不重要。但因為再遇見你，

我是不是該慶幸選了那節課？

　　空氣悶熱，我們坐在教室最後排，偷偷摸摸躲過老師的視線，天南地北地聊。有那麼一瞬，我回頭望向窗外，斜陽返照地閃爍出光暈，落花從枝頭飄下，在湖面漾起波紋。

　　台南海風向來鹹濕，纏繞著過客的腳步，黏得人忘記了歸途。那夜，我坐在機車後吹海風，半摟著你的腰來到夜色中的安平海港，鮮有人跡的郊外長橋。

　　攻下熱蘭遮城碉堡、迫使荷蘭殖民者退出台灣島後，鄭成功將行政中心的城堡更名為「安平鎮城　」。自此，明鄭王朝成為台灣歷史上第一個漢人政權，三代統治者的府邸皆位於此。古老城堡內幽藏著數不清的故事，安平王城見證了鄭氏家族的鼎盛，也見證其走向內外交困和最終敗落。

　　身側蓬草齊腰，對岸燈火搖晃，你說你愛這裏的風景，你覺得這是台南夜晚最美的地方。

　　我點頭，果然是最美的風景。

　　只是忽然有些害怕看到這份美麗。對於行者而言，愛上永遠比離開容易。剎那的美麗太過奢侈，於是更多心緒被藏進日子的褶皺。

　　「給你做導遊吧！」你開著機車，帶我穿越鬱鬱蔥蔥的榕樹，行過街頭巷尾。

　　長達千年的老城，前後作為兩個朝代的首都，輾轉容納下的各種文化在這裏交融成美食。你知道哪家的米漿最濃稠，也知道哪間的鼎邊糊最地道。

　　「紅豆和煉乳是天生一對戀人。」舉起湯勺，在唇間溫柔滑過，你這樣說，小木桌上的西米露多了一層韻味。

　　悉心講究飲食，正是貴族風範和品味的體現。在街邊昏暗路燈下靠著電動機車的你，一身樸素風衣，也難以泯滅高貴的氣質。

　　停車走過巷弄，來到著名的神農街。這裏隨處可見古跡、廟宇或雕像，見我感興趣，你停下來隨口講幾句陳年舊事，似乎與歷史生活在一起是很自然的事。

　　恢弘的廟宇躺在不遠處，泛著橘色光芒。漫長時光的雕刻和流轉，流淌成這座城市血液裏的從容。這份從容讓人癡迷。因為歷經風霜，所以從容，高貴。

「課上念台灣歷史，聽到前輩為堅持信念而犧牲。你們台南人也有激烈的時候？」我問。軟暖的語調，實在讓人想不出如何激昂。

你聽了只是笑笑：「明天要做田野調查，到時候你就知道了。」

正值蜀葵花季，各色的繽紛花徑直立在草叢間，有的比人還要高。走過紀念公園，你在高聳雕像下講起世代的堅持。

哪裏有壓迫，哪裏就有更多的抗爭。「二二八事件」是台灣歷史上永遠的傷疤，卻也經了磨難才能看清秉性。據說湯德章在被捕受害之前的晚上還在台南的街道散步。那時候，他已經預料到將會發生的事情，卻依然站在民眾一邊。明知不可為而為之。

仰頭，陽光刺進眼。受難英雄的雕像單手抬起，緊蹙雙眉，眺望遠方。

一丈紅被風吹起，花色艷麗如血。我終於明白，在這座城市溫潤包裹下的執拗。

頂著四月逐漸焦灼的陽光，我們又一次來到安平。白日日頭很烈，榕葉低垂帶來一片綠蔭，和睦幸福。

古堡裏遊人如鯽，枯藤纏繞老樹根，紅色磚瓦映襯荒廢的炮台和古井，定格出壯美，在南部的夕照下訴說荷治時期那段歷史。。

我們再次來到海港，走在沙灘邊並肩看日落。

餘暉在海面上打出倒影，霞光染紅半邊天空，像歌劇的收場，對這世界說再見。海風本就纏綿，那日竟發覺，連沙土也是黏黏，似乎要黏住過客的心。

像受到某種蠱惑，我念起台南詩人的句子，纖細的聲音在風中搖晃。

「你喜歡我嗎？

如果我是雨

如果我是風

如果我是雲」

離別命中註定，相聚卻遙遙無期。天涯途上誰是客，散時又該如何分別？

漫天華麗的背景中，似是無力面對落日的宿命，我背身掩過面去，落下淚來。

「我是雲，佇立在高高的月下

與你相遇，你……喜歡我嗎？」

我收起眼淚，繼續穿梭在這座老城。騎著二手腳踏車，跟不同的朋友一起，吃過許多美食，看遍許多風景，也相遇了許多個你。

迷路時你駕車經過，見我們一臉迷惑，徑直在前面領著我們走；清晨出門去買早餐，你遞過八角粽子，笑意融融地說端午節快樂，聊起晚上運河龍舟賽……

結束考試，像探寶似地，你帶我踏單車來到二手書店。

二手書店隱藏在巷弄深處，推開小門，裏面別有洞天──像這個城市一樣，充滿對文化的尊重。

穿過各式古舊的典籍中，嗅著書頁好聞的清香，走下階梯來到閣樓，舊式黑膠唱片和雕刻花紋的黑膠唱機出現眼前。我驚呼，走進去細細地看。

你從書架後面出現，遞過詩集。你的字一筆一畫，撲面而來的清秀，像你的人。

「我躍然的腳步成了振翅的雀

我不捨的吻別成了獨行的風」

有些詩行，無數次地翻開又不認讀。就好有些話，想說又不認說。

「明天我要離開了。」猶豫千百遍，我終於下定決心發出短信。

醉笑陪君三萬場，不訴離殤。那晚我們各懷心事，但誰都沒有說明。

晚餐後，一路閒逛來到全美劇院，正值《少年派》的熱潮還沒過去，夾雜磚瓦和水泥的立牆上懸掛著巨大的手繪電影看板。

在電影產業走向 3D 的現在，台南的全美戲院仍保留老戲院風格──沒有電腦輸出的門票和絨布座椅，而是人工蓋章的紙片戲票。簡單的金屬椅，更搶眼是入口上方掛三公尺平方大小的手繪電影海報，幾乎成為台灣國寶。

「聽說，這裏是李安在台南讀書時最常造訪的地方。」我撫摸凹凸不平的牆壁，「他一定吸取了地傑人靈的精華，即使後來離開，也不會忘懷。」

不管你知不知道我的心事，我要保持行者的豁達。

你眼神渙散，像有什麼心事：「走，帶你去吃芒果冰。台南的芒果最新鮮，走了以後，可要記得哦。」

你發動機車故意開得很快，載我穿過一條又一條馬路，一邊若無其事

講起芒果的種類。

很久以後，不管去到哪裏，再也沒吃到那樣甜的芒果。

然但那時我什麼都沒有說，只是坐在你身後，摟著你的腰忍不住靠上去。

你留給了我太多，我並沒有什麼給你，就把淚水留在你衣衫。

「我會記得。我喜歡這裏，我愛……」終於說出口，聲音黏黏，感覺你也在發顫。

遠處傳來閩南歌謠的聲音，飄飄搖搖，訴說古老的哀愁。

夜色闌珊，一切忽然明瞭。我是這樣深愛這座城市，愛它的優雅，愛它的熱烈，也愛它的堅持。但更愛的，也許是這座城市裏的人，是你。

那麼你是誰呢？說了這麼多，有時候我也分不清這個問題。

也許你是一個人，也許是很多人。你是領著我遊歷台南的朋友們，你是帶來一整打課程資料的學長姐，你是跟我吃飯聊天的師長，你是早點攤上跟我寒暄的阿嬤，你是耐心指點的路人，你也是與我互生情愫、又用離別畫上句點的旅伴。

你是你，你是萍水相逢，你是一見鍾情，你是每個熱情好客而又真實可親的台南人。

初來這裏那天我的感覺並不準確。這裏不僅氣候炎熱，更是熱情而厚重。

熱情鮮艷是六月府城的色調，火紅鳳凰花，金黃阿勃勒，墨綠老榕樹，天空湛藍，雲朵純白，一切都那麼明媚。

然而看盡了熱烈，離去前，在燈火熄滅的深宵看到你低垂回首的一面。我愛這份糾結，也愛這份真實。即便有過猶豫，我終究戀上了你，戀上這座城。

也許作為一個永遠在移動的過客，只能有一刻的相濡以沫。受了你的惠，落過淚，但還要割捨依戀轉身奔赴前路。

永結無情遊，相約邈雲漢。你記得也好，最好你忘掉。

然而我卻永遠記得，相遇那天的光線斜照下來，那一刻曾閃過溫柔共震。

吟光簡介

九十後新銳女性作家，香港作家聯會會員，香港浸會大學中文系本科，香港科技大學人文學院碩士，出版和發表短篇小說《港漂記憶拼圖》、《浮焰沉光》、長篇歷史小說《上山》等作品。

人骨笛

> 白骨露於野，千里無雞鳴。——曹操《蒿裏行》

連日的陰雨，泡得中原大地，日月無光。

昨夜，暴雨沖開了地面的浮土，露出累累白骨。

提蘭的目光竭力避開這一切。她正提著裙子，一步一步走向河邊。

其他同學其實不是很明白，時間旅行的選擇這麼多，提蘭為什麼總要去五胡亂華——中國歷史上最混亂殘酷的時期。

但，時間旅行實驗期間，除了發起者——量子物理學專家張教授外，志願者的記憶是嚴禁交換的，其他同學也只能揣測而已。

夜風帶來了河水的味道。無月無星的空茫中，提蘭止步於窸窣的水聲。

黑暗盡頭，有一盞漁燈，隱隱映著一艘小船。冷風過來，燈光映在淋漓的水面，彷彿星子一樣散開。

漁燈的分身讓提蘭想起了平行宇宙。

從很小的時候，提蘭就反覆夢見一些真實而奇異的場景，彷彿自己在不同的世界中穿梭。醒來後，她往往會用夢裏的衣食住行細節來考據，發現那些自己曾經生活過的地方，有西夏的西平府，清代的揚州，甚至江戶幕府時期的京都。

人死後會去哪裏？她曾這樣問過時間機器的發明者——自己的導師張教授。

張教授的回答是，靈魂會在各個平行宇宙之間穿梭。

作為大學教授，張教授發明了時間機器。第一批試用者，是學生志願者，包括提蘭。

應徵的原因，是提蘭隱隱覺得，那些夢境都曾真實發生，是自己不同前世累迭的記憶。

她爭取到了第一批試用者的資格。

三個月前，提蘭過了十八歲生日。自那天起，她的夢境就只剩下兩種：五胡亂華時期的某個荒野，和一艘巨大瑩亮飛船上的羽人——一些長著翅膀的異族人。他們正驚慌失措地用雙翅擦拭著臉上的血漬，彷彿剛從某場

浩劫中逃脫。一個年輕的男性羽人正駕駛飛船，緩慢而無望地，在星海中一圈圈航行。

提蘭彷彿也是這些羽人中的一個。那一世，她似乎愛慕著那個駕駛飛船的羽人——夢中，她的眼睛幾乎不能離開他。

他的名字應該是「春陽」——其他羽人稱他為族長。

夢境總是這樣結束：春陽側過身來，消瘦的面孔上，目光猶如雪亮的利刃；而他身後，左翅血污淋淋，而右翅，竟被齊根折斷，只剩凹凸的骨茬。

五胡亂華，找回來。他輕輕地說。

找回什麼？

然而，每次提蘭還未能開口，夢境就已經消散。

經過一段時間的資料查找，提蘭覺得那艘飛船，很像是《拾遺記》中提到的「貫月槎」[1]。

在前幾次的試驗裏，漁燈每次都會出現。提蘭隱隱覺得，那就是自己要「找回來」的東西。

這是最後一次實驗，張教授就要關閉時間旅行的通道。下次用，不知要到什麼時候。

漁燈和小船仍然沒有移動的跡象。

提蘭終於下定決心，鳧入水中。

水很冷，但並非不能承受。更讓人恐懼的，是虛無。

無星無月的黑暗中，提蘭漸漸游離了白骨森森的河岸。

微茫的虛空裏，漁燈漸漸近了。

提蘭爬上晃蕩的木船，吱呀的響聲順著河水傳得很遠。

那盞「漁燈」，竟是一支修長的，泛著瑩瑩綠光的笛子。

手觸到笛子的一瞬，提蘭突然明白。

冰冷細潤的質感，非金非玉。這是一支骨笛，由春陽被折下的右翅做成。

提蘭下意識將骨笛湊到嘴邊，想要吹響。周圍的時空，卻出現了漣漪一般的擾動。

實驗突然提前結束了。

張教授說，實驗的異常結束，意味著提蘭接觸到了某種十分重要的時空「拐點」，可能會對歷史進程產生相當巨大的擾動。

事後，張教授給了她一份資料。

西海崑崙山側，有羽族由異星而來，生雙翼，通仙語，千年隱世而居。以族長右翼做骨笛，可召大悲力烈火，焚金裂石。時逢五胡亂華，外寇入，烽火連城，羽族大敗。族長自折右翼為骨笛，燃烈焰百丈，抵敵寇，率殘餘羽族，乘貫月槎逃離，下落不明。

「這是傳說嗎？」提蘭沉默了一會，才開口問張教授。

「也可能是某個平行時空流傳下來的，真實的歷史。畢竟時間機器的原理，就是在不斷分叉的旅行過程中，誕生新的宇宙。」張教授狡黠一笑。

提蘭望著這段文字，沒有開口。

有兩件事，張教授錯了。

春陽並非「自折」右翼。雙翼連心，羽族人是無法折下自己的羽翼的。

提蘭觸摸到人骨笛的一瞬，彷彿打開了一個奇特的時間缺口，記憶紛至遝來。

羽族那一世，提蘭是春陽的祭司。春陽的右翼，是在他的強令下，由提蘭親手折斷。

那些外族人以毒浸入水源，再以絲網纏住麻痺的羽族部眾。細弱高傲的羽族眾人，肉身橫遭踐踏，直至碾入塵土。

折斷春陽羽翼的一瞬，愛慕著他的提蘭，心臟幾乎碎裂。

笛聲響起，春陽召喚了貫月槎——千年以前送他們來到地球的貫月槎，一直以隕石的方式流蕩在地球附近。

提蘭再沒見過那樣的烈火。

貫月槎的尾焰，足有百丈，燒得數十里地表赤紅，外族人焦黑的皮骨散落其間。

火光映著春陽失血的臉孔，呈現出透明的光色，宛如折翼的鬼神。

還有一件事，張教授沒有留心。

有兩種情況，實驗會強制性中斷。張教授以為提蘭的實驗，是觸碰了影響歷史走向的重要拐點；其實，是提蘭帶回了不屬於這個時代的物品。

陽春三月，畢業在即。提蘭背著書包，向張教授實驗室的方向，匆匆走著。

書包裏，隱隱有個細長的物品。她要將它親手交還給春陽。

她已經很久沒有做夢了。

註：（1）貫月槎，出自東晉王嘉《拾遺記》：「堯登位三十年，有巨槎浮於西海，槎上有光，夜明晝滅，海人望其光，乍大乍小，若星月之出入矣。槎常浮繞四海，十二年一周天，周而復始，名曰貫月槎，亦謂掛星槎。羽人棲息其上，群仙含露以漱，日月之光則如瞑矣。虞夏之季，不復記其出沒，遊海之人，猶傳其神偉也。」

吳霜簡介

科幻作家、編劇、譯者。獲第六屆全球華語科幻星雲獎科幻電影創意金獎、第九屆全球華語科幻星雲獎中篇小說銀獎。作品編入科幻選集《碎星星》，出版個人科幻小說集《雙生》、翻譯作品集《思維的形狀》。

山丘的一邊

「我做了一個傷心的夢。」這是她半夜三點給他最後的留言，然後，她就此消失沒有再出現過。

現在他打算背起書包，下決心去尋找她。她消失的這一個月裏他什麼都沒有做，她早已經變成了他生活的全部，所有事都是為了對她說，為她想，感受她而發生的。如果他再不行動，他的生活會到此結束一切停止下去。他別無所求只為愛情（如果這是，他找不到更好的總結）而活，沒有額外的期待，或者說他本來就沒有期待，是他發現了一種發覺並且只屬於自己，如果不是因為她突然消失，他不會有任何行動，在他心裏幾乎從沒存在相見的衝動，一切原本都讓人很滿足。

可是她消失了。他是知道總會有這種結果的，畢竟他們彼此沒有現實生活的交叉，關於這，會把一場純粹磨滅，他曾經慶幸不已，這是他心中愛得高層的重要地基，所以直到今天，他也沒有打過一通電話一封郵件，事情發生的一周後他就再也沒有別的猜想，電話和郵件都不是必要的，他在等待決心，尋找的動作會將一切都推向中心，似乎早就預備動身。

關於他要尋找的這個人，或許他沒有真的認識過她，在社會的層面上他對於她的一切一無所知，這使接下來的這場尋找行動變得像是一個拼圖遊戲，它將完全不完整甚至完成不了。但是他的補充將會充實這幅拼圖背後的整個牆面，他的生活在等待全面的發生，等他造好之後他幻想會成為一條具體的河流，他的循環就在其中得到運行。

晚上，他出門為這次的冒險採購物品。他從來不愛白日出門，夜的世界似乎是一個分裂，相對使它超越現實。他走在夜風中吹來的虛假裏托舉起真實的波浪，越是吹越是感覺到一種輕浮，他為自己即將的出行再次雀躍，而路邊有許許多多不回家的人，他們似乎變成了另外一種路燈，蹲守著在一個個路口，他們的心中有沒有什麼寄託呢？蹲在那裏簡直會產生一種他們是否真的是懷疑，似乎被融化倒膜去一種靜置裏面——倒進去這一天就結束了。藉此他獲得了一種高尚的幸福感，凌駕所見之上，而他在行

走如車過風景一般，入眼的都是陳列，思考也顯得表面。夏夜是不是會讓人像那些腐敗的垃圾一樣也極度放縱起來？因為就這不算長的一段路，已經有相隔不遠的兩輛警車在閃爍，那些泛著疲憊油光的警務插著腰想要聽清楚那些激烈的指責和失控，疲憊已經不是重要的事了，狼狽更為難堪，任何人都根本不會聽明白究竟怎麼了。好有趣，相比白日現在更具有活得氣息，人在困境裏面被放大了——不，不是，他想，人的身上如今只因困境而顯得動態，更多的時候，人已經湮滅在這個世界的運動中去了，如果不時刻保持警惕，自己又將去向何處？他在找各種方法不凝固成路燈，能做的極少。但是總不至於讓真實只有在一個時段才能緩慢亮起。

就是夜晚——回到自己的居室是層層掉落中的一環，是在剝玉米吧，從白日到現在獨處的深夜，一層層展露脫離寄主的真實。他躺下，平日此時他在和她聊天，他們彼此陌生又親密。

有一個男孩讓我為他寫下一個故事。我同意了，並且決定可以就此消失在他的眼中。我想，我消失了他會有什麼樣的經歷？就這樣開始寫了第一句。寫第一句的時候我在想要不要有個告別或者留言？不，不了吧。他是虛假的投射，自我的騙局。或許只是充實自己的假裝劇本，自己太枯竭了。能發生的太有限，我要怎樣才能快樂，使自己的耳朵裏不是嗡嗡得鳴響，世界外面，到底什麼樣的？就這樣，由一句成型的話語，導致無數的幻想。

我想，今天又白白過去。幻想沒有價值，只會更加痛苦。

空空如也得空氣和夜晚裏，風環繞我的四周，一點點變冷。奇怪卻又安靜，我在下陷，似乎是在颶風的眼裏，那種底下無限的掉落。這個時候我是多麼想他。我想立馬爬起來，告訴他我在這，我在這。可是一切都不真實，下陷不真實，衝過去的衝動不真實。真實會阻擋我的腳。真實只是一段不可能實現快樂的追尋。他也不是他。我無數次勸導自己由內尋找，卻總是有徒勞的寄望，需要每每克服一遍嗎？

這不是愛情故事，在女主角眼裏沒有男主角，在男主角的世界，女主角是泡影。這只是關於猜測和映射的抓手。我無法入眠，只能由它去，由它剝奪夜晚和自由。把我的渴望和無法言明的吶喊帶到那個底下的無限，

我們之間的共同——每當這個時刻都讓人孤單的明白，那是無可救藥的自言自語。只有消亡才能使它類似呈現。

我知道不會那麼簡單，消失和慾望都是反覆鬥爭的噩夢。這是一種個人的史詩。如果沉入水底，那麼一切都好辦了。當你把容器灌滿，那重量會消弭一切的疑問，嚴絲合縫的整體不會喪失穩定，液體就是答案——無人問，無人答。充盈將作為整個宇宙。

可是作為人，我此刻握緊的手，蜷縮的心，身體的飢渴，它們壓抑下產生的——抵抗伸出了觸角，完整的如此重要，它是無法掌握的活性分子，任何的動盪，都會挖走我的一塊。

我想，如果所有人都能意識到我如此自私，那是多麼開心啊。

入眠是件難事，今晚我就到這了，否則又是頭痛和失眠。放空之前我在想，我把他給刪除了。他不重要，什麼都不重要。我這樣躺在床上，自己沒有種類沒有實體，沒有液體的空瓶，對。空瓶子。獨自一人時，真空的狀態前所未有的明顯，每一次都是那麼鮮明，從來不會讓你覺得熟悉和過時。我已經想盡一切辦法了，睡覺吧。

然後我就做夢了。

城市到處張貼著我的照片，尋我啟示。

女，封閉者。曾在多處商店盜竊，失眠症。頭髮長，近視八百，從不在飯店就餐。

我想知道她是否還在這座城市。

有線索可撥電話，十分感謝。

傳單發到我的手上，他看著我的臉，說：希望你提供線索。

在場，不在場。我也只能在一種懷疑和委屈中醒來。

很快，我就什麼都不記得了。

他躺下後，想起她偶爾會念念叨叨，那時就是那天發生了些什麼。她說她在商場盜竊，一塊精品店裏的水晶，一塊零食店裏的糖果，一雙襪子，最難的是一本書。事情完結之後，身體變得很沉，她說。她總是想著之後的事情，對，就是盜竊發生後的事情，不在她的身邊，但是已經有無數事情發生。那很重要，她說。能發生什麼對我很重要。她重複。他沒有一次

看見過她的表情，她的臉。但是當她在說這樣具體的事情的時候，他知道她在說一種私密。他就是因為這樣的私密而一點一點的想要做出一點付出，「人是萬物的尺度」——她曾經在留言區留下這樣的帖子。她的帖子讓他想要與她發生的聯繫的慾望一天天在加強，他簡直忘了自己一切的生活——因為本身就曾經什麼都未發生過。他一直這樣無法連接自己的生活，這樣使他越發傲慢，他每日其實都在為這傲慢而苦惱，直至他發現了她，發現了他原來在苦惱。他從未主動回想，今天發生了什麼，今天是怎樣的，對比一下昨天和今天，對比一下現在和過去。從來沒有，直到他聽到她問：你的生活是怎麼樣的？他慢慢的被痛苦找上門來，他試圖用理性去對抗這種疑問：這只是網線另一頭一個不如意的女孩，在用情緒和我糾纏。怎麼會有因為四季太過分明而在生活中崩潰這樣的事情呢？他在覺得可笑的時候，隱隱在想像那種感覺，他開始分辨蛋糕的甜度，早上醒來游絲一樣的感覺。他開始有意無意思考活著這件事，他問跟自己定期發生關係的女孩，什麼時候感覺充實。她說你操我的時候，他再也沒法問下去。往後再做愛，他也沒有辦法再說一句話，女孩的叫聲堵在了耳朵眼裏像一團棉花。不過他依然赴約，直到幾天前的最近一次。

他以往所有的戀愛痕跡都變淡了，導致他也記不起來在那個時候做愛是什麼樣的身體感受。

他現在依然握著手機在等待，他看著房間拐角今天採購的用品，覺得自己的生活豬狗不如。

無數次的深夜，她打來電話（通常都是單向打來的語音，他從未打過去，因為他知道會打來，甚至一度讓他有掌控感），話語很少，但是他喜歡這些空白。有的時候他開著電話，聽著另一邊的安靜，盯著月亮。月亮靜而秘。他覺得充盈，一片漆黑裏面他沒有心情，電話那邊也是同樣。他猜她或許也是在看月亮。 ——她就是在看月亮，他從不問，恣意想像。

他拒絕承認被改變了生活。瞬間他發覺出發沒有意義。她不是必要，只是他的一種發現和發明。消失和出現應該如同自來水的來去，你上班路上偶遇一隻螞蟻，你怎麼還會在幾個小時下班後原定等待它再次回到原地？

靜靜躺了幾秒，他蹦起身來，撕開今天採購的那些塑膠袋，拿出所有

能吃的，他開始吃，開始塞，不停地吃，他想要把食物全部塞進去，他感受到食慾在肚子裏擴張身體，一種煎熬開始燒灼他的自尊。他感受不到自己的存在，渺小地想要吃掉所有讓他感受到的掙扎和否定，吞下去。他咀嚼的時候強烈的感覺到了自己的依賴，一種無法擺脫的追逐感，他分辨不出食物的任何味道，他不知道現在口裏吃的是哪種麵包，他想著別的，他想，我要把手機砸碎。

我想要殺人。這似乎是個聲音，我不知道什麼時候想起來的。我跟A同居的時候，一天夜裏，他睡得很熟，我抽完不眠的煙，腦海裏有個聲音說：摁下去，摁下去。我看看自己的手，夜裏露的一點不知哪裏來的薄白光芒，照的我的身體那麼聖潔和漂亮。但是聲音在強烈的抖動，摁下去摁下去。於是我把煙頭摁在了A赤裸的肋骨上。

A的拳頭和巴掌是我這輩子最疼的體驗。除此之外，我第一次感覺自己是一個動物，肉感那麼的噁心，我的臉被扇得抖動的時候，我想吐。我沒有怎麼抵抗，自由的攤開在地板上，神志游離得非常遠，我的心臟第一次那麼的放鬆和平靜，跳動的非常踏實。A沒有再理我，我猜他的靈魂離他而去了。我看見床底有一隻小蟲，速度很快在陰暗的地方快速地移動。它不知道有人在觀察它，它不知道我一出手就會碾死它。後來我感覺非常的冷，但是我沒有權利拿一條毯子蓋在自己的身上。我害怕，我只要一動就會觸怒床上的A。我知道如果不開口，這一夜過去，什麼都解釋不了。

但是後來我睡著了。

第二天的太陽掛得特別高的時候我才醒過來。 A坐在床邊發呆，我光著的身體每一處都在疼痛，浴室的鏡子裏，我斑駁得很怪異，看見自己的身體有這麼多顏色甚至讓我想拿相機拍下來。這比做愛更讓我感覺掌控了一個人，我看了好一會，同時也知道它們很快就會復原。

然後我就走了，A依然坐在床上。本來他應該去上班的，我知道他今天是沒有辦法走出門了。錯過了昨晚的沉默，殺人不外乎這麼容易。

A再也沒有聯繫過我。

我把這個故事變形，告訴了那個男孩。我告訴他我燒掉了A的陰毛，A拉我去做精神鑑定，把我一個人丟在醫院。

他總是對我的各種故事感興趣，那些故事全是謊言，他被謊言深深迷住，並且愛上我。他並不知道，我蒼白得像一塊玻璃，污垢使之美輪美奐。而我面對他的時候，那些謊言和闡釋，令我覺得自己純潔無比。

「你是一個什麼樣的人？」，從這裏開始的交往，讓他不自覺把每次和她的交談歸為美夢一樣的經歷。

他去蒐集答案，他問他的女伴，你是一個什麼樣的人？他遭到了反問，你覺得我是什麼樣的人？他突然覺得這個問題好有魅力，是一個怎麼回答都不夠真實的答案。

然而，他越去追問越不自信，越是發現難以啟齒，別人的眼光在浸潤了這個問題之後顯得輕蔑、抗拒。他在問出口的時候心中也虛弱地沒有對應的答案。當他終於要回答她的問題的時候，他充滿了沮喪和敬意。他只能回答，不知道。不僅不知道自己，也不知道別人。他不禁失望，他沒有對任何的人把握，他以為他也有網絡，社會網絡。他曾經因為能夠輕鬆駕馭而瞧不起這種人際網絡，他自詡在蜘蛛的背上，現在他知道他在回答不知道的時候是羞恥的。無知在撕咬他，可是他沒有更好的答案，他已經隱約的被看穿，奇妙的是，這是他在選擇她，與真實擦身的權利掌握在自己的手上，他其實可以偽造出一個答案，好似起伏丘陵上的厚雪一層，他本來的掌控是要把這片平坦掛成臥室的風景圖，從未想要進去看一看，他本來與痛苦無緣。他用不知道敲開一切。

她說，空瓶子。我眼裏所有的人都是空瓶子。

他想，是因為人無法被定義，他覺得他理解了「人是萬物的尺度」。

而她想說的是因為她曾經被抽取。抽取出來才能站立著觀看。但是他不知道，在他眼裏她就是個每天不一樣的空瓶，他已經樂於灌滿一個完整的對象，灌裝接近於他最想要平穩的思索。這是一種他打開眼睛才發現需要平衡的翹板，每個發現這個翹板的人，下一秒會驚覺自己距離深淵那麼近。

現在他想起了這個空瓶。懊惱昨晚為什麼吃得那麼多，那麼的失控，他想，我毫無頭緒，我往後退步了。人對於未知都會害怕，可是這是場冒險。現代社會裏真正的探險，它將用愛情檢驗我的勇氣，我的智慧，我的不凡。

又一次，他被一個點聚集到一起，再次產生了巨大的推力。不凡太誘惑，他曾經自己淘過的一層層沙，用自己原始的邏輯，明白了網線一頭他們之間簡單的問答中揭開答案面紗的鐵鉤，如今，他握著鐵板手馬上就要開始撬動自己軌道。

有幾個人能在生活的蒸汽裏看清鼓動的真實樣貌？有幾個人能在一團混沌的窗面上偶然留下手印，從而發現清晰被隱藏著。

這是勇氣。接著他去了火車站。

買的車票上的班次要途徑鳳凰山和山海關。他滿意這兩個地方，或者說地名，他小時候最愛看《魯賓遜漂流記》，他想，他去一趟哪怕找不到她，翻過這兩個雄偉的名字，再次回到人流中，他也多出了一次歷史，他也會帶著人類逐漸被稀釋的氣味——再也沒有什麼會淹沒他，就像他終於從海面露出第一次鼻息那樣，不會再被湮沒。他將擁有一種辨認和被識別的驕傲，但不是優越，人類的生活被優越弄得混沌不堪，他只會到達那故意被削弱的山峰，這是他與她與同類們的平靜景色。他又回到了往日的夜景中，被吃掉的物品再次被補充。口袋裏是明天的車票，與昨日相同又不同，昨天他帶著一點憐憫和機靈看鏡像的世界，今天他重新思索，現實就更新了。風裏帶著人的氣味穿過他，他看著每一張臉人來人往的流痕，他現在不敢說充滿希望，但是他開始相信，等他回來，他會從這些中剝離出真實而不是帶著優越的同情，他會像一個真正的人，有過體味甘於沐浴平靜。

這張車票，鳳凰山，山海關，還有她。他握著手機，翻來覆去，這份即將到手的新生，他簡直要沸騰。他曾經想要她為他寫個故事，是的。她會寫，她寫的小小故事雖說不算特別完美，但是就像一台顯微鏡，人類在此之前沒有見證過活動之中還有活動。她的小故事，讓他參與到人與人不同的縫隙中去，他們變成了一個戰線的盟友，帶著轉動去看對面天才層面的轉動，承認還有接受差距的神化，從而為了擺脫無知牽起手來。他想知道，她寫了嗎？

「我就要來了」他打下這五個字。

但他沒有發送，他重新打字「我明天要爬山，爬出來見到你，就會變成你說的發生」，發送過去，他真高興啊接著又打了一條——此時他另一

個神思一閃而過的想著不管回不回覆都沒關係，他手上在打「這是我第一次，我好像知道你去商店偷水晶的心了」也發送了出去。信息發送出去之後他按下鎖屏，黑黑的手機被他拎在手上，他的嘴上有著笑，然後按亮屏幕，上面是一輪小小如豆的月亮。他按滅，接著按亮。十幾秒後，手機自動暗了下去。他覺得室內的燈光也忽然暗了一點，他拿起手機，看著對話框，他期待上面顯示對方正在輸入。她究竟有沒有看到？她消失的原因是什麼？為什麼這麼突然？戰友，盟友，我們真的是一起跨越的人嗎？

他沒忍住，「你是不是看不起我？」發送之後他立刻撤回了，不對不對，他想了想，冷卻的心還是打下了一句話：你人呢？

他期待了一夜，在床上失落得渡過天亮，他似乎看見了剛出的陽光和昨晚的月亮在一片待變化的天空中同時出現。他想，如果樓下的孩子看見這個場景大叫起來，世人都不會責怪他打破了清晨睡眠的晃蕩。他扣下手機，翻過身體不想再面對散著微光的窗台。

當他再醒來的時候，接收到的第一個信息是：唐山鐵路鳳凰山段山體滑坡，導致G1234列車緊急停靠。前方在全力疏通，索性沒有造成人員傷亡。

「我錯過了一切。」

那張車票，這部手機。他把它們疊在一起，捏在雙手裏。

她說，能發生什麼對我很重要。

他的胳膊搭在窗台壓了好久，然後他猛地把手機砸了出去，遠得一聲脆響，他才發現他的雙臂麻了很長時間了。

二〇二〇年三月十三日凌晨三點

梁晚簡介

九十後，現居合肥。

談文說藝

老驥伏櫪 志在千里——訪季羨林教授

李遠榮

一九九七年十月，我在北京參加第九屆世界華文文學研討會，十分渴望能拜訪心儀已久的季羨林教授。

機緣巧合，蒙北京大學副校長郝斌教授引薦，使我的願望能夠實現。

十一月九日下午，我帶著興奮的心情來到預約地點—北京大學勺園賓館，郝校長和香港作家黃佩玉博士已在那裏等候，我們三人沿著未名湖漫步向季老的住所——朗潤園公寓。

秋高氣爽，涼風習習，只見未名湖水清如鏡，樹影婆娑；湖中田田的荷葉，展綠疊翠，深圓寬濶；碧盤滾珠，皎潔無瑕。

正當我們聚精會神地欣賞這「燕園」勝景時，不經不覺中已來到季老的家。

我本以為這位留洋博士、被譽為當代中國學界的「泰斗」，一定是住在綠樹掩映的豪華別墅中，走近一看，實在平凡，與普通民居無異。

季老走出來，把我們

▲ 一九九七年十一月九日，作者去北京大學拜訪季羨林教授。（作者提供）

迎進一樓門樓內靠東邊的一間房，進門便是一排排書架，放置著珍貴的線裝書，簡直像個圖書館。室內家具都是五十年代的，方桌、硬木椅十分殘舊，牆上掛著一副對聯，卻很醒目，對聯寫道：

水能性澹為吾友

竹解心虛是我師

這大概是季老的座右銘吧！

室內有一張沙發，是讓給客人坐的。我坐定，開始細細端詳，這位學界的「一代宗師」，他頭戴淺粉紅色的羊毛帽，身穿深藍色的中山裝，腳

著黑色圓頭布鞋；清癯的面孔，襯著健康的膚色，其目光如炬，炯炯有神，雖然頭髮白了，眉毛白了，額上有些少皺紋，但談吐溫雅，思維清晰，記憶力特強，似乎比實際年齡年輕了許多。

季老的打扮，像一位農村老伯，多過像一位德高望重的學者。

我曾聽過這樣一件趣事。新學年，一位遠道而來的學子，提著大箱小包到北大報到。到了校門口，他想暫時離開辦點事，又怕丟失行李。見一穿藍色中山裝著圓口布鞋的老人走來，以為是學校工友。就請老人幫忙。老人很爽氣，並且認真負責看到底。學子辦完事後，已過正午方想起扔在路邊的行李，急回去找，只見烈日下那光頭老者仍呆立行李旁。次日，開學典禮大會上，這位同學驚奇地發現那位幫他看行李的「老工友」竟端坐在主席台上。一打聽，方知他就是大名鼎鼎的北大副校長季羨林。

閒話休提，言歸正傳。

寒暄過後，郝校長把我們二位客人介紹給季老。黃佩玉博士是五十七屆北大中文系的學生，雖未經季老授課，但仍執弟子之禮，而我是黃博士的學生，我認真地說：「論輩份，我應尊稱季老為『師公』了。」季老聽後，忙說：「不敢當，不敢當！」眾人大笑不已。也許是這一陣輕鬆的笑聲，消除了彼此間的隔膜，談話更無拘束了。

季老問我，年初送我的墨寶是否滿意？他謙遜地說，人老了，字寫得不好。

我連稱滿意。那是今年三月的事了季老應我的請求，餽贈我墨寶一幀，寫的是其先師陳寅恪先生的詩：

群趨東鄰受國史，神州士夫羞欲死。

田巴魯仲兩無成，要待諸君洗斯恥。

季老尊師重道，治學嚴謹的精神是值得我們學習的。

季羨林於一九一一年八月，出生在山東臨清一個 「三代赤貧之家」。季老的父親、叔父都是孤兒，靠在棗樹林裏揀棗吃長大。季老幼年跟叔叔流浪到濟南，千辛萬苦讀完小學、中學，以優異成績同時考取清華、北大。一九三五年留學德國哥根廷大學專攻古代東方「死亡語言」梵文、巴利文和吐火羅文等，獲哲學博士學位；一九四六年返國後，由於國學大師陳寅

恰的推薦，被北大破格立即聘為教授和東方語系主任，是陳門弟子中的佼佼者。季羨林是研究印度古代文化、佛教史和中印文化關係史的著名學者，對中國文化和德國文化也有精深造詣，在國際學術界享有盛譽。

進入耄耋之年後，季羨林集中畢生的文化積累，致力於弘揚中華民族的優秀文化。由他擔任總編、聚集國內一流學者編撰的大型中國文化典籍整理工程《傳世藏書》，在經過六年鍥而不捨後已出版發行。這套精選先秦到晚清歷代重要典籍，分經、史、子、集四庫共計二億七千多萬字，它是繼《四庫全書》之後二百年來最有價值的一次典籍整理，也是弘揚傳統文化的一次具體行動。

據悉，目前他正在主持兩項浩大的文化工程，迎接下一世紀東方文化的復興。一是主編一套五百冊的《東方文化集成》，二是主編《四庫全書存目叢書》，將當年一大批由於種種原因沒能收入的著作，重新整理出版，充分地展示了季老卓越的膽識和宏偉的氣魄。

古人聞雞起舞，季老是聞雞起筆。他勤奮一生，焚膏繼晷，兀兀窮年。多少年來他一直保持著凌晨四點鐘起床工作的習慣。那個時候未名湖還在沉睡，四周還是一片黑暗，但在天色微明時他已讀完梵文，準備看佛經了。

季老早年即有文名，是從事教學與研究之餘，時有散文在報刊發表，並有多部散文集問世。他的《留德十年》回憶了在第三帝國那樣一個特殊的環境中，一個中國窮學生在德國著名學府苦讀的歲月，極是感人。他的散文特色是樸實、淡雅、雋永，極有情致。讀之若品名茗，若聽清音，亦如促膝談心。這和他的簡樸生活是息息相關的。

▲ 季羨林教授題字相贈李遠榮。（作者提供）

最後，我請季老為我的新書《翰墨情緣》題寫書名，他滿口答應，並即到書房寫。

我早聽說季老「坐擁書城」，也趁機參觀一下他的書房，果然名不虛傳。這間不足一百平方米的書城裏，分割成三個工作室，分別用來從事梵文、佛經和中文寫作。三間屋子擠滿了書架，書架上擠滿了書，古今大外，各種文字的典籍資料令人目不暇接。

少年易老學難成，一寸光陰不可輕。

未覺池塘春草夢，階前梧葉已秋聲。

這是季羨林掛在「書城」裏的一幅借自朱子的自勉詩，也是他常用來勸勉別人的。透過這四句詩，依稀看得見季羨林老先生伏案筆耕的身影。

參觀書房後，季老還把一本新著《季羨林學術文化隨筆》贈送給我。看看手錶，時間不早了，我們依依不捨地向季老告辭。

在回程路上只見紅通通的夕陽像個大紅球，一條條紅色的彩霞像給天際鑲上了絢麗的花邊。夕陽無限好，它遺留給人間的是一種雋永的留戀。

李遠榮簡介

一九四一年生。為中國作家協會會員，兼任香港文聯常務副主席、香港文學促進協會常務副會長、香港作家聯會秘書長等職。出版專著《名人往事漫憶》、《文海過帆》、《博采珍聞》、《李光前傳》、《翰墨情緣》、《郁達夫研究》、《李遠榮評論集》等二十多部。（篇幅所限，詳見特稿部分李遠榮簡介）

芒鞋破缽無人識　踏過櫻花第幾橋
—— 談情僧詩人蘇曼殊

楊興安

戊戌元宵過後春寒已渡，春霧迷濛，春雨綿綿之時，但見花枝搖曳，薰風醉人。忽然，想起蘇曼殊春雨樓頭的詩來。

> 春雨樓頭尺八簫，何時歸看浙江潮。

> 芒鞋破缽無人識，踏過櫻花第幾橋？

蘇詩以芒鞋破缽四字道盡命蹇時乖，春雨樓頭而配上尺八簫求食之音，正是當時詩人處境的反照。詩人慨嘆當日相識滿天下，而今異地只見陌路人，無助之下心愴然。事事不如意，期盼的只是重回故土。

蘇詩此寥寥廿八字，寫盡異鄉人流落內心的淒酸。中間卻滲露與常人難望項背之雅興情才。近人寫古詩能酸楚直竄人心，殊為罕見。蘇曼殊此詩意境之高，感慨滄浪，哀而無怨，直追唐人之作。

情才並茂　自憐身世

蘇曼殊是位清末民初情才並茂的文士，曉通日文、英文、梵文。一九〇七年著成《梵文典》，且是第一個把雨果、拜倫、雪萊的作品介紹到中國來的人。他是一位詩人、小說家、翻譯家，更是一位畫家。他還有一個特殊身分，是中日混血兒，亦曾出家為僧，是個倏忽亦僧亦俗，多情嗜愛的人物。

蘇曼殊（一八八四－一九一八）廣東香山（今中山）人。原名戩，為僧時法號曼殊，筆名蘇湜。父親蘇傑生原為與日本貿易茶商，有妻有妾。蘇曼殊為其日妾河合若子所出。誕曼殊後旋回日本。當時日人張牙舞爪覬覦中國，故曼殊母子均被視為外族，為家人族人鄙棄。蘇曼殊有著幽暗之童年，可想大概。

清末民初的熱血革命青年

蘇曼殊十五歲時赴日本讀書。在日期間結識陳獨秀、章士釗、廖仲愷等留學生，參加興中會等中國革命團體。一九○三年，俄國侵佔東三省，蘇曼殊即在日組織「拒俄義勇隊」。及後馮自由介紹他到香港找陳少白，因陳在港主持革命宣傳刊物《中國日報》。他想加入革命陣營，陳卻勸說他回鄉。

誰料他再出現人前卻已出家，在廣東惠州削髮為僧，法號曼殊。他出家原因有多說，其一說是陳少白對他冷遇。亦有說他早心向佛門，先後三次剃度為僧，又三次還俗。第一次且在童年，因生活不快坎坷而看淡世情。蘇曼殊一九○三年當了和尚後，旋至上海，結交革命志士，在《國民日日報》上撰發表文章。翌年南遊暹羅、錫蘭，學習梵文。後到蕪湖中學、安徽公學執教。辛亥革命後再回上海，發表「反袁宣言」，一派熱血青年風範。

翻譯及撰寫小說　一紙風行

蘇曼殊在上海《國民日日報》連載翻譯法國大文豪雨果的《悲慘世界》（註），受到社會大眾的重視，聲譽鵲起。及後蘇曼殊寫自傳式愛情小說《斷鴻零雁記》，大受歡迎，並曾譯成英文，發行海外。其書序文有「於悲歡離合之中，極盡波譎雲詭之致。字字淒惻，但覺淚痕滿紙，讀之而愴然。」之語。此外，蘇曼殊加入革新派的文學團體南社，並在《民報》、《新青年》等刊物撰稿，讀者眾多，名揚國內。

其實蘇曼殊寫小說並沒有太多的寫作技巧，他以一種自我奔放的態度寫作。用詩、用散文的方法寫小說，作品濃郁的特色是小說裏有化不開的詩情，他寫作上的弱點，竟變成他個人特有的風格和長處（見程文超著《一九○三前夜的衝動》）。當日清末民初男女藩籬逐漸開放，男女青年都追自由戀愛。蘇曼殊率性真情而又纏綿悱惻、哀傷落寞的作品如天降甘霖，使追求精神享受的青年男女簡直如獲至寶。蘇曼殊一口創作了六部小說，但其文友郁達夫卻這樣說：「蘇曼殊所有創作中，他的詩比他的畫好，他的畫又比他的小說好，即小說成就最低。平情而論，在今日社會，他的小說未必會造成如此哄動。」

出家還俗　多情卻似總無情

蘇曼殊第三次出家後不到一年，又匆匆還俗。此後一時成為要改革社會的熱血青年，慷慨激昂陳辭，為革命高呼；時而散渙頹唐，身披僧衣遁身禪房，在青燈黃卷中尋找慰藉。蘇曼殊為僧為俗之時，亦情才難掩，常集亢奮與憂鬱於一身。他有比常人更多旖旎的男歡女愛，生命中多嗔多怨，愛恨難捨。蘇曼殊多情卻似總無情，他的傷心初戀往事，賺人同情。

原來蘇曼殊十五歲那年去日本求學，在養母家時遇到日本姑娘菊子，一見鍾情。但蘇家知道後，卻問罪於菊子父母。菊子父母羞怒之下，在人前痛打菊子。結果，當夜菊子投海而死。少年的蘇曼殊初嘗人生美果，旋即令至愛橫遭逆禍，當然苦憾難填。蘇曼殊日後的縱情恣慾，難免不與初戀無關。

情詩出色　無愧情僧之名

蘇曼殊在初戀悲劇之後，無論是僧是俗，名字不斷與名姝纏在一起，這大抵與他天賦多情而又在情場屢敗屢戰有關。他每每愛贈詩寄情，贏得情僧雅號。研究蘇曼殊的作家指出，他的情人多不勝數，有國內的，有海外的；有淑女，也有青樓女子。一個禪心入俗，自詡為「懺盡情禪空色相」的出家人，如此縱情不羈，教人驚訝。

蘇曼殊的愛情，每每在紅燭薰羅帳之後，都是酒冷羹殘，泣紅濺淚之時，因可能無復再會之期，只能長哭當歌。其實，蘇曼殊多情的背後，都是帶著無比的創痛，因為他既自憐中日身世，也沒有成家的勇氣，甚而沒有成家的經濟能力，傷盡佳人片片芳心。而然，蘇曼殊的舊體情詩，的確是動人之作。他寫給愛國女子花雪南的詩云：

綠窗新柳玉台旁，臂上微聞菽乳香。

畢竟美人知愛國，自將銀管學南唐。

另詩是把美人和佛心連在一起：

禪心一任蛾眉妒，佛說原來怨是親。

雨笠煙簑歸他去，與人無愛亦無嗔。

另贈佳人詩：

碧玉莫愁身世賤，同鄉仙子獨銷魂。

袈裟點點疑櫻瓣，半是脂痕半淚痕。

蘇曼殊逝世百年，他生於中國動盪的年代，給我們留下傳奇的生命痕跡。他以三十五歲英年謝世，既為其哀痛，復為其可惜。其率真任性，行止不計前因後果令人費解。但無可否認蘇曼殊情才的確噴薄而出，在當日名家輩出時代自有耀目光華，璀璨閃爍於長空。

註：當時作品譯稱《慘世界》，雨果的譯名為囂俄。該譯作有說與陳獨秀合譯，但據陳說只曾為蘇曼殊文筆潤色。而該譯文蘇加入不少自行創作內容，為原著所無。

楊興安簡介

香港出生及成長。中山大學文學博士，多年來從事文教工作。八十年代任明報社長查良鏞秘書。九十年代任長江實業集團中文秘書。並曾任教大學及各大機構培訓課程講師。楊氏嗜愛藝文，出版多類型著作，包括《金庸小說與文學》、《金庸小說十談》、《現代書信》、《楊衢雲家傳》，《燭光下的歷史》等十餘種，均見藏於香港公共圖書館。楊氏多次參與文化活動，被邀出席為主講嘉賓。包括香港大學、香港中央圖書館、香港書展等。又獲北京大學、雲南大理市政府等邀請出席演講。接受電視台多次訪問。楊興安現為香港小說學會榮譽會長，香港作家聯會永久會員。

人性的傳播與隔離——文學裏的疫疾感染了什麼？

楊明

　　回台灣和家人過年，返回香港時，因為新冠肺炎的影響，機場十分冷清，來的路上搭乘捷運，整節車廂只有我一個人，通關快速，我戴著口罩，依防疫專家的提醒洗了一次又一次的手。機上乘客不多，除非是偕伴同行的旅客，每個人的座位都保持著相當的距離，異常安靜，連咳嗽聲都小心翼翼地不曾聽聞。因為航班減少的緣故吧，飛機準時起飛並準時降落赤鱲角機場，這麼多年，是我第一次置身人煙如此稀落的香港國際機場，原本的繁忙匆促是此時寂寥的上一頁，約莫也是下一頁，現下的安靜是其中一小段換頁的空檔，但是身陷其中的人心裏雖然明白，卻依然不免擔憂焦慮。

　　曾聽香港朋友說，香港多老鷹因為港口多老鼠，為老鷹提供了足夠的食物，果然港邊常見老鷹盤桓，十幾年前香港港口貨運量曾是全世界第一位，如今先後被新加坡和上海超越，但是依然擁有驚人的數量，所以鼠患猖獗，有其現實因素，即使老鷹多，依然無法阻止老鼠從港口區進入住宅區安下身來。一八九四年，香港因鼠疫橫行致使三分之一的人慌慌撤離，《十九世紀的香港》中記載病例死亡總數是二千五百五十二人，然而這一數據是在東華醫院或「醫船」（隔離船）上由港英政府確認的死亡數，許多人認為沒有經當局確認、統計的鼠疫患者和死亡病例要遠遠多於二千五百五十二人。更令人憂懼的是此後三十年間，鼠疫幾乎每年都在香港出現，兩萬多人因此死亡。施叔青的香港三部曲之一《她名叫蝴蝶》中便描寫過這一場鼠疫，小說裏黃得雲依母親交代外出抓藥，結果被人口販子綁架至香港畢打碼頭，本欲賣為婢女，偏偏遇上遊行示威反對蓄婢，人口販子於是將把她賣到水坑口大寨當妓女。一八九四年端午時節鼠疫發生，人心惶惶，恐懼鼠疫又不得不到疫區執行任務的亞當尋求肉體短暫的慰藉，因此遇到黃得雲。

　　香港鼠疫嚴重時，來自福建漳州與泉州的商人大多攜家人返回老家，有報導稱，「港中太平山現已圍住，擬將屋宇改造，並展闊街道」，港英殖民政府因太平山疫情嚴重，欲以「屋宇改造」為名，把「舊太平山」改

335

造成「新太平山」，令在港華人恐慌和仇恨的情緒升高，施叔青的小說中火燒太平山疫區的前一天，亞當僱轎子將得雲接至跑馬地的成合坊的唐樓安頓，但是中秋過後，當鼠疫逐漸趨緩，亞當意識到自己終究希望伴在身邊的是一位白種女性，因為疫情開展的一段纏綿情與慾自然也未能圓滿告終。

提到與瘟疫相關的作品，許多人會想到加繆的小說《鼠疫》，《鼠疫》中里厄醫生離開診所，在樓梯間第一次發現死老鼠時，預示著阿赫蘭這座城市即將陷入傳染病的恐慌。隨著疫情愈演愈烈，被封了的城裏上演著生離死別，有人設法出逃，但也有加繆書中描寫一直堅持在第一線的里厄大夫，以及參與防疫志願隊的醫生護士們；有推諉卸責的政客，也有努力營救城市的政治家；有加入志願義工的外地記者，也有發國難財的商人。人的身份不同，但是當瘟疫盛行，社會地位在病毒面前其實是沒有區別的，區別的產生是來自每個人不同的選擇。原來時代地域不同，當傳染病出現人性還是相同的，不可預知的疫情發展下不同抉擇，匯聚在小說字裏行間，讓讀者看見了人性的各種面相。

人類歷史上，鼠疫第一次大暴發是在西元五四二年的君士坦丁堡，第二次是歐洲中世紀有名的「黑死病」，第三次是十九世紀末從中國雲南開始，最終影響全球，施叔青筆下的鼠疫便是這場傳染病中的一環。遲子建的《白雪烏鴉》寫的則是其後發生在哈爾濱的鼠疫事件，一九一〇年十月中國東北滿洲里發生鼠疫，十一月傳至哈爾濱，疫情如決堤般蔓延，東北平原之外，還波及了河北、山東。和新冠肺炎蔓延影響下同樣的出現了兩個關鍵詞：口罩和封城，《白雪烏鴉》裏寫道：「女人們接著做口罩去了。她們每做好一隻，就往紙箱丟一隻，像放飛雪白的鴿子。只是這些鴿子都折了翅似的，飛不起來。」飛不起來的折翅透露出絕望，佩戴口罩，是當時看來可行的防疫方法，可是口罩數量不足，小說裏傅百川便利用他的綢緞莊，在原有的縫紉機之外，又添置兩台大量加工口罩，傅家甸兩萬多人一周之內幾乎人人都有口罩了。但是這還不足以阻絕疫情，於是軍隊將傅家甸封了起來，封城後的傅家甸被劃分為四個區，以居民佩戴臂章顏色區分為：白、紅、黃、藍四色，分到紅色證章的人最高興，他們覺得紅色喜氣；

領到黃色的人，因為黃象徵富貴也感快慰；拿到藍色的人擔心這是天空的顏色，是否預示著自己快要升天了？而白色是喪葬時用的，就更不吉利了。面對不可掌控的傳染病，人們的無奈無知無力益發凸顯，人為的顏色區隔也成為恐懼中的徵兆，猶如為什麼這個人感染了那個人沒，為什麼這個人痊癒了那個人卻病故了的疑問。

離台前，香港的新聞報導便看見為買口罩排起的長長人龍，台灣則實施所謂口罩實名制。回想春節後，一開始官員說防疫一定要勤洗手和戴口罩，台灣的口罩庫存數量足夠。接下來很快就發現其實根本不夠，又改口無症狀的人不必戴口罩，但是接著傳出有無症狀的新冠肺炎患者在不自知的情況下往人群散播病毒，人人自危結果使得醫療第一線的工作人員口罩都不夠用。我想起十幾年前的SARS，當時許悔之曾經在二二四期的《聯合文學》中寫道：「這是一個口罩變成禮品的年代，這是一個未知而憂懼的年代，這是人與人距離最遠的年代……有一天，當我們回過頭來看今日的一切，會發現，我們每個人都坐了牢，不管是『居家隔離』的牢，還是心牢；所有人性純善與醜惡的質素和行為，都在SARS這樣的臨界情境下，一覽無遺。」當時許悔之稱SARS將是人類在廿一世紀的集體創傷，那一期的聯文還特別企畫「從圍城中飛出去──SARS年代看文學裏的『疫病』」專輯，如今的新冠肺炎是否又是另一次集體創傷，而二十一世紀才過了五分之一，重複發生的疫情讓我們學到了什麼？

二月七日蘋果日報上張曼娟也在她的專欄中提及當年的SARS：「在搶口罩的風暴中，我想起了當年的SARS。那時在大學教書，每天進入校園都量體溫，而後在身上黏一張有色貼紙，表示自己是安全無虞的。除了吃飯、喝水，口罩都不取下來。哪怕是戴著口罩，與人交談時也要保持安全距離。」會不會人與人本就該維持著距離，不論我們是否意識到病毒就在身邊潛伏。

韓麗珠二月二十六日《自由副刊》上刊載的〈遺忘〉中寫著：「自然療法的醫生說，肺炎的心理原因，是壓抑的話語無法表達，因為肺是掌管吸入和呼出氧氣的器官。而從SARS至武漢肺炎，就像一種未完全康復的舊病捲土重來，當年人們還沒有學會的，生活的方式、和土地與動物的關係、社群的關係以及脆弱的醫療系統，現在再次碰到相同的命題……」韓麗珠

甚至認為要是人類在這一場病毒中滅絕，那麼就讓別的物種承繼地球。這樣的說法看在某些人眼裏或許嚴厲了些，但地球的確從來都不是人類所獨有，人類卻妄自想佔領掌控一切。

《聯合報》上看到研究疫病與人權的中研院民族所研究員劉紹華在中研院舉行「從中國的『後帝國』語境看疾病的隱喻與防疫：從麻風病談起」演講中談到新冠肺炎，她說台灣起初普遍稱該病為「武漢肺炎」，但這稱呼有污名化嫌疑並非好現象。她說，國際上並不是使用「武漢肺炎」，英文資料開始因為未有正式病名，曾以「Wuhan Virus」或「China Virus」稱此病毒，在世界衛生組織發現有污名化問題後，很快不再使用。劉紹華說，世衛組織將此疾病命名為「COVID-19」後，台灣許多地方包括官方也未正名。武漢肺炎只是一個名詞嗎？對部分人而言應該不只吧，即使瘟疫危急，意識形態依然作祟。

馬家輝則在二月十六日《明報》的專欄中指出了另一個觀察方向：「肺炎肆虐，百業蕭條，網絡企業的進帳卻暴漲急升，騰訊自是箇中代表。人人隔離，個個閉關，無一不變成『宅男宅女』，最方便的娛樂當然是打機睇戲之類，皆在網上進行，你的危，他的機，網絡巨子理應比其他人捐獻更多的善款和物資……」看到這，突然想起進入二十一世紀時千禧蟲也曾引起憂慮，而可以避開人與人直接接觸的網絡，何嘗沒有病毒感染問題，早在半個世紀前大衛傑洛德的科幻小說 When H.A.R.L.I.E. was One 中就描述了一個叫「病毒」的程式以及與之對戰的叫「抗體」的程式。一場疫疾，引發各種不同的觀察角度，多年前，武漢作家池莉曾寫過一部中篇小說《霍亂之亂》，小說裡描寫武漢爆發霍亂疫情，醫護人員和市民何面對突發傳染疾病的故事，小說開頭這樣寫：「霍亂發生的那一天沒有一點預兆。天氣非常悶熱，閃電在遙遠的雲層裏跳動，有走暴的跡象。在我們這個城市，夏天走暴是再正常不過的事情。」池莉年輕時在湖北農村當知青，返城後從醫學專科到醫學院學習，同時就讀中文系，畢業後曾在武漢鋼鐵廠衛生署擔任過醫生，對於她的作品，我印象最深的是《生活秀》裏吉慶街賣鴨脖的來雙揚，以及《煩惱人生》裏分不到房遭老婆抱怨的印家厚，她的作品記錄了武漢三十年來的變遷，而其中唯一涉及醫學的就《霍

亂之亂》，她在題記中寫道：「人類盡可以忽視流行病，但流行病不會忽視人類，我們欺騙自己是需要付出代價的。」

　　或者說，任何時代、任何地域的人在災難面前的表現都是相似的。我們希望文學作品可以長遠並廣泛傳播人性，感染讀者，情感上的感染，而不是病毒的感染，同時也希望人間的傳染病即使沒法完全杜絕，卻不至造成人們彼此隔離。

楊明簡介

現任珠海學院中文系副教授，著有散文及小說集《情味香港》、《酸甜江南》、《路過的味道》、《松鼠的記憶》、《別人的愛情怎麼開始》。

為文學高歌不息——泉州籍香港作家李遠榮訪談錄（節錄）

張明（訪問及撰文）

　　張明：李先生，您好！您是在馬來西亞出生的。您又是哪年到香港定居的？

　　李遠榮：我一九四一年出生於馬來西亞怡保市，曾就讀怡保培南小學。一九五一年回到祖國，在國內上小學、中學、大學，先後在南安國專小學、國光中學就讀，一九五九年考入暨南大學中文系。一九七三年從內地到香港定居。我有一個同鄉、親戚在新加坡、馬來西亞做橡膠，橡膠生意佔全世界的五分之一，是橡膠大王。我父親李五香去新加坡後跟隨他打工，後來做到公司總巡職位。李光前是陳嘉庚的女婿，陳嘉庚的大女兒陳愛理嫁給李光前。新中國成立後，陳嘉庚跟李光前說：「你賺了這麼多的錢，應該回報祖國，為祖國的教育事業作貢獻，李五香先生可以信任。」因此，我父親帶著我媽媽和我回到福建南安，協助陳村牧、伍遠資先生擴建國光中學。

　　張明：所以，後來您寫了《李光前傳》。

　　李遠榮：是的。我父親生前曾在李光前博士的南益樹膠有限公司擔任經理、總巡職務達三十年之久，對李光前博士的創業過程十分熟悉。在祖國內地十七年中，父親不厭其煩地向我講起李光前先生艱苦創業的故事，在我幼小的心靈深處樹立起這位愛國華僑的光輝形象。一九八八年我從香港到福州公幹，時任福建省委書記賈慶林先生在福州外貿大廈請我吃飯，他說：「你的親戚李光前先生對福建教育事業貢獻很大，其愛國愛鄉的精神，應得到發揚光大。你是一位作家，如果有時間能不能寫一下《李光前傳》？這也是對福建人民的貢獻。」在賈慶林先生的鼓勵下，我從收集材料到成稿，花了四年的時間。主要是收集材料的時間多，真正起筆寫作的時間並不長。我到新加坡、馬來西亞、家鄉南安走訪收集材料，主要的材料還是我父親提供的，因為我父親跟隨李光前先生工作了三十年。他提供了很多翔實的資料，特別是李光前先生去世後不為人知的材料。一九九六年四月

十八日寫成十幾萬字的書稿後，先在《集美校友》雜誌連載。一九九七年香港回歸祖國，交由廣州暨南大學出版社正式出版。書稿出版後在香港、內地反響很好，香港名人傳記出版社再版，一九九八年這本書成為新加坡、馬來西亞的十大暢銷書之一。

張明：影響真不小。您認為出版《李光前傳》的意義是什麼？

李遠榮：影響確實比較大。後來廣州暨南大學特地舉辦「李遠榮《李光前傳》國際學術研討會」，時任副校長賈益民先生親自主持，會後出版了一本書，書名《〈李光前傳〉研討會論文集》。我認為出版《李光前傳》有著重要意義。李光前青年時期就接受西方文化的影響，在他深厚的中華文化傳統的積澱中，又融進現代西方文明的許多積極因素，從而造就李光前經世致用的卓越品格，特別是他勇於探索進取、富於開拓創新和科學決策的創業精神和治業才幹，先儒後商，使他的事業獲得巨大成功。李光前先生在回答友人關於成功的秘訣時，常說：「成功的一半靠勤勞和健身，一半靠幸運。」而儒商信奉「君子愛財，取之有道」。他們以強烈的事業心和進取精神，在撲朔迷離的商業競爭中，靠他們的膽識和智慧去發現和捕捉機遇，並以科學的求實態度去把握和利用各種來之不易的商業機會，取得別人難以達到的巨大成功。李光前在南益公司，提出「誠實、信用、嚴明、謹慎」八字真言。他也常提起《老子》中的一句話：「聖人不積，既以為人己愈有，既以與人己愈多」。一九五二年，李光前先生創立「李氏基金」，把南益集團公司的部分資產捐作資金，每年所得股息全部作為永久的慈善公益事業。李光前重教興學，贊助最多的是教育事業。他認為教育能夠振興中華，能夠救中國。學校「不只是藉以得到知識技能的工具」。

▲ 張明（中）與受訪人李遠榮（左）及友人合照。（作者提供）

要領導學生「追求無窮盡的知識、智慧、真理和美麗」。通過教育來建立「一個比較好的世界」。從精神和物質上來阻止「爭鬥和仇恨」。李光前是儒商的典範，他的精神是值得我們學習的。

張明：一九九三年，泉州華僑歷史學會也舉辦過一次李光前學術討論會，後來由中國華僑出版社出版《李光前學術討論會文集》。除了研究李光前先生，您還研究民國時期著名作家郁達夫，他的代表作《沉淪》、《故都的秋》、《春風沉醉的晚上》影響了中國幾代人，他是被日本人殺害的，是一位愛國主義作家。能談談您對郁達夫先生的研究嗎？

李遠榮：我搞文學幾十年，不敢說有什麼大的成績，但在學術界提到李遠榮，都說是左手寫《李光前傳》，右手研究郁達夫。說明我在這兩方面還比較突出。我在暨南大學上學時經常到圖書館看書，特別喜歡郁達夫的《沉淪》。一九五九年考上暨南大學之前在農村比較封閉，接觸的文學作品比較有限。直到看到郁達夫的著作，我覺得寫得很好，特別是看到寫「性」的東西感到很神秘，充滿好奇心。從此，圖書館裏有關郁達夫的著作，不管是小說、詩詞、散文、遊記、文學評論等，我都借來看。越看越有興趣，看得多了就寫一些筆記。大學畢業後分配到南安洪瀨新橋中學教書，教了十年書，一九七三年來到香港。到港後為稻粱謀，沒有心思搞文學，直到後來經濟好轉後才慢慢寫一些文章，多是寫我熟悉的研究郁達夫的文字。一九八七年我讀到一本有關郁達夫和王映霞戀愛的書，有些問題弄不清楚，便貿然寫了一封信請浙江省作家協會轉給郁達夫的前妻王映霞，談到我做郁達夫研究遇到一些問題，希望能跟她交流一下。王映霞看到我的誠意，答應跟我交流，前前後後她跟我通信二百五十九封，談的都是關於郁達夫的問題，所以後來我們變成非常好的朋友。後來我把這些書信整理寄給《香港文學》主編劉以鬯先生，劉先生在香港文學界德高望重，最近才過世，活到九十多歲。他幫我連續發表了通過郁達夫妻子、兒女關於郁達夫研究的很多文章。我把這些文章集成一本書——《郁達夫研究》。這本書也是香港的暢銷書，在內地有一定影響。在郁達夫的故鄉浙江富陽召開的「郁達夫誕辰一百周年」、「郁達夫逝世五十周年」學術討論會，我都作為香

港作家代表參加。我曾寫過〈終古馨香一片真——郁達夫百歲誕辰紀念大會在富陽市隆重舉行〉一文，發表於一九九七年二月號的《香港文學》，各方反應不錯。我認為，郁達夫不但是一位偉大的文學家，更是一位偉大的愛國主義者，在他的作品中，始終貫穿著對舊社會的憤慨，對侵略者的仇恨，迫切希望祖國強大起來。特別是在抗日戰爭時期，他撰寫了許多戰鬥性很強的政論文章，抨擊敵人、鼓舞民眾奮起抗日，最後用自己的鮮血，為我們樹立了一個愛國主義知識分子的崇高形象。他是一位偉大的愛國主義者和反法西斯戰士。

張明：您寫了這麼多傳記文學作品，一定有很多心得吧？

李遠榮：我愛上傳記文學，可以說是從中學開始，那時我常常跑圖書館，最喜歡看的兩本書是描寫奴隸起義的《斯巴達克斯》和描寫著名畫家生平的《梵高傳》，這兩部外國名著，我看得如癡如醉。起初，我寫傳記文學作品大多在香港發表，直到一九八九年初，台灣傳記文學作家劉心皇先生，把我的作品介紹到寶島。那年三月二十日在台灣《中外雜誌》發表〈離情萬里心〉一文。《中外雜誌》發行人王成聖教授覺得我寫的人物傳記頗有新意，建議我多寫，此後，每一年都為他們寫十多萬字的稿子。我的寫作生涯，還是以寫人物傳記為主，大約有四百萬字，出版傳記文學專著有《名人往事漫憶》、《文海過帆》、《博采珍聞》、《翰墨情緣》（一、二集）、《李光前傳》、《雪泥鴻爪》等十二部。

我認為，寫一篇人物傳記，寫作目的要明確，可以寫名人、普通人，也可以寫壞人。寫名人的目的在於表彰其對社會的貢獻，見賢思齊，以提高人們的素質；寫壞人，在於揭發其醜惡的面目，作為反面教材，以引起人們的覺悟。因為歷史的原因，有些人被歷史顛倒了，傳記文學家可以用手中的筆，把顛倒的歷史再顛倒過來。為傳主平冤昭雪，也是傳記文學的一種責任。

我寫的人物傳記，大多是機遇使然。我把《禮記・學記》中所說的「獨學而無友，則孤陋寡聞」當作我治學的座右銘。所以，我的朋友遍天下，朋友多了，機遇也就多。並且，機遇可增加傳記文學的可讀性。因為當你下筆寫一篇人物傳記時，不是以第三者的身份去旁觀，而是參與到傳主的

活動空間，給讀者以親切感，對作者所記述的人物和事件也有更大的信心。

傳記文學家經常碰到的一個難題就是寫生人容易，寫死人難。因為寫健在的人，可以與他們反覆落實；但如果是逝去的人，時常是「死無對證」。

搞傳記文學，應該要有這種能耐，就是在浩如煙海的資料中，判別真偽，沙裏淘金，才能寫出翔實的好作品來。

我覺得江蘇省社會科學院文學研究所所長陳遼把我寫人物傳記的特色歸為「記人散文」，這是恰到好處的比喻。

張明：您除了寫傳記，也寫其他文體的作品嗎？

李遠榮：其他方面如散文、散文詩、文學評論等也寫了很多，大約有幾百萬字在海內外發表。到目前為止，我寫了二十本書，季羨林先生幫我題寫書名的《翰墨情緣》是人物傳記，比如曹禺、冰心、巴金跟我交往的情況都收入本書。另一本是評論集，如柯藍、郭風、潘亞暾、戴冠青等也都給我寫過評論。《李遠榮評論集》的書名是梁披雲先生題寫的。去年在珠海召開黎明大學董事會，我當選為學校董事。

張明：除了寫作，您還做了很多社會工作，比如擔任香港文聯常務副主席、香港作家聯會秘書長等職務，請您談談福建籍、泉州籍在港作家的基本情況。

李遠榮：香港有幾個大的有名的文化社團。香港作家聯會，相當於內地省級作家協會。本來應該叫香港作家協會，這個名稱已被另外一個作家團體先註冊，只好叫香港作家聯會。香港作家聯會會員都是愛港愛國的作家，第一任會長是曾敏之，他是香港《文匯報》總編輯，第二任是劉以鬯先生，現任會長是潘耀明先生，潘先生也是我們福建南安人。目前香港作家聯會有作家逾四百人，到香港作家聯會成立三十周年。作聯團結了香港一批愛國愛港的作家，跟內地關係非常密切。另一個是香港文聯，香港文聯成立比香港作家聯會遲兩三年，香港文聯主席是蔡麗雙，福建石獅人，屬下有幾十個協會。香港文聯除了創作外，在文學藝術特別是演唱舞台方面起了很大的作用，做了很多的貢獻。另一個百分之九十是福建人的文學組織叫香港文學促

進協會，這個協會比香港作家聯會歷史更悠久，其前身是龍香文學社，最初由張詩劍、巴桐、陳娟、曾聰、夏馬五人於一九八五年發起成立。一九九一年易名為香港文學促進協會，有會員三百多人，其中二百多人是福建籍作家，我是這個文學促進協會的常務副會長，泉州籍作家徐國強先生是副理事長，簡稱香港文促會，香港文促會也是愛港愛國的團體，會員出版的書籍有二百多本。香港主要有這三大文學團體。其他文學團體還有很多，如徐國強先生任會長的香港書評家協會，影響也很大。第一任會長是胡少璋，徐國強先生是第二任會長。胡少璋先生是福州人，胡也頻的侄兒。胡也頻是丁玲的第一任丈夫，《為了忘卻的紀念》裏七烈士之一。

張明：香港作家聯會一九八八年成立，會員逾四百人，應該是香港最大的文學社團，在香港影響最大，跟內地作家協會交往最多。中國作協主席鐵凝曾經為香港作家聯會題賀詞：「堅守文化理想，活躍兩岸三地作家交流，盡力促進世界華文文學的繁榮。」可見你們在這方面做了很多工作。您對內地文學界印象如何？

李遠榮：內地文學隊伍有專攻，文學水平比香港高很多。香港百分九十以上的作家都是業餘的，在香港想靠文學作為謀生的手段是不可能的，大家都是出於業餘興趣。

張明：現在家鄉泉州變化很大，您經常回家鄉，對泉州的文化建設有何建議？

李遠榮：希望泉州文化界與香港多交流，多來往，互相促進，我個人感覺泉州對外交流還是比較少。

張明：香港作家聯會舉辦了很多活動，都有哪些形式？

李遠榮：香港作家聯會經常組織內地文學名家到香港開文學講座，我認識的這麼多名家，百分之八十都是香港作家聯會組織文學交流時，我作為學生向他們學習交流而認識的。有時也組織作聯會員到內地走走，福建去過兩三次。這些形式的交流都取得很好的成效。

張明：旅遊文學研討會是近幾年才做的活動吧？

李遠榮：是的，這個活動影響比較大，很多國家都有人來參加。這個活動由香港作家聯會跟香港中文大學、澳門大學等單位一起合辦，搞得很成功。潘耀明先生是主要負責人。

張明：國內有哪些名家來參加這個活動？

李遠榮：余秋雨每次都來，王安憶、舒婷等，以及台灣的余光中、洛夫、瘂弦都來過。國外的還有劉再復等。

張明：泉州每個縣（市、區）都出一本文學雜誌，刊登本地作家的作品，本地作家剛出道時一般都會在這些雜誌上亮相，這些雜誌也把培養當地的青年作家當成一個任務，《泉州文學》更是義不容辭。請您從多年來創作的經歷和經驗角度，對泉州青年作家提些意見和建議。

李遠榮：希望能多看到泉州青年作家的作品，除了在《泉州文學》、《泉州晚報》、《豐澤文學》等本土報刊，我們很少能看到他們的文章。我感覺現在香港有些青年作家想走捷徑，想很快成名成家，其實這是根本做不到的。老一輩的作家想要寫好文章，都是先打好基礎，很刻苦地學習古典文學。現在的年輕人圖快，基礎沒那麼好。年輕人還是要繼承傳統，多學學古典文學、古代詩詞，把基礎打好，慢慢來，謙虛一點，多聽聽老前輩的意見，這樣才能把文章寫好。想一舉成名是不可能的，首先要練好基本功，思想跟上時代的步伐。想寫好文章，人品比文品更重要。

（篇幅所限，李遠榮簡介詳見特稿部分）

張明簡介

現任泉州文學院院長、《泉州文學》副主編，副研究員。為中國作家協會會員、中國文藝評論家協會會員。出版專著《自以為不是》、《泉州作家訪談錄》、《泉州學研究新進展》、《泉州文化雜談》，參與策劃、主編《晉江流域小說作品選》、《學術泉州》、《情滿泉州灣——〈泉州文學〉200 期選粹》、《絲路花開——泉州文學獎獲獎作品選》、《泉南文萃》等。作品曾獲泉州市第五屆社會科學優秀成果獎三等獎等獎項。

遊學巴黎　考察中亞——專訪馮珍今（節錄）

張　閎（訪問及整理）

張：您畢業於中文大學新亞書院，讀您早期的散文集，如《不一樣的學生》、《我的學生二三事》，常以儒家的角度評論世態人情，請談談新亞教育對您的影響。

馮：我報讀中文大學，選擇學系時，三個志願都填上「新亞書院」，這主要是受小思、陸離的影響，那時候，她們已在《中國學生周報》談及「新亞精神」，可能是潛移默化，我覺得我應該進入「新亞」念書。一九七二年，我在農圃道的「新亞書院」上課，至一九七三年，「新亞」才搬往沙田馬料水。大學第一學年結束，我發現自己更愛中國文學，遂提出轉系的要求。經濟系的系主任伍鎮雄教授翻看我的成績單，說我的成績還不錯，勸我不要轉系了，而且，創校以來，只有別系的學生轉入經濟系，從來沒有轉走的。伍教授還提出忠告，他認為念經濟系更有前途，尤其在香港這樣的商業社會。猶豫間，我也詢問了不少中文系學長的意見，她們皆勸我，不要轉讀中文系，若是真的喜歡文學，當作興趣便可以了，如真的轉讀中文系，恐怕只會令我失望。剛進新亞的時候，我也曾慕名旁聽過徐訏先生的「現代小說」，記得當時班上只有三個學生，加上我是四個。徐先生看來很害羞，老是低著頭，望著桌面的筆記本念念有詞，從不正面望學生。我當時「捱」了三節課，也就放棄了。但不管怎樣，初生之犢，少不更事的我，誰的意見都聽不進去，一意孤行，結果就轉進中文系了。

當時，我也旁聽了哲學系的課，如唐君毅先生的「倫理學」，但一節過後，即敗下陣來，實在聽不懂老師的四川口音。後來補讀唐先生的著作，才了解他說甚麼。至於牟宗三先生的課，那就根本不敢去聽了，他的著作更深奧難明。我們在農圃道上課時，經常在校園看見牟先生，他身披一襲灰色長袍，在圓亭飄然而過，我們這些「小朋友」也不敢上前打擾，只能目送他揮灑的背影慢慢走過，所謂「仰之彌高」，大抵就是如此。升讀二年級後，我還到崇基學院，修讀何秀煌先生的「邏輯」，他的《0與1之間》，非常好看，我看過他的作品，才決定選修他的課，何先生較為親民，

我們一群學生還到過教員宿舍探訪他哩。由於副修哲學，我也修讀了勞思光先生的「魏晉玄學」、「宋明理學」，他學養湛深，講課條理清晰，使我終身受用，此外，在大四時，還修讀霍韜晦先生的「佛家哲學」，捧著《大藏經》死啃。

《見雪在巴黎》、《不一樣的學生》、《我的學生二三事》，我稱之為「校園三部曲」，是我自巴黎遊學回來的散文專欄結集。這專欄的對象是學生，內容上或多或少有點「載道」的意味，筆下的文字總帶點「訊息」。你說我早期的散文有小思老師的影子，我絕對不敢跟老師相比，只是碰巧都是教育工作者而已，而且我很喜歡她的作品，受她的影響也毫不出奇。

張：小思老師也是新亞人，而您近年出版的散文集《字裏風景》正由小思寫序，您曾寫過，小思對您影響甚巨，請談談您們的交往。

馮：我自中大畢業後，小思老師才到中大任教，所以，我雖然沒有正式修讀老師的課，但我閱讀了她多部的作品，亦有機會親炙她，其人其文，都令我得益不淺。例如在教學方面，跟小思老師一樣，我一直抱著認真的態度，而且關懷學生，學生也感受到，所以，即使她們畢業了，還會找我喝茶聊天，相約看話劇、聽音樂。我之所以遊學巴黎，也是受小思的啟發。小思曾做過幾年中學老師，但後來得到唐君毅老師的鼓勵，便前往日本京都大學做研究員。故此，當我任教多年書後，發現人生陷入樽頸，就決定放下香港的一切，遠赴巴黎，學法文去也。我也很喜歡日本的京都，《字裏風景》收錄了數篇日本遊記，現在看起來，也許是受小思《日影行》的影響。

張：旅居法國時，您認識了不少旅法作家，如綠騎士、高潔、蓬草等，能談談相互的交往嗎？

馮：一九七三年，小思赴京都，綠騎士和蓬草則往巴黎，巧合地，都是在同一年。而我，則是一九八九年八月底前往巴黎念書的，那一年，正是多事之秋，我對個人的發展，亦感到迷惘，於是停下來，尋找新的出路。那時候，我甚至想過留在巴黎繼續生活，不回香港。可笑的是，赴法之前，

我只在法國文化協會修讀幾個月的法文，就大著膽子，上路去也。到法國後，我在「索邦」（巴黎第四大學）進修專門為外國學生而設的法文課程，課程分為高、中、初級三班。考試後，學校居然把我分配到中班，課程頗深，我應付得很吃力。

離開香港前，小思老師送我一張名片，背面寫上一行小字──「蓬草、綠騎士：介紹朋友馮珍今來看你們，可以玩笑巴黎！」她說我和綠騎士性格相近，一定談得來。正如她所料，我和綠騎士很投緣，也許是因為我們都熱愛文學、藝術，也同屬雙子星座，喜歡結交朋友的緣故。

初到巴黎時，我先暫住在高潔家，她把書房騰出來讓我居住。我們在香港時早已認識，她在香港時，曾當過《新晚報》編輯，我投過稿，彼此就成了朋友。不久，學校為我找到寄宿家庭，我就搬了出來。每星期仍會跟高潔見一次面，她常請我吃飯。那時候，法國電話費很貴，在別人的家裏，我每次打完電話，便在電話旁，留下一元法郎，也不好意思整天佔用人家的電話，我通常走到街上用公共電話亭，手上拿著一大袋錢幣，一邊聊天，一邊將一枚一枚地投進去。我跟綠騎士也是在電話亭先聊了大半個小時，才相約見面，喝咖啡，後來熟絡了，她才邀請我回家吃飯。我的寄宿的家庭在塞納河南邊，綠騎士和高潔則住在塞納河的北邊，離市中心頗遠。有一天晚上，在綠騎士家作客，晚餐吃至十一點才散席，歸程中，昏昏欲睡，我一個女子，深恐在地鐵睡著有危險，唯有不斷用指甲掐大腿，以保持清醒。蓬草則住在郊區，不多往市中心走動，我跟她見面也是綠騎士促成的。綠騎士的丈夫是諾曼第人，他們一家人回諾曼第時，也邀請我隨行，她還帶我去奧維爾參觀，那是梵谷晚年居住的小鎮，鎮上的教堂，正是綠騎士舉行婚禮的地方。綠騎士很忙碌，因為要照顧兩個女兒，又要兼顧作畫。

前幾年，我到重遊法國，老朋友高潔為我準備了一項戶外活動，邀請來自香港的法國朋友，一起乘坐熱氣球，有十幾人之多。高潔曾跟丈夫坐過熱氣球，覺得很有趣，故有此提議。那是巴黎近郊的公園，那天天氣很好，可能比較大風，熱氣球公司不敢開動，我們只好乘興而來，卻敗興而返。這次的經驗，成了我的寫作靈感，後來我寫的一本兒童書《奇幻泡泡與石頭貓》，主人公跟我一樣，未能坐上熱氣球，卻可抱著泡泡，升上天空，

在巴黎上空遨遊。我把故事大綱寫下來，給綠騎士看，她說故事頗有意思，但情節太簡單，內容要再豐富，我也曾作出了多次修改。我請她為童書畫插畫，她也欣然答應，而書中兩位主人公的造型，更是她的小女兒臨安所設計的。

張：後來，您進了教育局，改革中國文學科，為甚麼會走進政府呢？

馮：在中學任教了十多年，就想有點突破，作出新的嘗試。那時候，我正在修讀中大教育學院的「教育碩士」，念的正是「課程與教學」，而教育署新成立的「課程發展處」，恰巧招聘職員，我想學以致用，便寫信求職。一九九六年九月，我踏進進教育署，負責兩門預科的課程，「中國文學科」和「中國語文及文化科」。我的大師兄張秉權，以前他也在中學教中國文學，他告訴我，曾親眼目睹一個學生，考完中國文學科公開試，離開試場後，立刻把三大冊劉大杰的

▲ 作家兼資深教育工作者馮珍今女士。（張閎提供）

《中國文學發展史》扔進垃圾箱，那一刻，把他嚇呆了。為甚麼學生對文學史如此深惡痛絕呢？也許是為學生不喜歡硬記死知識。我想，與其讓學生死記李白詩歌的特色，倒不如讓學生多讀幾首李白的詩作，只有文學作品才可以進入學生的生命。此外，也有校長和教師提議，在課程加入創作，讓學生知道創作的過程是怎麼一回事，欣賞作品時，更能體會作家的心境，我相信，創作與賞析往往是互相補足的。新修訂課程把以往「文學史」那一卷廢除，只考「賞析」與「創作」兩張卷，賞析也不只考核範文，而是「以篇帶篇」，同時考核學生對課外篇章的理解。那時候拋出這改革方案，受到很多中國文學科老師反對，他們說，自己從來沒有學過創作，又怎能教

學生創作呢？誠然，上一代的中文系不重視創作，香港如是，台灣亦如是，余光中、白先勇、王文興那一代名家，都是出自外文系，出自中文系的作家好像不多，林文月女士是箇中表表者。幸好，當時，我們的看法也獲得不少中學、大學的老師，以至作家的支持，我們舉辦教師創作培訓課程，導師都是一時俊彥，例如胡燕青、王良和、杜家祁、胡國賢、關夢南、樊善標教新詩；葉輝、許迪鏘、朱少璋教散文；王璞、陳寶珍、陳惠英教小說；張秉權、盧偉力替我們教戲劇。很多參加的老師都是第一次創作，念完課程後，他們認識到創作也有竅門，並非不可教。

張：近年，您新近出版遊記《走進中亞三國》，為甚麼會有走訪絲路的寫作計劃？

馮：二〇一四年，我離開教育局，去了一趟伊朗旅行，因為不熟悉那邊的情況，所以閱讀了幾本關於伊朗的書，開始對那一帶有了點認識。後來，有機會隨「新亞書院校友會」旅行，由丁新豹博士帶領，走訪烏茲別克。過海關時，等候需時，當時校友會的會長，也是新亞歷史系的大師兄，他叮囑我為校友通訊寫一篇遊記，我一口答應。我旅行時愛寫筆記，每趟旅行，就寫滿了整整一本筆記簿，回來後，又閱讀大量的參考書，於是便開始寫起遊記來。

張：這些中亞國家跟中國文化有甚麼聯繫？

馮：中亞三國跟中國的關係甚深，始自西漢，張騫鑿空西域，開拓絲綢之路，至唐朝，版圖更達至安西都護府，沿途亦是玄奘取經走過的路途，可與《大唐西域記》相對照，中亞三國到處皆留著中國的痕跡。例如，我到撒馬爾罕，想起成吉成汗的大軍曾攻陷此城，搶掠過後，放火焚城，那是蒙古的遊牧習性所致，他們不會停駐一個地方，把那地方洗劫一空，又去攻打下一座城池。現在，我們旅行時所到的撒馬爾罕，已是一座重建的都城，是帖木兒重建的，就建在蒙古大軍焚毀的舊城區旁，我們在撒馬爾罕，難免憑弔過往，發思古之幽情。又如唐代「安史之亂」，原來安祿山並非姓「安」，「安」是指他來自安國，即現今烏茲別克的布哈拉一帶。

隋唐時期，有所謂「昭武九姓」，包括康、史、安、曹、石、米、何、火尋和戊地，他們立國於古絲路之上，世代善於經商。唐代文化較兼容並包，胡人也可來中國任官。元朝時，將人民分為四類，其中「色目人」指的主要就是中亞和西亞的人，到過中亞，可進一步認識他們是何等樣人。其實，中國文化對西域文化固然有所影響，而胡人文化對中國文化衝擊也很大，我正是想把兩種文化的交流互融寫出來。

（二〇一八年九月訪問，訪稿經被訪者修訂。訪問者為香港撰稿人。）

馮珍今簡介

香港中文大學中文系文學士及教育碩士。曾任教育署課程發展處，資深教育工作者，一直致力推動文學教育。現專事文字創作，並兼及創作教學。著有散文集《見雪在巴黎》、《我的學生二三事》、《不一樣的學生》，以及童書《奇幻泡泡與石頭貓》、《中國人的故事：詩人和小說家的才華》。

新冠封城到解封的哈佛反思

張鳳

春天原應是百物復甦，生機勃發，花氣襲人，惜乎新冠病毒所向披靡，感知都成雨雪霏霏，二〇二〇年——愛您愛您——的鮮活艷色意象，彷彿滿目即呈奇幻凋零枯萎的荒原。

在這居家令，棲息中，似乎禁錮得不生不死，心中漫溢希望之幻滅和惶恐，寂寥好似冰原，充溢形骸內裏崩裂的可能，選擇口罩的微窒息或不選的巨悲壯，隱然可見眼前的世界奄奄一息。

光看著報憂新聞，真像世界末日。一百零二年前西班牙流感，世界亡者五千萬，美國達六十七萬逝者。武漢封城到解封，共七十六天，到那天為止，美國新冠確診四十二萬，逝者一萬四千，持續飆升，全球擴散一百八十多國，三十多億人就地隔離，似天文數字，急需祈福不憂不懼！能像歷史上許多天災人禍一樣，終歸快至平息的盡頭！

病毒風險泛濫著悲歡離合的陰霾，為愛告別妻兒的醫生，不擁抱兒女父母的醫生媽媽，天空也籠罩著無邊的哀痛，面對未來生命的不確定時，特別脆弱，在濃重的渾噩之中，步步求生，向死存活。

保持六呎的社交遠距，人人不能彼此摟在懷裏，貼身相擁，頓成無靈魂冷漠的幽靈，全民陷入焦慮危機。醫護說要維持七小時的睡眠，否則深沉睡眠少，免疫力低，怎麼能呢？兒媳女兒看我頻發示警，安慰我都已照做，請我放鬆靜坐默想，或做瑜珈調息，不要太過沉浸於消極報導，造成自我身心神不寧。

病患迅速飆升的是大紐約，就包含寧兒女婿外孫所在的紐澤西，那是熱點，恐慌的是新添的外孫才滿半歲，五歲的姐姐又弱……疼愛的兩寶貝每每凝視著我，那澄明雙眼，眼白皎潔似晴天——那無雲又無風的美東純淨天空，這就成生命延續飄搖，茫然失措中，雲端含飴弄孫的視訊之外，時時湧現的惦念和唯一甜蜜的撫慰。

遠兒兒媳雖在風吹草地見牛羊的弗吉尼亞山間任教，但他卻因開會等，曾在二、三月間，於爆發疫情的波士頓和華府間飛來飛去，嚇壞我僅能在完滿結果中，祝禱吉祥。所幸揚兒兒媳居近又謹慎。

赫然在目台灣校友會傳訊同學自述「住紐澤西州養老院的九十五歲表姑，因見了大陸落地三週教友來拜訪，五天後就發燒和咳嗽，但是未做測試，一星期後就在昏睡中仙去。期間六十五歲健康應該穩妥的兒子，從達拉斯飛來探望，那時養老院已經限制探訪，但因是外州來，所以通融。表姑安葬，只有她兒女及女婿參加。晚上兒子飛回，傳送消息，後來也得了，回去才五天也逝去，本來相對健壯的，還是逃不過。電話得知其女兒女婿也確診，狀況還可以。另有位朋友近日常來幫他們忙，回家也咳嗽。」測試很重要，想到可能多日飄浮的氣溶膠，那些同院或同班飛機的其他人，都會為他們忧目驚心。

　　曾聽婆婆說在 SARS 期間逝者，只允許防護裝備人員為其沐浴淨身，不得見最後一面，由太平間直接拉往火葬場，慘烈！不幸今春，我的一位兒女親家五年前中風復健尚可，竟也因此疫常外出，中招頭疼欲裂劇烈嘔吐後，倏爾消亡，無喪禮直接火化成灰，能不悲戚大慟。

　　意識到怎能在自我隔離中沮喪萎靡？鼓起餘力，再來錘鍊寫作，泰然抗衡這個看不見的敵人，也因眼見一州州，一城城都失守，成為凝凍的無人狀態……先與歷屆海外華文女作家協會會長們探討方案……在此病毒也全球化的狀況下，步步為營……又協助多次捐助醫療火線。

　　我們也許沒得，薄迦丘一三四八年《十日談》中，黑死病瘟疫席卷翡冷翠，十萬喪生的暗淡之下，可以去的晶瑩噴泉，清涼綠蔭的勝景避疫。但我們依然可用：境界精深扣人心弦的文字在劫難之際，影響文明社會。

　　三月初，因跨國生技公司 Biogen 之前在波士頓舉辦百多人國際會議，不慎錯失防衛歐洲返會者，爆發數十位染疫。真是木鐸警鐘，終於上千人的亞洲研究協會 AAS，波士頓大會取消，確為明智之舉，解開多少位師友的焦灼，很為他們捏一把汗。

　　哈佛巴科校長，三月上旬十日做出艱難的決定。言及重大變化，春假後學生不返校，雖稱校園保持開放的狀態，大學部和研究生將開始上網課；嚴格限制勸阻二十五人以上的會議和活動。

　　哈佛六千學生十五日前搬出宿舍，他們告訴我，即刻遷空。如果學生無家可回，可聯繫院校宿舍辦公室妥善安排。校長希望能夠得到理解：「知

道讓你們遠離朋友和教室很困難。為了保護學生，也是保護那些更易染病者。」帶動藤校與其他大學，跟著一校校都關閉。

機場斷航，哈佛叫停，居民蟄居，二十二日春假之後，師生開始居家避疫網課，如王德威教授就以 Zoom 教學《文學與危機狀態》……其他教授亦然。

木蘭台菜、中國城……等送貨的中菜市場及餐館，終為顧慮而關店，不送外賣……關閉長時間再啟。一時用美國網購或自己出征上街，盡力烹製些增強免疫力的菜，應對曠日持久戰，不知何時才到頭？連悠久的大波士頓區中華文化協會，我們社團打太極拳、八段錦……，也用上了 Zoom 由班長伉儷及做為老師的外子帶領。十年前期許為世界打造更優異的視訊平台，山東人執行長袁征 Eric Yuan，創立了 Zoom，百業衰頹股票皆跌，他卻獨漲！

哈佛二〇一八夏天上任的勞倫斯・巴科（L. Bacow，白樂瑞）校長及夫人在三月二十四日週二電郵中，向全校宣佈；他倆也感染病毒，將隔離休息康復。並由哈佛公共衛生部門，聯繫排查在十四天內與校長接觸的人。到二十四日為止，哈佛也有十七人確診。四月六日，六十九歲的哈佛校長伉儷終能痊癒，在驚濤駭浪中，多少算點希望的苗頭。

謙和近人的巴科校長說：「病時見電視播報自己確診，有如靈魂出竅」。他密歇根州人，曾任麻省理工學院二十四年教授，校監和學術委員會主席。再為塔夫茨大學校長，父親是東歐大屠殺的難民，母親是波蘭奧斯威辛集中營的倖存者。他是移民後裔，視野不同。

在病疫核心的紐約，步父親後塵成為紐約州長的安德魯・庫默，是政治世家，其弟 CNN 主持人克里斯電視採訪時，還鬧扯鬥嘴，兄弟誰是媽媽最愛，弟弟確診隔離病中仍堅持直播，州長原爭要自由，比起西部等地遲遲不下居家令，但看三月二十七日前後都發表動人演講，算亡羊補牢，冀望快轉危為安。

州長果斷說添置呼吸機，不放棄任何生命，但即使再努力也不能救下所有人，重症者常是最虛弱，也是我們本能最想要保護的祖父母、父母姑姑舅舅等親人。「每次我都會對支援的國民兵保證：永遠不會要求你們，

去做我自己不會去做的事。你們處在歷史緊要時刻⋯⋯也許十年後，你對子孫講述今天的事蹟，會熱淚盈眶，記起多麼奮勉依然痛失的生命⋯⋯為你們的犧牲而驕傲，感激你們使得紐約人有了信心，我很自豪，再次與您們共同戰鬥⋯⋯」頓時讓人意會：他有己所不欲，勿施於人的領袖擔當。

災厄連綿不絕，堅持到三月下旬，暑熱的南半球澳洲，也頒封國嚴令，阻擋外來者。禁止百人以上的餐宴，婚喪大事不得不延期，而且明星湯姆‧漢克夫婦在那兒感染，氣餒病毒的無懼暑天。

已屆三月底，聽得紐約和星馬老少師友告訴我，居然在此盡量避開醫院，免得交叉感染的關頭，得了盲腸炎，萬幸都痊癒出院。

冷不防美國聯邦緊急事務管理署FEMA，在四月初竟向五角大廈的國防部提出：備好十萬個屍袋的請求。通常這是為戰區備用。見傳來影片的特長冷凍貨櫃中，接納的排排屍袋，不寒而慄。

清明，深深祈福不能親叩的天上親人，還有世上犧牲的救助者及染疫者化險為夷！離鄉四十多年，我們近常往故鄉，回到楊梅的客家莊，去祭祀公公以上的祖先，應邀穿街走巷，拜望留鄉翻建花園洋房的親戚家，衷心欣賞桃花源。幸而台灣不乏縝密防疫的經驗，又有規格的口罩生產能力，還能堅持在家，是愛護自己和親人朋友！

全球的生命，其實是同體大悲的命運共同體！一月二十三日後，武漢⋯⋯大陸各地封城，在歐美，或因政治選舉自私，傲慢不積極合作應對，也可至像英國的佛系防疫群體免疫？激發了公民自救！而至查爾斯王子和英相均確診⋯⋯也有許多周遭的人，都覺得那是遙不可及之事，雖熱心捐助⋯⋯未料竟然成為需要雙向救援的人道危機！深思無緣大慈自己的主觀必須遠瞻⋯⋯

因拜網際網絡之賜，有了抗疫史上，未曾經歷過的快捷精彩守望相助，到武漢解封日，能有八萬上下的志願醫護挺身而出，近悅遠來獻身紐約，許多值得讚揚的英雄事蹟，犧牲確實可歌可泣。但仍有網絡無法獲得全面的信息，專家應對虛假資訊瀰漫，比抗疫本身更艱難，或造成嘲諷分裂，實則五十步笑百步，起碼應做到設身處地，避免幸災樂禍，隔岸觀火的看客心理。

　　看大紐約，及我們紐英倫，全面淪陷，及早有疏忽的意、西、印度、伊朗、巴西……等地的病毒蔓延，卡車運屍的慘烈……意大利人卻打開陽台，歌唱起來四鄰風從，歌聲心連心的傳唱而去，不脛而走……幾次潸然淚下難止！

　　新冠疫情風聲鶴唳，以我們難以言喻的方式，改變我們生活的型態。為草木皆兵中，更安然起見，我們回到郊區避疫。有說病毒可擴散六至九呎，但懸浮二十四小時，誰也不知這段時間內電梯或空場中……那些人經過呼吸，總之未來的禍害還未知，或許如候鳥秋冬再來……。誰知道呢？多少要務，就此永遠得用視訊開會。

　　這個春天，實在有極傷痛的疲憊及無力感。天命於己不著一塵，乘風而去之前，再得為受難眾生或子孫想一想：究竟頑強新冠病毒是怎麼出來的？反思極地冰川暖化永凍層解凍，古老的病毒，及有毒物質汞、碳、甲烷等也隨之釋放……珍稀物種絕滅……等生態關懷，該如何永續發展……我們渺小的人類，同此寰宇皆為客，如不謙謙以心懷蒼生之視野，觀其安危，真擔心因果循環，自取淪亡。

　　天意弄人，生於和平的我們，都未料到還是在人生的歷程中，遭逢了如此驚心動魄的亂世疾疫，如紐約之揚聲：這次戰役是場馬拉松，不是短跑，但我們會跑完！不單想用愛心點亮哈佛大學及波士頓，也期以愛傳遞世界！

寫於哈佛大學

張鳳簡介

哈佛中國文化工作坊主持人，北美華文作家協會副會長，海外華文女作家協會副會長、執行長。獲華文著述獎文藝創作散文類第一名、兩屆文學類博客獎。曾任職哈佛燕京圖書館編目組二十五年，女作家協會審核公關委員，密西根州大碩士。主持百餘文學會議，研究哈佛文學文化。

入選世界華人學者散文大系、全美四十風雲人物等文選。持續應邀北大、復旦、台大、師大、政大等名校，中港台歐美演講。著有《哈佛問學三十年》、《一頭栽進哈佛》、《哈佛問學錄》、《哈佛緣》、《哈佛哈佛》、繁簡版《哈佛心影錄》、《域外著名華文女作家散文自選集──哈佛采微》。

序嶺雪兄七言古詩〈蓓蕾引〉

　　嶺雪兄七言古詩〈蓓蕾引〉，乃五十年前舊作。斯時文革正如火如荼，兄避秦閩南山居，「兩耳不聞天下事」，一心只讀「蓓蕾書」，為傅生與林氏女少年情事，感動得一塌糊塗。

　　平心而論，傅林一往情深的愛情悲劇，於今人鐵石心腸看來，無非尋常套路，在古裝戲中屢見不鮮。然而，兄時年廿六，詩人情種也。胸中塊壘，無所寄託，豈不惺惺相惜，爆出火花？這一千四百餘言之七言長詩，催人淚下，誠如古人云：無此等事，則無此等詩。但無嶺雪兄生花妙筆，事則不傳。

　　詩成之時，正當文化專制最烈，只能以手抄在文友間傳閱，雖不能洛陽紙貴，然亦不脛而走，眾口皆誦。每讀到「知否洞房花燭夜，最是血淚交迸時……」，總是贏得一片欷歔，時時有人滴下傷心淚。足見情至深處，戳入人心亦深。

　　四十年後，我在越劇《唐琬》的創作中，首先就想到嶺雪兄的〈蓓蕾引〉，為此專門設計了陸游新婚，洞房花燭，唐琬錐心泣血的一場戲，可惜我無嶺雪兄才情及對此的深刻洞察與體味，粗淺敷演，感人不深。記得A. 托爾斯泰曾說過，人世間的一切悲劇，以牀第之間的悲劇為最（大意）。人類的精神創傷，自亦以愛情之殤為最。而〈蓓蕾引〉，正是以現代人的人文關照，以古人的清詞麗句，含英咀華，寫出了一首天才的不朽長篇。

　　今日，詩得以在港島付梓，值得慶幸者許多。雖整整半世紀之後，傅生已矣，林女如在人世，亦紅顏已老，然而事跡則與詩長存，傅林幸甚。而作〈圓圓曲〉之吳梅村，作〈雙鴆篇〉之姚燮，泉下若得披閱〈蓓蕾引〉，聊覺三百年後，餘脈有繼，亦堪欣然一笑矣。

　　　　　　　　　　　　　　　　　二〇一八年春末於溫陵三畏齋

一九四二─二〇二〇，男，福建泉州人，著名劇作家，號「三畏齋主人」，曾任全國政協委員、泉州市政協副主席、泉州市戲劇研究所所長等職務。代表作有梨園戲《節婦吟》、《董生與李氏》、《皂隸與女賊》、《陳仲子》、昆曲《邯鄲夢》（縮編）、《琵琶行》、閩劇《紅裙記》、越劇《唐琬》、《柳永》等，曾獲曹禺戲劇文學獎、國家舞臺藝術精品劇目等眾多獎項，出版劇作集《三畏齋劇稿》。

蓓蕾引

秦嶺雪

丁未夏日，予在閩南。某夕，老友傅毅愴然敘其年少時情事，並出示女友林蓓蕾書簡，囑予作歌以記之。

傅君林君，俱深於情，柔腸詩骨，難解難分，真誠所在，盡汰偽飾。林君書簡，字字天真，聲聲血淚，自是天下間至文。

予所以畫蛇添足為狀始末者，蓋因傅林故事久已傳諸人口，而世人無聊，流言蜚語，毀滿街巷，本來面目，不復可見，糾謬補偏，遂不能免。率為鋪排，凡一千四百九十八言，命曰〈蓓蕾引〉。

傅君詩骨本天然，一曲蓓蕾獨喧妍，
遂令阿兄門下客，分波剖浪出重淵(1)。
晨風吹吹露閃閃，一枝清彩到凡間，
雪腮暈紅迎旭日，玉傘牽風未遮顏。
豈學幽蘭藏深帷，豈效玫瑰施朱鉛，
顧惜遠芳長帶刺，落落大方不可犯。
天生麗質流光艷，可憐齊怨蓮心甜(2)。
紛紛擾擾奔如塵，獨對傅君開青眼。
為教春水拍天浮，故令冰封雪禁錮(3)，
癡獃未喻殷勤意，興師問罪一封書。
難憑青鳥傳心事，遞束自來西王母，
驚采絕艷斷詩筆，從此長在君心住。
九天銀濤洗不淨，斧斫刀劈未模糊，
縱使電焚只灰燼，蓓蕾二字明可睹。
蠟炬有心空滴淚，春蠶無意自成絲，
清清眼波靜靜眉，君心我心兩相知。
同分明燈開書畫，共借晨曦吟新詞，
聯句不中罰清茶，丹青工妙更添詩。
阿妹殷勤大姐風，阿母憐愛心歡喜，
分明竹馬青梅戲，權作彩鳳比翼飛。
亦曾雞眼恨不絕，終教翻悔大悲摧，
亦曾撒手兩渺茫，尋尋覓覓無寧時。
形可滅兮影可離，寸心相親共天地。

一時淪落哪可論⁽⁴⁾，學文原不六經止，
奇才未可輕拋卻，其與筆墨同生死。
一席良言何溫存，窗前揮汗送晨昏，
冥思苦想挫萬物，枯木死灰心未分。
喚得熏風入詩束，剪取梅花上筆端，
婉囀黃鸝啼未了，狂風吹雨到眼前。
霎時天昏地又暗，喉乾心酸只茫然，
懇懇切切訴衷情，只作悽惶長恨篇。
君情何深言何遲，父母許婚三日前，
嚴父鮮血慈母淚，弱女無計奈何天⁽⁵⁾。
春節頻頻來拜年，欲說還休只覷顏，
盼君一語表恩愛，君心可怙蕾心堅。
君情何癡意何卑，世事紛紜哪可知，
多少抱憾終生事，只在當面不語時！
從此天下無知音，斷舌焚筆哭一聲，
款語溫言共誰訴，夜雨對床只獨傾。
一聲去了催我醒，天涯何處覓芳影，
快刀斬斷戀人腸，我自懸空昏冥冥。
自古戀情最偏私，三年黽勉苦扶持，
知否洞房花燭夜，最是血淚交迸時。
鼓樂噪耳腸寸寸，爆竹入心肉絲絲，
枕上陽台被間浪，阿蕾竟是他人妻！
無言無淚只長吁，狂呼狂叫腳亂搥，
阿母憐惜阿妹恨，胡為不死拼一醉。
豈是生來愛飲酒，無如心中愁萬斛，
未醉情結離恨天，醉後魂與阿蕾遊。
依舊窗前一盞燈，依然壁上雙雙影，
兩人共吟一行詩，君肩蕾肩曾相並。
詩中情味畫中景，酒味如何未分明，
難答親朋苦苦勸，我願長醉不願醒。
骨立蓬萊三山外，倒吸滄溟學大鯨，
世上何物能解酒，深深切切阿蕾心！
琵琶彈出昭君怨，阿蕾遠嫁到廣南，
遲遲一步一回首，素裹淡妝淚欄干。
南國處處相思子，濯手採摘寄將去，

珊瑚為架貝作盒，床頭燈下應相思。
紅豆難償相思債，又恐滴盡相思淚，
瘦骨嶙峋何單薄，哪堪日夜苦悲嘶？
殷殷紅豆血滴滴，不聞泣血有杜宇，
春陽燦爛眾鳥欣，何為哀哀獨悲死？
一見紅豆神恍惚，為君為妾費思量，
康樂園裏芭蕉綠，珠海流水日月長。
桑榆晚景李易安，富貴俗物猶不堪，
如何海上博浪客，要關稚鹿入羊欄？
玉堂金屋我不羨，我愛蒼茫大草原，
潺潺流水青青草，牧影飛入白雲天。
咬斷枷鎖出重關，千里啼鶯送我還，
一心要見好阿毅，風馳電掣到身邊⁽⁶⁾。
寂寂江畔晚風涼，小巷深處龍眼香，
夜月搖碎榴花影，森森古榕赤鬚長。
一城泥石踏欲爛，城南城北總斷腸。
攜手共登酒家樓，斟斟酌酌欲消愁，
只恐夜寒侵君醉，衣君急為解綺羅。
歸來靜臥獨悲愴，樓影重重壓紗窗。
如何深情愛不得，狂呼阿毅來夢鄉：
脈脈含情只凝睇，淵潭無限深秋意。
瘦骨好為偏竹籬，病軀何妨化春泥，
膏血養得根株壯，紫姹紅嫣看新枝。
感君意氣感君言，痛煞悔煞摧心肝，
知音總在患難後，深情不許未嫁年。
奮撲脫籠學大鵬，王馬鄭白最關情⁽⁷⁾，
不信鐵杵難成針，錄鬼簿上終列名，
阿毅舐筆蕾捧硯，草枯風勁寫雄鷹，
碧海刺手拔鯨牙，霞佩輕繫入杳冥，
雲為馬兮風為御，周流崑山採瓊芝，
朝朝暮暮不分離，生生死死相扶持……
雄雞啼破五更夢，一聲驚心出迷茫，
左鄰漸低右舍高，近村鬧嚷連遠城⁽⁸⁾。
興師動眾師友群，疾詞厲色如蒙訓，

敕蕾美夢驟破滅，愛君嫩肉生嶙峋。
更有好友咒風流，多情不屑同悠遊，
阿母白眼阿妹嗤，老媼扁嘴小丫羞。
耳畔唯聞鼻底聲，低眉不辨馬和牛，
爭信曾參能殺人，螻蛄嚙啐蓓蕾心。
一株枯槁綠未盡，昏昏暗暗披路塵，
不是花神施媚眼，水流花放偏愛春。
不是狐仙迷書癡，風流嫻雅本可憐，
生當飄零豈命定，絮飛蓬逐亦有因。
不當幼稚鑄大錯，不當脫俗求自尊，
不當深情愛知己，不當夢幻相追尋！
紅絲絞斷涕淋淋，蓬頭亂髮別知音，
關山難抑萬重恨，屏息來聽蓓蕾吟。
無邊暮色合天地，羊腸曲折溝壑深，
南嶺峰中漸不見，千古最痛戀人心！

跋

〈蓓蕾引〉草就，傅君贈詩曰：日夜為君神驅馳，骨化形消人笑癡，
此中恩怨憑誰論，珊瑚紅豆說相知。

一九六七年夏草於南安祖宅時年二十六。

註：
（1）林為傅兄長之學生；傅上中學時編有油印刊物《蓓蕾》。
（2）蓮心本微苦，謂其甜，謬矣，非蓮之真知音。
（3）小兒女情態。
（4）傅考大學鎩羽。
（5）林遭勸嫁，五十年代尚有此故事。
（6）林離粵返閩。
（7）傅入梨園習編劇；王、馬、鄭、白，著名之雜劇作家。
（8）滿城風雨矣。

秦嶺雪簡介

原名李大洲，福建南安人，畢業於暨南大學中文系，現居香港。香港著名詩人、
書法家、藝評家。中國書法家協會會員、中國作家協會會員。中國書協香港分
會副主席、香港福建書畫研究會常務副會長、泉州書法家協會名譽主席。出版
《秦嶺雪學書小輯》、《亂花漸欲迷人眼》、《秦嶺雪行草司空圖廿四詩品》
等書法集，曾獲世界華人書法大賽銀獎。著有詩集《流星群》、《明月無聲》、
《情縱紅塵》、《秦嶺雪短詩選》、《唐桑夜雨》、長篇歌行《蓓蕾引》、藝
評集《石橋品匯》。其詩評、論文由復旦大學出版《情動江海心托明月》評論集。

抗疫文學，呼喚真情的深度寫作

馬忠

在舉國抗疫之時，一首〈「感謝」你，冠狀病毒君〉的詩歌橫空出世，以九行排比句式對造成這次災難的病毒表達了排山倒海的感謝，引起了廣大網民的出奇憤怒和媒體的強烈批評。

「新冠狀詩人」之所以感謝「冠狀病毒君」，是因為「冠狀病毒君」竟然留下那麼多的倖存者，而最重要的是，還讓那麼多的倖存者演繹了那麼多正能量的故事。類似的歌頌，嚴重傷害了詩的尊嚴和大眾對文藝的信心，必須加以批判。無獨有偶，從二〇〇八年汶川大地震之後某報曾刊發〈江城子〉，到二〇一五年六月一日長江船難事件，某報發表歌頌文章〈救援一線，中國最帥的男人都在這兒啦！〉，再到今天〈我要感謝你，冠狀病毒君〉，從反人類性到娛樂性再到奴性，事實證明關於公共災難的文學書寫，不明白該怎樣表達感謝和歌頌的仍大有人在。平心而論，經過評論界不遺餘力的啟蒙和批評，歌頌體的作者顯然汲取了一些教訓，歌頌體文藝對人類良知的冒犯性正在降低。

不是說災難面前不能歌頌，而是要切記「生命至上」歌頌的法則——要歌頌那些拯救生命、維護生命的人或事物。比如抗擊疫情中，那些挺身而出冒死救治的醫護人員，那些在前線奮戰、枕戈待旦的公職人員和武警官兵，那些提出預警、研發藥物、提供救助的專業人士，那些奉獻愛心、堅守崗位的普通群眾，都是應該被真誠歌頌。失去對生命的尊重、對真實的敬畏，浮於淺表的煽情，空洞，蒼白的歌頌，注定是速食、速朽的。

文藝作品要震撼人心、扣人靈魂，關鍵在於對人性的深度挖掘，對人物內心複雜情感與微妙情緒的深刻捕捉。在《鼠疫》中，加繆讚頌了那些反抗荒誕、堅持真理和正義、保持沉靜和謙讓的勇者。在《來自切爾諾貝利的聲音》中，阿列克謝耶維奇也以一種悲愴的方式讚頌了承擔苦難的勇氣。可見，災難背後，除了痛和惡，還有愛和善。古往今來，描寫災難、亂離和死亡的經典文學藝術作品比比皆是，即使是在盛唐之際，也還有杜甫的〈三吏〉、〈三別〉。可是今次之疫，數以萬計的人被感染，數以萬計的家庭妻離子散，困守居室，但我們的文藝作品中，幾乎看不到痛苦、

焦慮、憂鬱、憤怒、無奈、恐懼、掙扎、徬徨、平靜等大疫之下人的複雜情緒的藝術呈現，看不到對人性的張揚，而只是描寫了驚天動地的抗擊疫情的英雄壯舉，以及對災難和傷痕的控訴。

「長歌當哭，是必須在痛定之後的。」魯迅這句話，其實也揭示了某種藝術規律。一些好的作品離不開時間沉澱。沒有痛定思痛的理性與冷靜，災難文藝很可能淪於浮躁的表態式，進而有悖於文藝的倫理。坦率地說，目前創作的一些抗疫主題作品，尤其是詩歌，似乎存在一種似曾相識的創作模式——以歌頌為主。詩人們基本從比較宏大的角度進行創作，使詩歌呈現出「頌歌」的主流趨勢。誠然，所有這些都是必需的，但直抵人心、讓人心靈震顫的作品不多。

我想，對於一個有抱負的創作者來說，他們都會在經歷了生活的某次重要變故之後重新審視創作的意義。經歷災難之後文藝能做什麼，同樣值得思索。清代詩評家趙翼的一句「國家不幸詩家幸」凝練地概括了文學史中的一種普遍現象——不能從痛苦中培植救贖的勇氣，不能在災難中擔負關懷生命的職責，「詩家幸」無疑將成為寫作者的恥辱。在突如其來的災難諸如新冠病肺炎疫情發生之後，我們是否可以向文藝工作者提出這樣的問題：疼痛之後，文學何為？

二〇一八年，在紀念「五·一二」汶川大地震十周年之際，作家秦嶺的小說集《透明的廢墟》再版，這不止是一次以文學名義的紀念。秦嶺說，關注災難，就是關注我們自己的日子和未來。災難文藝作品，目的並非為了渲染災難，而是透過災難來努力張揚生命尊嚴與人類精神。歷史已經表明，缺乏成功的藝術表達，災難所造成的傷痛很可能隨著時間的流逝被拋諸腦後。僅僅是展現災難真實、歌頌英雄，還遠遠不夠。還要去追問，人類如何在一場災難來臨時面對自身的局限性。

馬忠簡介

生於七十年代，四川南江人。中國文藝評論家協會會員。二級作家。出版有理論評論著作及詩集十餘種。

《國光周報》乃哺育文學少年之搖籃

林智育

閒名海內外的南安國光中學，是由著名的新馬華僑、愛國實業家李光前先生於一九四三年獨資創辦的。在經歷了戰爭烽火和艱難歲月之後，終於迎來了滿懷希望的新中國成立初期，亦即上世紀五十年代的輝煌。其時，也正是學校開始接納一大批、一大批向往新中國的東南亞歸國華僑學生來校就學最頻繁最熱鬧的當兒。

眾所周知，國光中學的校舍特別雄偉壯麗，環境優美，齊全；無可置疑，此時還應是南中國一所教學設備和師資都較為完善和突出的重點僑校了。母校高五組校友、國際知名文學理論家劉再復後來在〈永遠的文化紀念碑〉一文中曾這樣描述：「……它有特別華美的校園，有特別豐富的科學博物館和實驗室，尤其是有一個其他學校難以比擬的特別大的圖書館。我常對朋友們誇耀，從少年時代起，我就擁有一個屬於我的文化搖籃精神家園，這就是國光中學圖書館。」的確，回想當年我們在學校單就課餘和活動而言，便十分豐富而充實，不僅有一般的唱歌、舞蹈、話劇等興趣小組，甚至已有陣容鼎盛的學生銅樂隊、少年足球隊等等。至於對學校的文學愛好者、少年學生來說，最大的樂趣莫過於跑劉再復同學上述的「圖書館」；最大的熱情則莫過於每星期向學校語文教研組主持編排的《國光周報》投稿，積極爭取那撼人心弦的發表率了。

說起五十年代當年的《國光周報》，就有趣了。所謂《國光周報》，實際上只是豎立在學校運動場周圍一孤角的九塊大黑板，用水粉筆繕寫的，每周出版一次，其中七塊是文稿，兩版為畫刊。但小小的《周報》組織卻是頗為嚴謹完善的；由編輯組、記者組（班一級又枝分為通訊組）、繪畫組、繕寫組，而統一在編委會（出版組）指導下進行工作的。現在回想起來，的確不可低估當年這塊小園地的培植力和影響力。《周報》不僅有一般作為學校師生表彰好人好事和善意諷刺批評的通訊報導，而且還有大量富文學色彩的小習作，諸如詩歌、抒情散文、幽默小品、漫畫畫作，甚至有小劇本等等。例如，就讀初廿組、高五組有「學生詩人」之稱的陳懋強僑生

校友在描繪剛剛歸國的僑生熱情納入學校新生活時，便有膾炙人口、至今難忘的「昨晚火車剛剛到，今早便和大家一起做早操……」的佳句哩。

又記得每當舉行校運會的時候，我和初廿組、高五組後來著作《李光前傳》的作者李遠榮僑生校友，總是最活躍、最認真奔忙於在運動場內外的採訪者，一會兒報導「女大力士陳愛珠同學」擲標槍創造中學生省記錄的消息，一會兒又為年近半百的「老師跑百米、成績不算差」而雀躍歡歌。寫到此處，當年那運動會會刊的油墨清香和運動員們使用松節油的氣味又彷彿縈繞在我的周圍。由於李遠榮同學和我的文章寫得特別多，刊登率又特別高，幾乎是周周見報，因而被大家譽為「快手小記者」稱號，在學年年終時雙雙被推舉為「周報人員代表」，出席參加學校友會「優秀學生代表大會」。此事距今遠逾一甲子不止，八旬老翁的我至今仍珍藏著這幀歷史性的留影（母校多次紀念建校周年慶專刊，均反覆被採用）。歷史經已說明，《國光周報》這塊小園地是哺育文學少年的搖籃，它既鍛鍊了人，也培養了人。如長期擔任美國科羅拉多大學客座教授、曾任中國社會科學院文學研究所所長的國際知名文學理論家劉再復，擔任《福建日報》總編輯歷久四十餘載的黃種生，前述《李光前傳》作者、現任香港作家聯會秘書長的李遠榮，曾任北京《光明日報》文藝部負責人優秀版畫家的戴慧文、曾任泉州黎明大學巴金研究所主任的方航仙；曾任集美大學中文系系主任的文學理論家鄭波光，中學高級教師、古典詩詞學者黃元佐；曾任莆田縣文化局長、著名畫家王武龍……都是我們同時代的同學，也都是當年《國光周報》的積極撰稿人或是美術繪畫者。至今，大家仍然非常感謝和懷念當年周報的主要倡導人朱先興、周祖禁、陳漢忠等諸位老師。

回憶作為莘莘學子時的勤勉，是美好而耐人尋味的。當年風華正茂的少年同學，數十載來雖各奔前程，學習、工作；歲月悠悠，天各一方，卻一直沒有改變的是學習的志趣和校友的情誼，「莫愁前路無知己」，機緣際會，數十年後相當一部份當年《國光周報》的中堅分子又居然「相約在香江」；在「國光中學香港校友會」的共同旗幟下向海內外數以萬計國光校友徵稿，出版了值萬言的二部校友回憶錄《思源》和《湧泉》，本人被推舉擔任該書的執行編輯，並撰作一首作為《國光中學校友總會會歌》的

歌詞,從此「緬懷 校主恩,追憶師長情,奮拓人生路,思源喚心聲」唱遍了所有綿綿曾經的國光人。如今,我們在一起時常會感慨,中學時代最令人難忘的是校主李光前先生辛苦為我們創造了美好的學習環境,是母校老師用智慧的乳汁哺育我們健康成長,從而激發了我的自覺和勤奮,從另一角度說,當年的《國光周報》也正是撫育我們文學少年熱身的文化搖籃啊!

寫於二○二○年七月二十三日

林智育簡介

現旅居香港,係國光中學初廿一組學生,當年曾是《國光周報》編委會五成員之一。現為香港中華文化總會副理事長,香港作家聯會永久會員,香港南安公會副秘書長兼會訊執行編輯,國光中學香港校友會永遠榮譽會長。

《香港作家》
網絡版編後語

不平凡春天出世的新孩子

張志豪
《香港作家》網絡版執行主編

　　二〇一九年在動盪、喧囂中斷然逝去，迎來二〇二〇庚子年，希望的春天在路上而來，也帶來了重新上路的《香港作家》網絡版。今期特輯「在春天的路上」，十多篇文稿，有歌頌春天、呼叫希望的〈新春桃花頌〉、〈春思〉、〈詩意盎然〉，隨興所感的〈鼠年暢筆口占〉、〈橋〉，暢談好書迎鼠年，亦有愛念香江的〈夢回港灣〉。期頒之外，亦有濃濃年味的〈利是〉、〈圍爐團圓過大年〉、〈春節無情雞〉、〈年味與黏味〉，都在訴說著春節的情感回憶和習俗故事。

　　可惜，適逢庚子，世途多舛，爆發新型冠狀病毒肺炎，與過去的三個庚子一樣，都要面對考驗[1]。於是，一眾作家詩人在病毒猖狂的冬日春日紛紛抒發心中鬱悶與期盼：王瑞帶來寧靜的小城之夜，安靜敘述夢魘和希望中的庚子春節，王長征把疫症中人群的心態與醫護在廢墟上的堅守深情刻畫，萍兒給予我們〈一株嫩綠也是巨大的安慰〉。

　　陰霾中殷切見晴，不妨神遊遠近風景，隨春風吹拂，開闊胸懷。安居樂業下的沙田河岸，居民「天天早起看看河邊的熱鬧情景，呼吸一下河邊的新鮮空氣，保持好心情，這樣一定會長壽的……」[2]。太子站旁「永字頭燒臘店出售的脆皮燒肉遠近聞名，過時過節的時候，要排隊才可以買到，又有出名的火鍋店，又有吃蛇羹的小店……愛插花……可以隔日步行去花墟花市買鮮花。」[3]

　　鄰近，又可漫遊澳門，「沿著十月初五馬路往前走，狗狗懶洋洋地曬著太陽，高高的大榕樹，古典的西洋街燈，民居的門前供奉著土地公、財神爺。一些老人在茶餐廳飲茶，在樹蔭下打紙牌，在家門口拉家常……」走近龍環葡韻，更能感受蓮葉田田的壯觀[4]。氹仔永利皇宮觀賞大型藝文活動「藝文薈澳」，特色展品雲集。

　　「來到青島，自然不能錯過文化名人故居。第二天，彷彿時光回到三十年代，康有為故居、沈從文故居、老舍故居、梁實秋故居、蕭紅蕭軍故居……」[5]一場精彩的青島人文之旅。還有充滿「秘密」的澳洲悉尼花

園——溫迪花園，以及印度喀什米爾的勝景——達爾湖，「喜瑪拉雅山的壯麗山脈為背景，而且英國人遺留下來的華麗船屋，更是遠道而來斯利那加的旅客喜歡的旅舍。」[6]

新誕生的《香港作家》網絡版，提供隨時隨身閱讀的方便途徑，配備互動明快的介面，大量彩色配圖，讓你一鍵打開置身文學天地，神馳遠近。「我們的平面版《香港作家》停刊後，網絡版卻在陰霾滿佈的春天誕生了。希望大家共同來鞠迎這個在不平凡春天出世的新孩子，一起來耕耘這個屬於大家的文藝園地。」潘耀明會長殷切叮囑[7]，誠望大家扶持，讓這孩子穩步成長。感謝。

註：
（1）一八四〇年爆發鴉片戰爭，一九〇〇年八國聯軍團攻中國，一九六〇年中國出現大饑荒。
（2）劉憲〈我住在沙田碩門邨〉，第一期。
（3）劉素儀〈懷念住在太子站附近的好〉，第一期。
（4）江揚〈歸來，蓮葉何田田〉，第一期。
（5）張燕珠〈青島人文之旅〉，第一期。
（6）林馥〈印度之旅：喀什米爾 Kashmir ——斯利納加 Srinagar〉，第一期。
（7）潘耀明〈希望的春天在路上〉，第一期。

二〇二〇年二月

願「疫境下的城市風景」成為過去

張志豪
《香港作家》網絡版執行主編

記得踏入二〇二〇年一切如常，庚子春節前戴口罩的人還不多，大家依舊忙上班、上學、生活、娛樂、辦年貨⋯⋯本來喜氣洋洋的年初一，政府突然公布把應變新型冠狀病毒（COVID-19）的級別提升到最高的「緊急」，香港的城市風景倏然一百八十度倒轉了。疫情下的城市風貌，至今成了我們的日常。

今期《香港作家》網絡版特輯以「疫境下的城市風景」為題，讓大家執筆記下觀察所思，刻畫這個特別的一瞬。自第一期推出後，來稿甚為踴躍。資深作家、出版人東瑞譜出一個動人的關連故事：一對年邁夫婦抵不過疫情衝擊，相依為命的太太感染入院，長病患的丈夫心如刀割——在隔

370

離病房「老婆看到老公的淚光，他的雙手還抓著一張 A4 紙，上面寫著：春天到了，我等著平安的妳」。[1]

旅日華人女作家華純，組織並帶來了共八位日本華文女作家的「櫻花‧疫情」作品，「女性作家的筆觸在苦難的真實境遇和文學鏡像中碰撞，共同為這場大災難發聲。誠如林祁女士所寫的：當天空與櫻花一起醒來，你將與倖存者一起『向死而生』，靠光線，靠文字，或者靠一瓣溫暖的聲音……是的，時代的灰塵，落在每個人頭上就是一座山。即使人們不得不作最壞最心酸的打算，也不能放棄抱有最好的期望。這個春天連同櫻花的疼痛，終將成為抹不去的一種記憶。」（華純語）[2] 當中有對仙川車站百歲櫻花的祈禱、有櫻片翻飛的四國遍路探索、櫻花開謝的溫馨與滄桑、魯迅寫上野櫻花及學生制帽頂上「富士山」的故事、武漢賞櫻回憶、別具寓意的隱形患者……如落櫻繽紛。

搶「口罩」、「廁紙」、「米糧」是香江難得一見的奇景，人搶我恐、長龍苦候，大部分市民親歷此情此景。限聚「宅家」，「縱慣居家呆悶日」[3]，市面「水盡鵝飛」，多少「疫境時光」。

病毒全球大流行前一刻，林馥幸運地完成了土耳其深度遊，親歷並記下了伊斯坦堡與特洛伊、巴格門古城傳奇風光。每天籠罩在接近窒息的恐怖陰霾下，劉利祥把一些快樂的過往梳整成文，想念著那真實而美麗的菲律賓馬尼拉——「陽光、沙灘、雲天和海浪，還有她那如芒果乾一樣甜甜的笑。」[4] 而江揚今回窺探從未沉靜的黑海，看其波濤「書寫著沿岸土耳其、保加利亞、羅馬尼亞、烏克蘭、俄羅斯和格魯吉亞六個國家生生不息的悠久歷史。」[5]

另外，彥火的特稿〈速寫於梨華〉，追憶因新冠病毒過世的「留學生文學」先驅於梨華女士，風貌描寫飽滿傳神，配有珍貴獨家照片，更附於女士胞弟於忠華的悼念信。瑞典著名漢學家、瑞典學院院士、諾貝爾文學獎評審委員馬悅然教授之徒孫孫繼成，既緬懷亦補記馬悅然教授的漢學淵源及成就。而香港作家、資深教育工作者馮珍今的獨家人物專訪，由馮的「新亞」精神承傳談起，到其遊學巴黎、考察中亞，兼談與小思、綠騎士等的交往，立體而見神貌。

喜聞近日香港疫情稍趨平穩，疫苗亦在加速研發，天氣漸有夏意，謹盼「疫境下的城市風景」能早日成為過去，大家一起卸下口罩，深吸新鮮空氣，擁抱久別重逢的親朋、日常。

註：
（1）東瑞：〈春天到了，我等著平安的妳（外一題）〉，第二期。
（2）華純：「櫻花‧疫情」前言。
（3）凌亦清：〈香港疫境風情三首〉，第二期。
（4）劉利祥：〈同一片天空，我們都被籠罩著〉，第二期。
（5）江揚：〈黑海，你從未沉靜〉，第二期。

二〇二〇年四月

在滿懷憧憬的夏天昂首前行

張志豪
《香港作家》網絡版執行主編

受疫情籠罩春天過後，迎來蜩螗聒噪不斷的盛夏，共鳴結伴陽光，滋長萬物，欣欣向榮，滿含希望活力。加上香港多日本土零感染的實況、中小學復課，與限聚令進一步放寬，大家的生活開始在口罩下逐漸回復日常。

今期特輯「相約在今夏」就在這種正向、滿懷憧憬的氣氛中展開。東瑞期待著涼涼夏季，清晨陽台上品咖啡讀書，海濱的木長椅上看夕陽人流，江南水鄉小巷相約漫步同行，樂土峇里島京達瑪尼度假推薦。潘明珠與日本舊同學美奈子「暑中見舞」的夏日之約，有捧著宇治金時刨冰，穿上彩麗浴衣、木屐，逛納涼大會，以至夜登富士山的美好。潘金英筆下則散發著劍橋充滿生命的溫暖和愛，且熠熠生輝的夏日陽光。

涼涼夏展卷，「夏天正是讀書天」[(1)]，不讀書，無以成器。「讀幾句，養眼；讀幾行，養身；讀幾頁，養心；讀半卷，綠化心靈。」[(2)] 讀累了不妨望望窗前那一盆盆紫紅翠綠，飽含大自然界奇妙之力的盆栽，既可護目、鬆弛神經，亦可窺探強大的生命力給予人類的重要啟示。[(3)]

餓了，炎炎夏日，可以來一碟美味可口的「糟貨」（糟鹵製成的涼菜），糟豬手、糟鳳爪、糟門腔、糟雞、糟鴨、糟大蝦、糟魚片、糟毛豆……配上冰凍啤酒、冰塊威士忌，既解饞又降暑，更可呼朋圍話，真乃人生一大樂事。

嘗試「把心安靜下來的時刻,一個新的世界慢慢敞開了。」(4)聽聽一個笑笑的女孩燕燕訴心事,投入六月依戀陽光下的台南物語,以及佛教名山雲南雞足山上,明朝地理學家、旅行家和文學家徐霞客萬里遐征的最後蹤跡。

而今期特稿,李遠榮秘書長的〈千淘萬漉雖辛苦 吹盡狂沙始到金——我和傳記文學〉,更堪細讀,文中縷述撰寫傳記文學的心得,與多位名家交往的奇緣:素昧平生,譽滿天下的戲劇家曹禺令人喜出望外的覆函;「年在萬人之上」的冰心題示:「這是一本香港野雞書店出的書,不值得一買,李遠榮先生,你上當了!」;對孫中山先生後裔王纕蕙和王弘之名字筆誤的道歉;郁達夫前妻王映霞,離新加坡,郁達夫並沒有在南天酒樓為她送別的真相……行文引人入勝,兼富深意,標舉傳記文學為傳主平冤昭雪的責任、奇緣機遇所增加的可讀性、鍥而不捨的辨真精神。

美文在手,伴我們在這個滿懷憧憬的夏天昂首前行。

註:
(1)黃秀蓮:〈夏天正是讀書天。〉,第三期。
(2)東 瑞〈期待涼涼夏季〉,第三期。
(3)賴慶芳:〈盆栽的啟示〉,第三期。
(4)木 子:〈你能把心安靜下來嗎〉,第三期。

二〇二〇年六月

自強不屈 逆境前行

張志豪
《香港作家》網絡版執行主編

香港經歷了數月的抗疫歲月,到六月一切開始趨於平和,連續多天零確診,抗疫限制措施亦大限度放寬,復工復課,生活恢復了大半的正常。可惜轉瞬,第三波疫情來襲,連續多天上百、數十宗確診,全城進入嚴陣戒備,再次提醒我們要與疫症共存、生活。在這種處境下,大家懷抱著各種喜與憂,體驗人生逆境,唯有突破困難,勇敢前行……

避疫在家，賞心樂事莫過於讀書寫作，透過筆觸流露出深情。今期稿件比前期眾多，蒙歐洲華文筆會副會長岩子女士等友好的協助與支持，為本刊帶來了歐洲華裔詩人作品選，十位詩人來自七個不同國家，有回憶故鄉昔日，有懷抱當地生活，為我們呈現出多個既熟識又新鮮的視角，訴說著一闋闋異鄉情曲。

　　日本華文女作家協會的十位女作家以「轉向窗外的視線」為主題，進一步刻畫眾多香港人最愛的旅遊勝地日本的窗外疫境風光：「轉向窗外的視線是對大自然釋放善意和友好，是去遇見有趣的靈魂，去碰撞一些很強的東西。草木各有氣場，在這樣一個相互凝視的空間，女作家以文抒懷，夾帶著夏日的一陣荷風搖曳……」（會長華純女士語）[1]——東京「隙間」，武夷老茶湯中的「天放」緣分；北海道二世古親子滑雪的溫馨時光；瀨戶內海、鳴門海峽「一期一會」的難忘因緣；遊客淡去，寂寞而美好的京都味道；行雲流水下陋外慧中、盡顯侘寂之美的插花藝術；住宅區池塘的荷風月色與詩情畫意；生命短暫的煙火綻放成令人迷戀的風物詩……

　　視線再由窗外一直延伸，轉到關防，本期特稿，柏楊遺孀、台灣詩人張香華女士，以詩人獨特而敏銳的目光，通過國家「大門」關防人員的行為、態度、語言，探出當地國家人民的特質，甚至他們的政治、社會、經濟狀態，充滿知識見聞與詩意情味。

　　而逆境下的日子，香江圍城[2]，「疫情 ‧ 歲月 ‧ 心影」[3]，說的都是香港人的心聲。在雲端上的聚會、學習、消閒、購物已成了新習慣。不過逆境下的「獅子山精神」——紅區菜市場的紙皮婆婆[4]，住在深水埗唐樓、穿深藍制服負責除塵去垢的張姨[5]，仍然是我們銘記自強不屈、在逆境前行的榜樣。

　　英國大作家、詩人王爾德勉勵世人：「切莫垂頭喪氣，即使失去了一切，你還握有未來。」且讓我們繼續手握希望的未來。

註：
（1）華純：「轉向窗外的視線」前言。
（2）黃芷淵：〈香江‧圍城〉，第四期。
（3）東瑞：〈疫情 ‧ 歲月 ‧ 心影〉，第四期。
（4）東瑞：〈紙皮婆婆〉，第四期。
（5）黃秀蓮：〈塵垢〉，第四期。

二〇二〇年八月

不住的思念

張志豪
《香港作家》網絡版執行主編

由「月到中秋份外明」的中秋到「落在異鄉為異客」的重陽，都是「每逢佳節倍思親」。疫情反覆，持續限聚，打亂往昔節日親友團聚的好心情，但大家心中的思念卻不斷，甚至越發強烈⋯⋯

黃秀蓮回憶深水埗唐樓一層住滿了七門八戶，幾個核心家庭的夫婦，帶著一群孩子的昔日光景。舊情所牽，一念之動，便決定趁著中秋逐一探望三位已垂垂老矣的師奶老鄰居。潘金英、潘明珠乘八月訪英遊客不需隔離，決意冒險赴英探親，共處同遊，手作充滿心意與驚喜的生日美宴，溫情洋溢。及後回港，亦寫下檢疫隔離的獨特生活體驗。東瑞愛在深秋，表達了對秋季的熱愛、眷戀、靈思與回憶。江揚細述六月下旬飛往美國，一段「逆向」的旅程，鄰居南瓜排骨飯的溫暖，好友適時而真摯的關懷、扶持──「人，從來就不是孤立的。你不是一座孤島，在茫茫大海裏自成一體。每個人都是大陸裏的一片，或者滄海裏的一汪。那一刻，我沒有了孤獨，沒有了恐懼。」[1]

「我有所念人，隔在遠遠鄉。我有所感事，結在深深腸。」幾位日本華人女作家阻隔遠方，唯有把思念投放在山水間，「以不同的角度伸入秋季的空間⋯⋯『煙霞問訊，風月相知。』斑斕的秋色，自然為我們送來了山水間的高情遠致，使我們更愛惜與生命有關的一切。」[2] 而彥火的秋之什，筆觸細膩，流露深摯的人文關懷，以及對秋天、家鄉的繾綣情意。

今期特別推薦二〇一九與二〇二〇年兩度獲得諾貝爾文學獎提名的中國當代作家、先鋒派文學代表人物殘雪的特稿，她以自己的長篇《新世紀愛情故事》為切入點，細談關於新型愛情的可能性的故事，詠嘆「新世紀的愛情是勇敢的、開拓型的愛情；是蓬勃向上的、有希望的愛情。它在高超的騎手的駕馭下以罕見的原始之力駛向自由的王國。」[3]

又一九九七年，李遠榮乘參加第九屆世界華文文學研討會之機，前往北大拜訪心儀已久的當代中國學界「泰斗」季羨林教授，今撰文追憶一代大師身影。綠騎士則帶領大家遊走巴黎近效小鎮，在樹蔭綠影、一片閒適間，尋訪法國詩人艾呂雅故居、達達運動與超現實主義的搖籃。

另今期始增設「作聯簡訊」欄目，介紹與本會相關的活動、全人新書訊、會員創作動態等，既作分享，也望加強交流了解。

寒風已起，二○二○的深秋，窗裏窗外，讓我們細看心影、懷抱思念。

註：
（1）江揚：〈你不是一座孤島〉，第五期。
（2）華純：「念在山水間」前言。
（3）殘雪：〈關於新型愛情的可能性的故事——殘雪談自己的長篇《新世紀愛情故事》〉，第五期。

二○二○年十月

獻給在不一樣的冬天、不一樣的一年中熱愛文學的你

張志豪
《香港作家》網絡版執行主編

流光繾綣，敲著鍵盤，泡品香茶，迎來二○二○年的歲末，《香港作家》網絡版創刊亦快近一周年了。回首一歲，幾度的願「疫境下的城市風景」成為過去，終於聽到希望的腳步聲。世界各地包括香港已先後安排疫苗接種，雖然在英國等地近出現變種的病毒，但疫苗的成功研發與持續改良，估計會為二○二一年我們重啟正常生活帶來實效與突破。

「不一樣的冬天」凝寒中倍有所思，不一樣的情懷，不一樣的回憶，都屬於我與你……

彥火由故鄉的雪，到曼哈頓的雪、愛荷華的雪、太陽島的冰雕，譜寫那一簾雪夢。黃秀蓮追記生命裏最凜冽的冬天——在雨雪相侵、拉緊衣襟、低頭疾步，糊糊塗塗裏渡過的芳菲歲月。五十年前的冬天則是東瑞與小表妹不一樣的愛情故事的開始。

任教中大的潘銘基面對網上授課，思考「傳道」、「授業」、「解惑」隨著時代發展會有著甚麼挑戰與適時的變化。孫繼成在他方荒野草叢中撿拾長似黃梨的「木瓜」，歡喜聞香之餘，反思世態，訓詁善惡。潘氏姐妹則不忘樂於分享溫馨與希望。

日本自古以陰陽五行比擬四季與人生：青春、朱夏、白秋、玄冬，玄冬歲月裏，也許會有人選擇「我將獨自前行」[1]；但懷抱「獅子山精神」的香港人，必定更加願意以頑強不息的堅韌品格邁步，不斷注入新的時代內涵。[2]

今期十分榮幸，蒙王鼎鈞、張承志二位大家惠賜作品。

「外界的事物，觸動了我們的感官，使我們的心裏面產生思想感情，我們用語言文字把它表現出來，讓別人分享，用文言文的說法，這叫『感於物而動』。」[3]王鼎鈞先生細說如何從視覺、聽覺、嗅覺、味覺、觸覺「五感」，去「觀察」及豐富寫作，十分值得學習。

「隨著社會的潮流嚮往世界，能聽說岡林信康已經很不容易，何況介紹人全然不提及他……加上『頭腦警察』這樂隊名嚇人一跳——就這樣我和 PANTA 失之交臂。」[4]張承志先生敘述與日本著名民謠歌手岡林信康的交往與創作心路，並回應日本的六、七十年代左翼學生運動和他們支持的現代藝術，發人深思。

各欄目還有多篇不同題材的精彩作品，獻給在不一樣的冬天、不一樣的一年中熱愛文學的你，與你共鳴。

註：
（1）杜海玲：〈二〇二〇年的一些節點〉，第六期。
（2）徐國強：〈獅子山下〉，第六期。
（3）王鼎鈞：〈你有五種感官〉，第六期。
（4）張承志：〈詩的最後音色（上）〉，第六期。

二〇二〇年十二月

《香港作家》網絡版　編委會

社長：　　　　　　潘耀明

總編輯：　　　　　羅光萍

策劃編輯：　　　　彭潔明（第六期）

執行主編：　　　　張志豪

副執行主編：　　　郭艷媚

特約執行編輯：　　羅旭

特約編輯：　　　　程志廣（第六期）

編委：　　　　　　李遠榮、周蜜蜜、張詩劍、張志豪、郭艷媚、

　　　　　　　　　彭潔明、潘耀明、羅光萍、羅旭（以姓氏筆劃為序）

後勤支援：　　　　梁妙娟

封面設計：　　　　洪清淇

技術支援：　　　　韓思萌

聯繫電郵：　　　　hkwriters381@yahoo.com.hk

《香港作家》網絡版網址：

https://hkwriters.org/hk-writers-listss

希望的春天在路上——《香港作家》網絡版選集
〔第一期至第六期（二〇二〇年二月號至十二月號）〕

主編： 《香港作家》網絡版編委會

「香港作家」題字： 饒宗頤

排版設計： 周芷君

出版： 香港作家出版社有限公司

地址： 香港柴灣嘉業街 12 號百樂門大廈 12 樓 11 室

電話： 2891 3443

傳真： 2838 0160

電郵： hkwriters381@yahoo.com.hk

發行： 香港聯合書刊物流有限公司

地址： 香港新界荃灣德士古道 220-248 號荃灣工業中心 16 樓

電話： 2150 2100

版次： 二〇二二年六月第一版

ISBN： 978-962-811-500-6

承印： 美雅印刷製本有限公司